JN276130

広瀬善男・国際法選集 Ⅱ
戦後日本の再構築

広瀬善男・国際法選集 Ⅱ

戦後日本の再構築

領土　外国人参政権　九条と集団的自衛権　東京裁判

広瀬善男 著

信山社

はじめに

 1　日本国憲法の示す「平和主義」（人権主義を内包する）と「国際協力主義」は，第2次大戦後の日本国民のアイデンティティを示すシンボル概念として掲げられた。21世紀に入った今日でもそうである（べき）だろう。ルソー（J. J. Rousseau）の国家論を援用すれば，それは戦後，新たに日本国民が選択した「立憲（主義）国家」を基礎づける「社 会 契 約（コントラ・ソシアール）」の結合軸であり，かつまた20世紀に2つの世界大戦を経験して人類が到達した「一 般 意 志（ボロンテ・ジェネラール）」の具体観念といってよいだろう。国連憲章の理念でもある。そしてこの日本「国民」の統合軸であり且つ普遍人類的な共通理念観は，見通しうる将来での十分な価値持続性を有している（はずだ）と思われる。しかし21世紀初頭の今日，こうした人類の普遍価値観は，原理的理解としてはゆらいでいるわけではないが，具体的適用でゆがみが生じ始めた傾向がないとは言えない。1つは国連機能の米国化（米国の支配力の増大）の問題であり，経済的グローバル化に伴う「多文化」（文化的多様性）社会の崩壊の懸念と，並行して強まる文化間あつれきの傾向である（欧米的自由主義文化とイスラム原理主義の相剋はその例）。

 ところで複数民族が主権国家の形態をもつ統一的な集団社会を構成しようとする場合には，それぞれの人種，宗教，言語，文化という歴史的異相を越えて結合する新たな政治的統合理念を必要とするが，既存の国家が社会的変動の中で，新しい国民の帰属軸としての政治理念を，主権意思として採択することも歴史的に別に珍しいことではない。多くの革命事象がこれを証明している。

 政治的価値観の変動が新たな社会契約を生むのであって，或る時代の民衆習俗や社会観を「伝統」の名で不変原理とすることはできない。政治理念や社会価値観だけではなく，基本的なエスニックな要素すら絶対不変ではありえない。人類は混成同化し，宗教も別信仰を生み，言語すらも時代と共に形態を改め，文化は民族間の相互交流によって大きく変貌するからである。

 戦後半世紀余を「体験」した日本人が，その間の社会契約として選択した日本国憲法の状況に，何を持続的価値として今後も共有してゆけるのか十分な検討が必要である。それによって「事実」の「知見」化，「体験」の「経験」化が可能となろう。このさい特に重要なことは，日本人の社会契約基軸としての憲法上の「平和」と「人権」の思想や「国際協力」の観念は，国際社会の状況の変動に有

はじめに

効に対応しつつ，それに能動的に働きかける国民意志の表現であるという認識である。

2　しばしば指摘されるように，日本人のメンタリティには，「権威」や「権力」に対する無批判の従順性があり，それがこの国をヒエラルヒー的集団社会として一体化することに役立ち，反面またその社会を閉鎖化，矮少化もした。憲法九条の実践過程にもそれは端的に現れた。戦後，新たに「権威」化された九条理念を物神崇拝の対象とするだけで，自らをとりまく国際的な客観条件の変動に有効に対処する方針を示しえず，観念的イデオロギーに耽溺するだけの抵抗集団を生んだのも，この民族習性の故であろう。

一方，戦後長期に亘って政権を墨守した保守勢力は，国際「権力」としての米国に日本国益のすべてを委任し依拠する特殊な「平和国家」としての従属性に埋没することを，ひたすら政策上の心構えとしてきた。「長いものには巻かれろ」，「寄らば大樹の陰」式の集団心理に支配された長い戦後期を過したのである。もっともそうした米国庇護の下で，日米安保体制が果した日本の西側資本主義陣営への組み込み効果は確かに否定できない。従ってそれによって戦後の日本の経済発展を可能にした構造的意義を認めないことは不公平だろう。しかし，21世紀に至り，米国新保守主義（ネオコン）によるしばしば軍事力を背景にした単細胞的な自由主義拡張政策に，無思慮に追随する日本の日米同盟への過度の依拠は，近隣アジア諸国民の心情への洞察を欠く当時の首相（小泉純一郎首相）の靖国参拝行事への偏執にみられるような第2次大戦の深刻な反省を忘却した行動と相俟って，アジア社会での孤立を招来した事実を過少視することはできないだろう。

ところでこの戦後期を彩った「権威」と「権力」は，一見，相剋するかにみえながら，集団社会の中では建前と本音の関係の中で，相互にもたれあいの状況をも呈していたことを見落としてはならないだろう。こうして日本の戦後史は，ありていに言えば，九条をめぐる「権威」信仰と（米国）「権力」依存の，表面対立，裏面癒着の談合史であったと言っても過言ではない。55年体制はその端的な表現なのである。

集団主義社会としての日本は，「建前」と「本音」の使い分けによって，社会の折り合いをつける処世術を得意としてきた。戦前，「国家神道は宗教にあらず」として「信仰の自由」という憲法上の建前を維持しながら，宗教一派としての神道の「国家護持」の本音を実現したのもそれであるが，戦後の新憲法において「自衛力（隊）は『戦力』にあらず」として，九条の建前を維持しながら軍事力の保持という本音の実現を可能にしたのも，この日本人のアンビバレントな鵺的

性格の故であったかもしれない。

　西欧的近代合理主義の立場からみれば，——そしてそれが「契約社会」観の本質なのだが，——自衛力（隊）は憲法九条２項上の「戦力」であることを明確に認めた上で，九条１項によって禁止された目的をもたない（九条１項の制約に服する）軍事力だとして，——九条の改憲は自衛隊創立当時に於ては，戦前への逆もどりの危険性を周辺諸国に与え，到底国際社会の理解を得られる状況にはなかった。——即ち九条理念の保持はゆるぎない国民的信念であることを明示しつつ（そのための国会決議を行い）戦後の東西対立と激化する冷戦の下，東アジアでの軍事的緊張（1950年の朝鮮戦争や台湾海峡の緊張更にはベトナム戦争の発生）に有効に対処するための已むをえざる手段として，専守防衛力としての自衛隊を（当面，暫定的措置としてでも）設置すべきことが，東西の国際的理解を得うる道であった。そしてそれが人類的先達としての戦後日本国民の生存哲学であったであろう。即ち自衛軍事力の保持は決定するが，同時に九条わけてもその２項の堅持を鮮明にすることにより，将来の日本外交の基軸を国連憲章がめざす軍縮，軍備撤廃という世界政策への積極的関与に置くことを明示する憲法体制の表明が望ましかったのである。しかし政府（与党）も野党もその道を選ばなかった。

　こうした日本社会の（あいまい）特性が，明治期以後の近代化の過程で実現したとされる「脱亜入欧」の言葉とは裏腹に，「脱亜」はしたが「入欧」（人権感覚を含めた近代合理思想の導入）はしなかった，という結論を導くのである。

　いわゆる「革新」側の行動をみると，権威信仰としての九条原意に固着し，その状況的展開を怠り，政治の場での劣勢が明白となると共に，制度的権威としての司法への過度の依存（自衛隊違憲判決願望）の傾向を強め，しかし最高裁が自衛隊合憲のお墨つきを与えかねない雲行きを察知すると，一転して憲法判断回避を訴訟技術として採用し，自衛力（隊）違憲訴訟の膠着化をむしろ願うという，いわば制度（司法権威）信仰の裏返しを抵抗感なく行い，結果として自ら批判する違憲審査権の形骸化に手を貸す状況すら招来したのである。これをしも司法権（司法制度）の特定イデオロギーによるもてあそび（歪曲化）戦術と言わずして何であったであろうか。それをもなお自衛隊合憲判断阻止のための違憲審査制の正統化戦術というのであれば，何おか言わんやであろう。しかるにその後1994年，村山社会党委員長を主班とする自民党，新党さきがけの連立政権が誕生したとき，社会党は従来の党是を180度転換させ，自衛隊を専守防衛目的をもつ軍事力として合憲化したのである。しかし2006年初め，社民党（社会党の後身）は自衛隊の現状を「違憲状態」とする新しい綱領的文書を発表した。たしかに現状としての

はじめに

　自衛隊が規模において自衛の最小限度を超えるという見方に即すれば，違憲という見方も成り立つかもしれない。しかし後述するように，保持すべき自衛力の程度，能力は周辺（軍事）環境と国連等の国際的対応能力（日米安保条約体制を含む）の如何によって変動するものであって，これは司法的判断に本来なじまない。国会，行政府の政治的判断に委ねる以外にはない問題である（合憲違憲の問題でなく，政策的当，不当の問題）。その意味では，（専守）自衛力の存在を憲法上で是認するのであれば，自衛隊の「存在」そのものを違憲（状態）ということはできないであろう。しかしそうではなく，イラク等への自衛隊の派遣を（専守）防衛目的としてのみ容認した自衛隊の目的からの逸脱行為とみるのであれば，それは自衛隊そのものの「存在」の違憲（状態）というのではなく，自衛隊の「運用」違憲（状態）とみるべきものであろう。社民党の新綱領は多分，後者の見方を表明したものではないであろうか。従って社民党の新綱領によって旧社会党への「先祖返り」（自衛隊の「存在」そのものを違憲とする立場への復帰）という批判は当たらないであろう。

　こうして21世紀の今日，日本国民は憲法九条の速かな再構築を要求されていると言って過言ではないのである。

　　2006年7月

広瀬善男

目　　次

はじめに

第1章　領　　土 …………………………………………………………… *1*

第1節　北方領土の領有権 ……………………………………………… *3*
　　1　交渉経緯の再検討 ……………………………………………… *4*
　　2　国連憲章と領土不拡大原則——主権的自由（戦勝国行動の自由）
　　　　観念を背景とする戦後処理不変更合意の規範的限定性—— ……… *12*
　　3　北方領土の法的状況 …………………………………………… *19*

第2節　日韓併合と竹島の領有権 ……………………………………… *34*
　　1　日韓協約（日韓協約（1905年）→日韓併合条約（1910年））の国際
　　　　法上の効力 ……………………………………………………… *34*
　　2　竹島の領有権 …………………………………………………… *41*

第3節　尖閣諸島の領有権 ……………………………………………… *51*

第4節　沖ノ鳥島の地位 ………………………………………………… *59*

第2章　外国人参政権 ……………………………………………………… *61*

第1節　憲法九条と帰属意識そしてナショナリズム ………………… *63*
　　1　ボーダーレス時代と帰属意識 ………………………………… *63*
　　2　帰属意識としてのナショナリズム …………………………… *64*
　　3　「理念」に基づくナショナリズム——米国と日本の場合—— ……… *67*

第2節　民族(人民)自決原則の系譜と主権国家制 …………………… *71*
　　1　自決原則の歴史的展開と主権国家制 ………………………… *71*
　　2　自決原則と香港，台湾 ………………………………………… *75*
　　3　日本の憲法条件と外国人の地位——国籍および「在日」の参政権
　　　　と公務就任権—— ……………………………………………… *79*
　　　　(I)　国籍の付与と民族自決原則（*79*）　(II)　重国籍（*90*）
　　　　(III)　外国人の参政権（*98*）　(IV)　外国人の公務就任権（*103*）

ix

目　次

第3章　九条と集団的自衛権 …………………………………… *113*
第1節　憲法九条と自衛力・国際貢献力 …………………………… *115*
1　憲法原意と交戦権および平和的生存権 …………………… *115*
2　「一国平和主義」の存立条件と国際社会の変動に伴う自衛力と日米安保の導入 …………………………………………… *123*
3　「認識方法」としての憲法変遷論と自衛力・国際貢献（国連協力）力 ………………………………………………………… *126*
4　九条と集団的自衛権（非武力的手段を含む）……………… *141*
5　北東アジアの安全保障環境の変容と日米安保体制 ……… *155*
第2節　自衛隊と国際協力そして集団的自衛権 …………………… *164*
1　軍事力による「国際貢献力」概念の両義性 ……………… *164*
2　日本の安全保障に占める日米安保条約の体制的意義 …… *166*
　　(I)　国連憲章と集団的自衛権の体制的関連（*166*）　(II)　「個別的」自衛権と「集団的」自衛権の一体化現象──日米安保条約の運用上の問題点──（*170*）
第3節　集団的自衛権成立の沿革と性格 …………………………… *179*
1　集団的自衛権と集団的防衛(援助)権 ……………………… *179*
2　集団的自衛権の法理的性格 ………………………………… *185*

第4章　東京裁判 …………………………………………………… *189*
第1節　東京裁判の意義 ……………………………………………… *191*
1　東京裁判は「勝者の裁きか，人類の裁き」か──「平和に対する罪」の成立── …………………………………………… *191*
2　「平和に対する罪」と個人責任の法理 …………………… *199*
3　戦争犯罪における国家責任と個人責任 …………………… *209*
第2節　「人道に対する罪」は戦間期に成立していたか ………… *219*
1　内政不干渉原則の普遍人権観に対する優越 ……………… *219*
2　「人道に対する罪」と「ジェノサイド条約」の成立沿革の相違 … *224*
3　戦争犯罪における「抗拒」の評価 ………………………… *227*

事項索引 ……………………………………………………………………… *229*

第1章

領　土

第1節　北方領土の領有権
  1　交渉経緯の再検討
  2　国連憲章と領土不拡大原則
    ——主権的自由（戦勝国行動の自由）観念を背景とする戦後処理不変更合意の規範的限定性——
  3　北方領土の法的状況

第2節　日韓併合と竹島の領有権
  1　日韓協約（日韓協約（1905年）→日韓併合条約（1910年））の国際法上の効力
  2　竹島の領有権

第3節　尖閣諸島の領有権

第4節　沖ノ鳥島の地位

● 広瀬善男　国際法選集Ⅱ

第1節　北方領土の領有権

　ソ連が崩壊して新たに「ロシア連邦」として再生し，政権もゴルバチョフ大統領からエリツィン，プーチンと三代を重ねて今日に至っている。しかしいわゆる「北方領土」問題は全く解決の手がかりがつかめず今日でも混迷の中にある[1]。

---

(1)　小泉純一郎政権下の2001年夏，ロシア政府が北方領土周辺水域における漁業操業許可を複数の外国に与えていたことが判明した。すなわちロシアは2000年12月に，政府間協定の形で韓国に対し，北方四島の排他的経済水域でのサンマ漁の許可を与えた。その後更に，ロシアは北朝鮮政府とウクライナの企業に対しても同種の漁業許可を与えていたことが明らかになったのである。
　日本政府は2001年8月，この事実を確認すると共に厳重に抗議し，「北方四島は日本固有の領土であり，我が国が主権を有する水域での外国漁船の操業許可は認め難い」と申し入れた。しかしロシア政府は「北方領土はロシアの領土であり，日本の領土の前提での抗議は受け入れられない」と回答してきた（ロシア・ドブロボリスキー駐日代理大使，日経新聞2001・8・2）。韓国政府も「北方領土に関する日本政府の立場をよく承知している」としながらも，「これは純粋な漁業問題だ」と日本政府の申し入れを突っぱね（崔駐日韓国大使，日経新聞・同），8月から韓国漁船は同水域でのサンマ漁操業を強行した。
　ところでこの問題は，法的にはどう考えるべきだろうか。対日平和条約（1951年）3条で，日本は琉球諸島等の統治権を同諸島等の日本返還までの（正式には「信託統治制度の下におく」までの）一定期間，米国（の施政権）に委ねた。同条約3条は次のように規定している。「合衆国は，領永を含むこれらの諸島の領域及び住民に対して，行政，立法及び司法上の権力の全部及び一部（all and any powers）を――正しい日本語訳としては「一切のそしていかなるものをも」とすべきであろう。――行使する権利を有する」と（傍点・広瀬）。
　日本は当時，右の米国統治下の琉球諸島等に対して「残存（潜在）主権」（residual sovereignty）を有するものとしてきた。しかしこの「残存（潜在）主権」の概念によれば，当該領土の「処分権」は施政権者にないとしても，管轄領域の「使用，収益権」は施政権国にあると考えられていた。
　ソ連（ロシア）は北方領土全域を，国内法で自国領域に正式に編入している。もとより日本はその国際法上の効果を（少なくとも北方四島については）認めてはいない。しかしソ連（ロシア）の北方領土全域の実効的支配の事実は肯定せざるをえず，わけても1956年の日ソ共同宣言締結（とくにその1項及び9項段後）後は，ソ連（ロシア）の同地域に対する施政・管理権（統治権）の行使は，それ以前の「戦時（正確には戦後）占領」の状況とは異なり，平時のソ連（ロシア）主権による有効支配として認めなければならなくなっている（事実上承認の法理）。――因みに「戦時占領ならば，ハーグ陸戦条約・法規慣例規則（1907年）第3款」や国際慣習法により「占領地の法律の尊重」（同規則43条）原則の適用などによる占領軍の権力行使に対する制限がある。なお，2003年のイラク戦争で米国は「占領軍」として陸戦法規43条の拘束をうけ，従ってイラクの政体変更を含む国家の基本秩序の変更を伴う強制措置をとることはできなかった（M. Sassòli, Legislation and Maintenance of Public Order and Civil Life by Occupying Powers, E. J. I. L., Vol. 16, No. 4, 2005, p. 662）。しかしイラクに同国民による暫定政権の成立を可能とした国連安保理決議1546（2004・6・8）以後のイラクの政体変更措置については，陸戦法規（jus in bello）を超えた新たな国際法秩序がイラク国内に形成されたとみるべきだと考える。何故ならば同決議1546は，国連憲章第7章を援用し，「イラク状勢が国際の平和と安全の脅威を構成することを決定」すると共に，「イラク暫定政権（A Sovereign Interim Government of Iraq）の成立を承認して」「同政権の要請に基づき多国籍軍の駐留とそれによるイラクの治安維持への貢献を決定」しているからである。――
　北方四島に対するソ連（ロシア）の統治権行使は，平時におけるロシア主権の支配と管理の形態を

第1章　領　土

1　交渉経緯の再検討

　(1)　新生「ロシア連邦」の誕生後，20世紀内での「北方領土」問題の解決をめざした日ロ間の「クラスノヤルスク合意」（橋本・エリツィン間，1997・11・2）は結局，実現できなかった。21世紀に入り，日ロは「イルクーツク声明」（森・プーチン間，2001・3・25）で，「東京宣言（細川・エリツィン間，1993・10・13）に基づき，択捉島，国後島，色丹島及び歯舞群島の帰属に関する問題を解決する……交渉を促進すること」を再び合意したが，その基本前提として改めて，1956年の「日ソ共同宣言」の重要性が認識され，この「日ソ共同宣言が，……日ソ交渉のプロセスの出発点を設定した基本的な法的文書であることを確認した」と宣言したのである（外務省編『われらの北方領土』2001年版，資料編54頁）。なお「イルクーツク声明」でも援用されている「東京宣言」はその第2項で次のように述べている。「択捉島，国後島，色丹島及び歯舞群島の帰属に関する問題について真剣な交渉を行った。双方は，この問題を歴史的・法的事実に立脚し，両国の間で合意の上形成された諸文書及び法と正義の原則を基礎として解決すること」（外務省編前掲「われらの北方領土」44頁，傍点・広瀬）と。こうして両国は「北方領土」問題を，「歴史的・法的事実」を構成要件として含む「法と正義」を根拠として，解決すべきことを明確にしたことを忘れてはならないのである。なおイルクーツク声明等の若干の日ロ（ソ）間の合意は「平和条約」ではないが，「戦争状態の終了」と「外交関係の回復」を定めた1956年の「日ソ共同宣言」の「解釈」について行われた爾後の当事国間合意とは言えよう（条約法条約31条3(a)，参照）。

───────────

　示す国際法状況として，同四島の周辺海域の管理権限（使用・収益権の行使を含めて）を日本は法的に是認せざるをえないと言えよう。そうした法的状況から日本漁船も北方領土水域での漁獲操業を，漁業振興協力などの名目で事実上の「入漁料」をロシア政府に支払っている実態があるのである。
　しかしながら日ロ（森・プーチン）間のイルクーツク声明（2001年）でも明示しているように，北方領土問題が日ロの係争事案であることを日ロ両国が認定し，その上で「交渉を行う上で極めて重要なのは，日露関係において相互理解，信頼及び多様な方面における幅広い互恵的な協力に基づく雰囲気を維持することであることを基本とする」（同声明末項，外務省編『われらの北方領土』2001年版，資料編54頁）ことを合意していることも留意しなければならないであろう。すなわちロシアは，自国施政権の行使による北方四島周辺海域における外国（船）への操業許可行為については，かりに日本側の事前同意を得る絶対的な必要はないとしても，なるべくそうするよう努力することが右声明の要請するところとみるべきであるし，少なくとも事後の通告だけはすべきが自然であり妥当だということである。従って今後の問題解決の方法としては，ロシアが他国船の操業許可をとりやめる代りに，日本が漁業協力金の形ででも損失補償金をロシアに支払うことで折合いをつけるべきであろう。なお2005年11月の日ロ首脳（小泉・プーチン）会談で，日本は北方領土周辺海域の共同開発を提案した（日経新聞2005・11・22）。

(2) 2001年3月の森喜朗首相とプーチン・ロシア大統領の会談の結果から生まれた「イルクーツク声明」は，プーチン政権の対日姿勢を示すものとして重要であるが，この日ロ会談の重点議題である「北方領土」の交渉方針をめぐって日本の政府および与党内で深刻な意見の対立が存在したことが露呈された。「歯舞，色丹二島先行返還論」（択捉，国後両島は継続協議）と従来の「四島一括解決論」の対立である。また「イルクーツク声明」そのものの解釈についても日ロ間に齟齬が生じた。すなわちイルクーツク声明で取りあげた領土問題の解決プロセスにつき，日本は北方四島のうち，歯舞，色丹と国後，択捉の協議を別レベルで行うことで合意したと説明した（森首相発言）が，ロシア外務省はこれを否定し，1956年の「日ソ共同宣言」を含めたこれまでの合意に基づき交渉を続けることを確認したにすぎないとし，理解は完全に対立したのである。

しかし前掲したように，「イルクーツク声明」の文言を正確に読めば，同声明の趣旨はロシア政府の言うように，1956年の「日ソ共同宣言」に交渉の基礎を置くことに力点を置いたものであることは明瞭であろう。すなわち同「共同宣言」に規定された「（日ソ）平和条約締結後の歯舞，色丹両島の引渡し」という条項の解釈についても，今後両国の専門家間で「共同宣言」の法的解釈を中心に協議することに主眼を置いたもの（ロシア外務省の説明）とみるのが妥当な理解であろう（日経新聞，朝日新聞，2001・3・25，26，参照）。

その後森政権を引き継いだ小泉純一郎首相は，四島の日本帰属さえ確認されれば，歯舞，色丹両島の先行返還のプロセスも可能だと述べたが，まさに「四島全部の日本帰属」そのものが日ロの北方領土係争事案の中核なのだから，問題の性格は何も変っていないし，交渉は袋小路に入ったという以外にない。もっとも，2001年9月の米国を襲った同時多発テロ後の米ロ協調の気運を背景に，対ロ融和が得策だとする森前首相等の意向に添う形で，小泉首相は「森提案の継承」路線にいったん方向転換を行った。つまり「歯舞，色丹」と「国後，択捉」の2つのグループに分けて領土問題を並行協議することに重点をおき，「四島の日本主権の確認が先だ」という主張を撤回する方針を示したのである（朝日新聞，2001・10・23）。しかし交渉方針の変更をロシアが了解したとしても，それで「歯舞，色丹」は別として，「四島全島」の日本帰属に最終的にロシアが同意する可能性はほとんどないだろう。事実，小泉政権は右の二島ずつに分けた協議を同時並行的に進める考えにロシア政府が冷淡であることを見てとり，2002年段階で早々とこれを撤回した（朝日新聞2002・5・25）。そして2005年11月に漸く行われた日ロ首脳（小泉・プーチン）会談では，日本の主張（1993年の北方四島の帰属問題を優

先させる東京宣言を基盤）とロシアの主張（1956年の日ソ共同宣言を軸とする）が全くかみ合わず，共同声明の発出も見送られる結果に終った。逆にロシアの経済的好況を背景に，かつて日本が推し進めた「政経不可分」論が換骨奪胎されてプーチン大統領から持ち出され，石油，天然ガスのエネルギー資源がロシア側の交渉カードとなり，ロシアの主張にそった平和条約の早期締結が日ロ間の経済協力の進展に有効だと強調される状況にも陥った。こうしてみると，北方領土をめぐる日ロ交渉は，プーチン・ロシア政権の登場によって，約半世紀前の「日ソ共同宣言」締結時の状況（日ソ共同宣言の解釈と適用，履行が中心）に立ち戻ったというほかないだろう。過去50年に及ぶ交渉は，こうして北方領土の帰属をめぐる日ロ両国民の意識の差を縮めることに全く寄与しなかったと言わざるをえないのである。

　(3)　そうとすれば，双方の国民を納得させうる有効な解決方法は結局，原点に戻り，「日ソ共同宣言」という両国を拘束する共通の「法的規範」を基礎とした再交渉以外にはない。具体的に言えば，同宣言の拠って立つ法的枠組とは何かについて，国際司法裁判所（ICJ）のような第三者国際機関に客観的な判断を求め──北方領土の帰属については，対日平和条約2条(c)の解釈と実施が深く関わるので，同条約22条の予定する紛争解決機関としてのICJの活用は妥当な手段であろう。──，それを基礎に改めて両国間で交渉を行うことである。そうした国際法廷への事案付託（合意管轄権の設定）への同意をロシアから得るための行動を日本政府は強く進めるべきである。幸い，プーチン大統領は法律家を自負しているから協力を得られる可能性は絶無とは言えないと思われる。

　この場合たぶん，担当国際法廷は一定の法的判断を行った上，それを基礎に日ロ双方に対して解決のための「交渉命令」を発することになる可能性が高い（なお国際司法裁判所判決にしばしばみられる「交渉命令」ないし「交渉義務」の観念について，広瀬善男『国家責任論の再構成──経済と人権と──』1978年，有信堂，345頁以下。杉原高嶺「国際司法裁判所の交渉命令の判決について」法学40巻4号，1977年，360〜384頁。坂元茂樹「国際司法裁判所における『交渉命令判決』の再評価」㈠㈡，国際法外交雑誌96巻3号，1997年，1〜24頁，96巻6号，1998年，35〜63頁）。この場合，国際法廷の裁定がどのようなものであれ，両国民はこれを受け入れなければならない。プーチン大統領が1956年の「日ソ共同宣言」を重視し，過去においてソ連では，歯舞，色丹両島の返還規定を含め同宣言の法的有効性を否定する立場があったことを明確に否定し，同宣言の「法的文書」としての性格を肯定したこと（朝日新聞2001・4・3），そしてこの立場はその後も一貫していることを見逃す

第1節　北方領土の領有権

べきではないのである。

　(4)　こうしてみてくると，従来，日本政府が対ソ（ロ）領土交渉の基本方針として採用してきた「政経不可分」や「拡大均衡」という，いわば賭にも似た非科学的で綱渡り的な「政治」交渉の不毛性，非生産性は，もはや明らかと言わざるをえないだろう。2006年の現在，日ロ間の政冷状況（少なくとも北方領土問題に関して）の中で，日本企業のロシア進出の拡大化傾向が進んでいること——たとえば日本企業を含む国際コングロマリットによる樺太海域での石油掘削事業やトヨタ企業等のサンクトペテルブルグへの進出——は，この象徴的現象と言えよう。

　何故ならば，日本政府は「北方領土」問題が，経済協力基軸の政治的手法では解決不可能な国際的，歴史社会的条件を潜在させていることを完全に見落としていたと思われるからである。すなわち冷戦時代には，北方領土はソ連にとって極東における国家の軍事的安全保障にかかわる重要な領土保有の問題であり，冷戦後においても，第2次大戦の領土処理（後述参照）という重大国家利益に関わる問題であることに変わりはないからである。——2005年11月の日ロ首脳会談でも，プーチン大統領は「領土問題は第2次大戦の結果をうけたもので，1つ見直せば他にも波及して，見直しの連鎖になる」と強く反対したと言う（朝日新聞，2005・11・22）。たとえばフィンランド東部国境に隣接するカレリア地方問題があるだろう。因みにソ連崩壊後，ソ連海軍基地のあるクリミア半島のCIS国家であるウクライナへの譲渡は，旧ソ連邦の内部問題であり，第2次大戦の戦後処理問題とは性質が異なる。——それだけに日本の経済上の（金銭的）利益供与を挺とした領土取引の提案では，ソ連（ロシア）国民の国家的威信への執着心を解消する解毒剤的効果は期待できないと考えるべき問題なのである。

　こうしてみると，「北方領土」問題の「法的解決」のプロセスこそ最も適切な「政治的解決」の方法であることを認識することが是非とも必要であると思われる。プーチン政権は発足当初，1951年の対日平和条約にソ連が調印を拒否したことを見直す動きをみせ，同条約が戦後国際社会における日本の立場を定める一歩としての国際的意味をもったと評価すると共に，同条約が「日本の戦後の領土解決の基礎を定め，現在も有効である」というロシア外務省の声明を発表したのである（朝日新聞，日経新聞，2001・9・6）。これは対日平和条約（サンフランシスコ講和条約）締結50周年を前に，同条約の普遍的効力を認め，同条約第2条C項の「千島列島に対する日本の主権（すべての権利，権原及び請求権）の放棄」の第三者効果（対抗力）を主張して，交渉をロシア側に有利に運ぶ思惑があるように思われる。しかしこうしたロシアの対日平和条約への態度変化が，当然にロシア

第1章 領　土

の北方領土全域の所有の正当性を同条約に根拠づける主張を支えるわけではないが，我が国としてはむしろロシアのこの態度変化を利用し，「北方領土」問題の法的解決の気運が明白に醸成されつつある（あった）ことを認識することが必要なのである。

　ところでもとより北方領土問題という係争事案を永続的にかかえていても，日ロの基本的な友好関係や経済協力の発展が阻害されるわけではない。たとえば前記したように，サハリン沖の石油開発事業の進展や多くの日本企業のロシア進出の現況が示す通りに，経済合理性がある限り（カントリー・リスクが縮少する限り），北方領土問題の未解決が日ロ経済協力の阻害要因となるわけでは決してない。しかし心理面を含め日ロ両国民の友好関係をより強固にする筋道は，20世紀初頭の日露戦争後の領土処理（ポーツマス条約の締結）から始まり，歴史的な対立意識を両国（民）間に永きに亘って培ってきた領土問題（満州の支配権など）へのこだわりから，両国民を解放する以外に方法はない。そしてその絶好の機会が，この「北方領土」問題の形で登場していると言って過言ではないのである。

　だとすれば，この懸案を未解決のまま今後とも長期に亘って放置することは許されることではないのである。のみならずこの問題の最終解決が日ロの友好関係のいっそうの進展をうながし，それによって21世紀の東アジアの地域的平和と安定に寄与するところ大であることを考えれば，両国民の喉に刺さったこの共通のトゲを速かに抜くことに全力を傾けるべきであることは，誰しも異存がないであろう。

　(5)　問題点を明らかにしておこう。1951年の連合国との対日平和条約で，日本は「千島列島」を放棄した（同条約2条(c)）。この講和会議で吉田全権は日本固有の領土としての国後，択捉両島への特別の言及を行ってはいる。しかし放棄された「千島列島」の地理的範囲は条約規定上では明確にされず，領土割譲の講和条約としては異例の形式となった。その理由は，1つには第2次大戦中の英米ソのヤルタ協定の重み——この協定（日本にとっては密約）では，ソ連への樺太の返還と千島列島の引渡し並びに連合国（United Nations）側に立ってのソ連の対日参戦の合意が明記された。それによって日ソ中立条約違反への免罪並びに領土を含む対日戦後処理の法的正当化が得られるというのが，当時のソ連の狙いであったといえよう。——が影響したこと。2つには，日ソ間の将来の領土紛議を計算した米ダレス（当時の米首席代表，後の国務長官）外交における冷戦期特有の日ソ離間策の結果とみても，大きな誤りではないであろう（注21，参照）。

　しかし，日本による「北方領土」全域の放棄とその法的効果としてのソ連への

当然の帰属は，第2次大戦中，連合国が掲げ（1941年の大西洋憲章＝英米共同宣言），かつ敗戦時（1945年）日本が受諾したポツダム宣言（8項，カイロ宣言の領土不拡大条項の追認）でも確認されている「領土不拡大原則」の精神とは相容れない。したがって冷戦が激化した1956年の「日ソ共同宣言」時には，米国は国後，択捉両島が日本「固有の領土」であり，対日平和条約（2条C項）で「放棄」した「千島列島」の範囲には入っていないことを表明したのである。こうした米戦略に対して，ソ連は当然のことながら対抗措置として，1960年の日米安保条約の改訂のさい，「共同宣言」で明記されている歯舞，色丹両島の日ソ平和条約締結後の返還（引き渡し）という約束を無視し，日本からの米軍の撤退という新たな条件を突きつけたのである（外務省編「われらの北方領土」前掲，22〜23頁）。

(6) しかし，冷戦終了後はこうした「北方領土」の帰属を左右した政治状況や国際環境は消滅した。ソ連はゴルバチョフ大統領のペレステロイカ，グラスノスチという新政治理念を背景にした「新思考外交」により，「法と正義」に基づく「北方領土」の処理という新方針を打ち出したのである。エリツィン，プーチン両政権も基本的にこの方針を受けついでおり，東京宣言（1993年）を始め，ロシア連邦成立後の日ロ交渉文書ではこの「法と正義」の文言がしばしば明記されていることを忘れてはならない。

しかしながら，ゴルバチョフ登場後に同大統領周辺で論議され始めた「法と正義」に基づく「北方領土」問題の法的解決（手続的には国際司法裁判所等の国際法廷への事案付託）の気運を，日本は懈怠か意図的かは不明であるが，いずれにせよ見落としたように思われる。ゴルバチョフの新思考外交による問題解決のシグナルを日本政府は無視したのである。もし日本側のそうした判断の基礎に，この司法的解決の方法では日本の法的主張が退けられること（日本敗訴）への惧れがあり，それでは日本の国益（領土益）が守れないという思惑があったのであれば，それは国際的司法判断への不信を表明することと同じであろう。「法的正当性」を維持できない政治的主張では，相手方ソ連（ロシア）の「政治的」説得も極めて困難であり，こうした条件の下でソ連（ロシア）を日本の都合のよい方向で妥協に追い込むためには，逆に多大の日本の負担（たとえば冷戦時においては在日米軍を含む軍事的対抗力の削減というほとんど実現不可能な政治的譲歩や，より大きな経済的負担）を覚悟せざるをえなくなる（なった）であろう。

のみならず後述もするように，法的根拠（正当性）や法的説得力の裏付けのない交渉では，ソ連の伝統的な（わけても戦後処理上の）自国領土への国民的な極度の執着心を払拭し，領土返還を納得させることはほとんど不可能であろう。今

第1章 領　土

日までの半世紀に及ぶこの問題処理の政治的膠着状態がこれを実証していると言ってよいだろう。

　さらにまた日本が憲法理念（日本国憲法前文2，3項および九条）上で，戦後の公正な世界秩序への積極的参加をめざそうとする新たな外交的展開（日本国民の新たな生き方）を必要とされ，その一環として国際社会のルール・オブ・ローの確立（たとえば「侵略違法原則」の確立）へと政策路線を明確化するよう求められているとみる限り，「北方領土」の解決方法としても，国際的場（国際法廷）の活用とそこでの法的正当性の主張（後述する侵略違法原則の展開）が何よりも望まれていると言ってよいだろう（こうした政策を日本がとるべきだとの主張を私は早くから行っている。拙稿「北方領土と国際法」，大沼保昭編『国際法，国際連合と日本』所収，1987年。同「北方領土は国際法で解決すべし」明学・法学研究73号，2002年）。

　(7)　さて日本は橋本龍太郎政権に至って，20世紀中の日ロ平和条約の締結という新方針をうち出し「北方領土」問題の早期解決をはかった（1997年の橋本・エリツィン間のクラスノヤルスク合意）。しかしそこには確たる見通しがあったわけではなかった。何故ならば早期解決に固執するあまり，日本政府は「北方領土」問題を日ロ間の「国境線画定」（日本側の提案によれば，国後島とウルップ島の中間に国境線を引く）問題として処理したいという（1998年の川奈合意），いわばこの問題が第2次大戦後の領土処理という国際社会の基本秩序問題であることに敢えて目をつぶり，領土「放棄」の意味内容を法的に問うこともなく，日ロ両国間の単なる技術的な線引き問題(2)にすりかえて，問題の矮小化を図るという性急さ（あせり）をみせたからである。

（2）　中ロ首脳（江沢民・中国国家主席，エリツィン・ロシア大統領）は，1997年11月の北京会談で，4,300キロに及ぶ東部国境画定作業の事実上の終結宣言をした。但しアムール川とウスリー川の合流地点にあるウスリースキー島，タラバロフ島およびアルグン川上流のチタ州にあるボリショイ島（いずれもロシアが実効支配）の帰属は未解決のまま残された。なお右3島は住民の「共同使用」の方向での合意が示唆された（日経新聞1997・11・10）。1999年4月には中ロ国境画定連合委員会は，上記3島を除く東部国境にある2,444の島の帰属がすべて画定したと発表した（朝日新聞1999・4・28）。さらに2004年10月には，残された上記3島についても最終的に決着したことを，北京を訪問したプーチン大統領が宣言し，それを裏づけるようにラブロフ・ロシア外相は「中国とロシアはほぼ半分に分け合った」と述べた（同年，11月14日のロシア独立テレビ。岩下明裕，朝日新聞2005・2・19）。なお1998年11月には，中ロは全長54キロの西部国境画定作業を終了している（朝日新聞1998・11・22）。

　しかし注意しておくべきは，右の国境線の見直し作業はあくまでも技術的な国境線の画定に関するもので（たとえば「主要航行水路を国境にしてもよい」との趣旨が合意基盤にある），中ロ2国間だけの了解で可能な取引交渉にすぎず，その点で「北方領土」の帰属が，対日平和条約や国連憲章規範と密接に関連する国際公序上の問題であることとの性質上の相違がある。従って右の中・ロ間の国境画定方式を北方領土の国境線画定（領土帰属問題の解決が前提）の方式にも取入れるべきだといういわばフィフティ・フィフティの分け合い方法の提唱（岩下明裕『北方領土問題』2005年，中公新書）は，政治的妥協の解決案としてならばともかく，法的解決方式としては支持できない。

第1節　北方領土の領有権

　しかしこうした曲玉(くせだま)的外交処理の方策はロシア側にも心中をみすかされて，エリツィン氏特有の気質外交に振り廻されて失敗したと言えよう。つまりこうした問題の処理思考は，北方領土問題が「領土不拡大原則」という戦後の国連憲章秩序にも導入された「侵略違法化」の原則とも密接にからむ国際公序上の問題であることを忘れたもので，国際世論にも背く彌縫策に陥ったものと言わざるをえないからである。「北方領土」問題とは，たとえば中ロ間の国境線見直しのような，もともと2国間だけで解決の可能な問題ではなく，対日（サンフランシスコ）平和条約という「多数国間」の戦争処理合意であり，また「侵略禁止原則」という国連憲章規範としての「領土不拡大原則」がからむ国際公序上の問題だからである。

　(8)　もとよりロシア側にも国際法上の言い分はある。国連憲章（107条）に「例外的」に導入された「戦後処理不変更合意」という対抗観念があるからである。第二次大戦後のフィンランド東部領域（カレリアおよびペッツァモ地方）のソ連への割譲を含むロシアの西部国境の現状での固定化を支える法的根拠がこれである。──なお戦時法上でも，戦後明示的な国境線合意がない場合は，戦争終了時の占領状態をそのまま国境線にするという「現状承認」原則（Uti Possidetis）が伝統国際法上で存在する。またブルキナファソ対マリの国際紛争事件に関して1986年に出された国際司法裁判所の判決でも，非植民地化問題での同原則の適用がみられる。但し本「北方領土」問題は，「樺太の返還」のように日露戦争の結果に対する戦後処理の認識上で要求される「非植民地化」（帝国主義戦争の後始末）の問題ではないし，民族自決上の独立国家形成上の問題でもない。すぐれて歴史的権限をもつ「固有」領土の問題である。また日ソ間の戦争状態の終了（日ソ共同宣言1項）にからむ領土問題ではあるが，明白な領土帰属上の紛争状況が2国間に存在する（累次の日ソ（ロ）間の政府間交渉と合意文書の存在がこれを示す）から，Uti Possidetis 原則の適用はないとみるべきが妥当であろう。──

　(9)　しかしながら東，北欧における戦後の領土処理は，明確な条約規定の存在（1947年のソ・フィンランド講和条約）や長期に及ぶ定着した法的安定状況によって支えられている。また国連憲章上の「例外」規定は拡大解釈されてはならないのも公理である。そうでないと「例外」が基本原則を侵食しそれを崩壊させる可能性があり，国連憲章のような組織構成文書(コンスティテューティブ・トリーティ)（条約）の解釈原則としては許されないからである。しかしいずれにしても「領土不拡大原則」と「戦後処理不変更合意」という2つの法理の対立を含むだけに，「北方領土」問題は，結局，戦後の国際公序問題として，国際司法裁判所のような国際司法機関による判断が

11

前置されない限り，日ロ両国民相互が納得できる解決を導き出すことは困難であろう。

2 国連憲章と領土不拡大原則──主権的自由（戦勝国行動の自由）観念を背景とする戦後処理不変更合意の規範的限定性──

(1)　「北方領土」問題の法的解決の必須条件として，「日ソ共同宣言」(1956年) とその基盤に横たわる対日平和条約 (1951年) 及び国連憲章という3規範の構成的理解が必要となる。

そのためにまず条約解釈の原則に関する国際法ルールの検討から入ろう。一般条約の解釈原則には，慣習法上で一定のルールがある。たとえば条約の「目的」の実現を確保するための Effectiveness（実効性）の理論や，「文脈の尊重」を含む合理的解釈の原則，或いは「文言の通常の意味優先」の原則や条約に関連のある別の当事国間合意の尊重や travaux préparatoires（準備書面）の活用がこれであり，1969年採択のウィーン条約法条約（31条・32条）にも明記されている。

ところでここで留意しておくべきことは，国連憲章（前文，1，2条）の「平和」と「人権」の理念・原則は，既存の条約（2国間，多数国間）の諸条項に対する批判的解釈原理，評価基準としての機能をもつことが一般に承認されていることである。憲章103条（憲章義務の優先条項）はその規範的表現の1つといえよう。国際社会の組織化状況を背景に，公序として成立した機構法上の原則はそうした規範的効力を加盟国の行動に及ぼすのである。したがって国連憲章を中心とする今日の国際法社会の構造的枠組みの中では，「平和」（侵略「行為」の禁止と侵略の「結果」の否認）と「人権」（非人道行為のユス・コーゲンス的違法性や人民自決権の尊重）の原則は，主権国家行動（締結した条約の有効性）に対する重要な法的拘束・制約の原理としての作用を営むべきものである。

つまり伝統的な条約解釈上の原則は，あくまでも主権国家並存の国際社会構造を背景にして理解されるもので，その限りでの特性と限界がある。たとえば条約条文上で不明確な場合は，──たとえば対日平和条約2条C項では日本が放棄した「千島列島」の地理的範囲が明示されていない。一方，ポツダム宣言8項はカイロ宣言で宣明した領土不拡大原則を確認すると共に，日本の戦後の主権行使領域を諸小島に関しては連合国の決定に委ねたが，北方領土については連合国はその決定を行わなかった。ソ連の戦後領域関係の事態については，不問とされたのである。──国家の主権わけてもその領域主権に制限を加えたり拘束したりする方向で解釈してはならないと

いう原則が伝統的な国際法の解釈基準として存在する（1927年のローチュス号事件に関する常設国際司法裁の判決）が，これは端的に主権絶対の思想を背景にしているといってよい。これは，契約内容の不明確な場合は，債務者に不利にならないよう解釈すべしという私法原則の国際法領域への適用でもある。しかし今日では国際社会の組織化過程における機構的原理から，いいかえれば機構の構成原理や理念を基盤として条約がどう解釈さるべきか或いはどの範囲で規範的効力をもつかという新しい認識の角度，プロセスが要求されているのである。つまり既存の条約や条項をどのように解釈し適用すべきかについて，それが国際社会の全体構造のコンテクストと深くかかわりあうかぎり，そうした原理からの認識と評価の作業を放棄するわけにはいかないということである。

　この点で，ザイドル・ホーヘンヘルデルンも，「個別国家の主権の制限は推定されてはならない」という既存の古典的な解釈原則は，今日の国際組織体の「実効性」ないし「黙示的権限」の原則の前に廃棄されたとはっきり述べていることに注目しておこう[3]。またビンドシェドラーやラウターパクトも，主権国家が明示的に反対の意思を表明したのでない限り，国際機構のような構成的条約の運用には，その制度の目的・原理からみた機能的解釈（interprétation fonctionnelle）が必要であり，それはすなわち伝統的な制限的解釈に対する実効性原理（le principe de l'effetutile）の優越を意味すると述べている[4]。ナミビアの国際的地位に関する1971年の国際司法裁判所の勧告的意見でも，旧委任統治制度上の国際文書の効力について，国連憲章第80条1項の意味するところが，旧文書の単なる保存効果の肯定ではなく，憲章の構成原理に沿った目的論的解釈の中での存在機能をもった新しい規範的性格が与えられるべきだとしていることも，このさい想起さるべきであろう[5]。

　以上の解釈原則は，国家主権の恣意的行使の制限を本質的属性とし且つ目的とする人権保護の条約（わけても市民的・政治的人権保護の条約）の解釈運用についても基本的に適用される。たとえば欧州人権保護条約の適用のさい，こうした立場と傾向が明らかにされているのである（かつて人権裁判所の方が人権委員会より，

（3）　I. Seidle-Hohenveldern, Das Recht der internationalen Organisationen einschliesslich der supranationalen Gemeinschaften（Köln, 1967), SS. 203～204.

（4）　R. L. Bindschedler, "La Délimitation des Compétences Nations Unies", Recueil des Cours, Académie de Droit International, Tom. 108（1963-I), pp. 321～322.; H. Lauterpacht, The Development of International Law by The International Court, 1958, p. 269.

（5）　ICJ Reports, 1971, pp. 56～60, 65～67.; 広瀬善男「民族自決権と国連の権能——ナミビアの国際的地位に関する1971年の国際司法裁判所の勧告的意見——」明学・法学研究11号，1973年，31～32頁，52～54頁。

若干の点で保守的傾向を示したが）。すなわち人権委員会へ個人から提起された訴願についての受理可能性（admissibility）の問題が生じたとき，訴願書に人権条約上の義務違反から生ずる人権侵害の事実が明記されていなくても，委員会は当該訴願を受理することができると裁定したケースがあるし，また「公平な裁判」(fair trial）について，個人と国家との関係における力のバランスが国家に有利である場合には"equality of arms"が存在しないことを考慮して，個人の利益保護のために拡張解釈を行って"実質的"平等を確保することが，"due process of law"を実現するために必要な理解であるとも述べられている。こうした解釈の方向は，伝統的な解釈原則すなわち「主権制限条約は限定的に解釈すべし」というルールを明確に変更しているといえよう[6]。そしてこうした理解は，「人権」と共に今日の（第2次大戦後の）国際社会の基本規範（ユス・コーゲンス）である「平和」（侵略禁止）原則の作動する秩序の場でも，明確に認められるし，またそうでなければならない（友好関係宣言の採択などの国連総会の決議によって，武力不行使原則（憲章2条4項）の内容の発展が保証されてゆくとした，1986年のニカラグアにおける軍事，準軍事活動事件に関する国際司法裁の判決，188項，参照）。

　こうした条約解釈原則に関する新しい理解の立場はすなわち次の結論を導こう。国際社会の構成規範原理と密接，不可分の関係をもつ個別条約（平和条約もこれに含まれる）は，それが特別に且つ明文的に右の構成規範からの適用例外のものとして，その条約そのものが或いはその条約中の特定条項が国際社会の全構成国（或いは国際社会全体）によって承認を受けていないかぎり，この構成原理と矛盾することのないよう条文の解釈が行われなければならないということである。

　(2)　このようにみてくると，連盟規約や不戦条約（更にはスチムソン・ドクトリン）上の武力による国策遂行（領土拡大を含む）の禁止規範や，国連憲章（2条4項）上の「武力不行使原則」がそうした国際社会の構成規範を意味する[7]とする以上，武力による領土拡大の禁止という規範はいわば公序（ユス・コーゲンス）としての優越的効力を，平和条約上の領土条項に対しても原則的に及ぼすであろ

---

(6)　C. C. Morrison, "Restrictive Interpretation of Sovereignty Limiting Treaties : The Practice of The European Human Rights System", International and Comparative Law Quarterly, Vol. 19, Pt. 3, 1970, pp. 361〜375.
(7)　「武力不行使原則」の規範的意義については，歴史的沿革をふまえた広瀬善男「国際社会のコミュニティ化の条件」明学・法学研究31号，1984年；「続・国際社会のコミュニティ化の条件㈠〜㈣」，明学・法学研究33号，35〜38号，1984〜86年，および「武力行使による違法状態の成立と国際法上の対処方法」明治学院大学法学部20周年記念・法と政治の現代的課題，1987年，575〜598頁。そして広瀬善男『力の行使と国際法』1989年，2，3章，を参照。なお「武力不行使」原則が「ユス・コーゲンス」であることは，ニカラグア事件に関する国際司法裁判所の判決（190項）でも確認されている。

う。ただ問題は国際社会の特別な合意によって，例外的に右のユス・コーゲンスの適用除外を規定している場合は別であることであり，その点で第2次大戦の結果としてとらえた措置すなわち具体的にいえば「戦後領土処理」の効果を法的に否認することのできない（一方的に変更することのできない）側面があることも確かといえよう。国連憲章107条や条約法条約75条がこの見地からの規定なのである。但し既存のユス・コーゲンスの変更（適用除外）については「国際社会全体」(the international community of States as a whole) による受諾と承認を必要とする（条約法条約53条）から，その点で武力による領土拡大の禁止という強行規範の適用を制限する例外的ケースとして，第2次大戦後の領土処理に関する規範が成立しているかどうかの問題が生ずるのである。そしてかりにそうだとしても――「北方領土」のソ連編入は侵略禁止原則の適用がない例外だとしても，「四島」（歯舞，色丹および国後，択捉島）についてまでそうであるとの，国際社会全体の同意が，憲章制定時と対日平和条約および日ソ共同宣言締結時そして今日においてある（あった）かどうか，――その内容と範囲については，少なくとも関係国つまり「主要な連合国」（「国際社会全体」を第2次大戦中と第2次大戦直後の時期において代表していた米・英・仏・ソ・中華民国―国連憲章17章，参照）の同意を得ていることが必要であろう。「原則」に対する「例外」は「原則」を崩壊に導く作用を営ませないための歯止めとして，厳格な条件の下で制限的に適用されなければならないからである。

　(3)　ところで，国連憲章は，国際社会の構造原理上の規範として「侵略」（武力行使）の違法性（ユス・コーゲンスの意味を示す犯罪性）を強調している。少なくとも第2次大戦前のそれに比して，著しくそうした理解が全社会的基盤で浸透している。このことは疑う余地がない。したがって第2次大戦の発端に責任のある日本の「侵略」行為への科罰として，日本領土（「固有」の領土を含めて）の縮減が連合国によって明示的に決定されたのであれば，それに対する日本の異議は認められないだろう（条約法条約75条）。

　もとより侵略の具体的定義については，1974年の国連総会決議（「侵略の定義宣言」）の採択にもかかわらず，なお細目的内容については明確な合意がなされていないことも事実である。しかし侵略そのもの，あるいは歴史的経験の中で一般的に法的信念（opinio juris）として感得されている範囲での侵略の基本的形態についての違法性の意識はすでに定着しているといってよい。たとえば1970年のバルセロナ・トラクション事件に関する国際司法裁判所の判決でも，「侵略禁止」規範がユス・コーゲンスの1つとして，すべての国にエルガ・オムネスの義務を

課す規範であることが指摘されているのである（Barcelona Traction Case, ICJ Reports, 1970, p. 32.；広瀬善男「会社の外交的保護」明学・法学研究10号，1972年，7～8頁。また1986年のニカラグア事件に関する国際司法裁判所の判決，190項，参照）。第2次大戦前における戦争禁止規範に違反したイタリアのエチオピア併合，ドイツのチェコ，オーストリア併合に対して，英，仏等の列国は結果的にこの事実を容認したが（ナチス・ドイツへの融和政策），しかし第2次大戦後は，右の独，伊の併合措置の違法性と無効性を確認している（ニュールンベルグ判決，参照）。日本の武力による満州国の強制的独立も国際的な不承認の対象となった（スチムソン・ドリトリン）。1933年の「国家の権利義務に関する米州条約」11条も，武力による領土取得の不承認を明記しているのである。

国連憲章下の今日についてみても，たとえば1967年の中東戦争のさいの安保理事会決議（決議242）は，イスラエルのシナイ半島等の占領地からの撤退を要求し，緊急国連総会の決議でイスラエルのエルサレム統合措置に対して99対0の表決でこれに反対しているのである。その後の累次の国連総会決議でもイスラエルのアラブ領土占領地域からの撤退がくり返し要求されていることも見落としてはならない事実である（たとえば1972年の国連総会決議は86-7-31で，これを承認）。そして2004年の「パレスチナ占領地における壁建設の法的効果」に関する国際司法裁判所の勧告的意見（74，75項）は，イスラエルの軍事占領による領域取得の不承認を明示しているのである。こうして武力によって相手国の領土を奪取し併合するという戦争自由の観念（国策の手段としての武力行使の是認）を前提としたかつての権力政治秩序は，少なくとも今日の国連の法制度においては（国際連盟下の戦間期に於ても同様であったが），その場を占めることができないのである[8]。

(4) ド・ヴィシェール（Ch. de Visscher）やシモン（D. Simon）も，国際機関や国際組織の構成法（institutional or constitutive treaty）としての性格をもつ条約の解釈原理については，かりにそうした条約が原初的には主権国家の同意を前提とした契約的起源をもっていたとしても，成立後の組織の運営については制度的特性を維持するために必要な「体系的解釈」（interprétation systématique）が必要であるとして，機構設立国間の連帯性と機構に底礎される共通目的並びにその実現のための手段との間の機能的ヒエラルシー規定の集合として，右の機構体条約を解釈することが望ましいと述べているのである[9]。

---

(8) 1949年のコルフ海峡事件に関する国際司法裁判所の判決（ICJ Reports. 1949, pp. 34～35）も参照。
(9) Ch. de Visscher, "L'Interprétation Judiciaire des Traités d'Organisation Internationale", 41 Rivista Di Diritto Internationale, 1958, p. 187.; Problèmes d'Interprétation Judiciaire en Droit International Public,

もとより旧敵国の領土処理に関する関係政府（旧枢軸諸国の武力敗北に貢献し，右諸国に対する戦後占領に関し責任を負った連合国政府）のとった（或いは許可した）行動（措置）については，その有効性が国連憲章の枠組の中でも肯定され（憲章107条でそれを確認），平和条約の条項や降伏条件に憲章原則との抵触部分がかりに存在したとしても，確定処理条約（条項）(dispositive treaty, dispositive provision) として成立しているかぎり，――たとえば平和条約で明確な国境線として当事国間に異議なく設定されているかぎり。但し交戦関係を正式に終了させる講和条約の性格をもたない戦時ないし戦後占領措置上の特定占領国だけの一方的措置では原則的に不可。――国連体制の法的枠組から除外されることが，一般的に合意されていることを無視するわけにはいかない。その限度で憲章103条の憲章の優越的効果の及びえない留保領域としての存在が，国連体制そのものの中に始めから組み込まれているといわざるをえないのである。国連がその発足の沿革からして，第2次大戦の戦勝国を中心とし戦勝国の利益を守るための平和機構であることの限界がそこにあるのである。しかし同時に，国連がそうした沿革をもちながらも，将来の人類的生存を恒常的に保障する普遍的平和機構として構成され，新しい価値原理の下で戦前的権力国家利益の制限をめざす新たな国際秩序の構築を企図していたことも確かである。

　この相矛盾する2つの要請の下で，旧敵国に対する行動を憲章体制の法的枠組から除外することを定めた憲章107条の特殊な意味と効果があり，そこにまたこの条項のもつ合理性と共に異質性もあるのである。同じく憲章の第17章の中に位置づけられながら，安全保障に関する五大国の共同責任を，武力制裁行動に関する安保理事会の責任体制の確立までの暫定的性格のものとし，国連体制の枠組の中で憲章の制度的機能や原則の適用との整合性ないし合致をはかろうとしている106条の規定との相違があることに注意しておかなければならないだろう[10]。

　具体的にいえば，戦後の領土処理に関する「関係政府」（この範囲については後述する）の措置――それが確定的に完了している場合――は絶対的であり，その変更

　　1963, pp. 140～153.; D. Simon, L'Interprétation Judiciaire des Traités d'Organisations Internationales, 1981. なお右のシモンの著作の紹介として，佐藤哲夫，国際法外交雑誌83巻5号，1984年，610頁。同『国際組織の創造的展開』1993年，勁草書房，5～6頁。

(10)　V. Y. Ghebali, La Charte des Nations Unies : Commentaire Article par Article, 1985, éd. par J-P. Cot et A. Pellet, p. 1412.
　　この点は，憲章107条上の措置や旧敵国の侵略政策の再現を防止するための地域取極が強制行動をとりうることを許容している憲章53条にしても，それを認めうる条件は国連が機構として安全保障上の責任体制をとりうるまでの期間という例外としてのみであることを明記していることにも現われている。

第1章 領　　土

等に関して国連機関による管轄権（たとえば総会や安保理事会の事案審議権限）をも制限し，或いはまた国連の管轄権が一定の範囲で肯定される場合でも準拠法（proper law, applicable law）としての有効性（たとえば領土不拡大原則に抵触する平和条約上の条項の有効性）が承認されなければならないという問題が生ずるのである。

　(5)　こうしてみると，戦前，戦後における諸条約関係の中に，かりに右の意味での「領土不拡大原則」に反する規定がおかれ，しかもそれが未だ確定効果を伴って完了していないかぎり，それは今日，改めて新しい国連の法秩序の中で批判的，否定的に理解され処理さるべき条項ということになろう。たとえば戦時中のヤルタ協定の対日領土条項は，将来の平和条約中での実現を企図したまま，戦後の国連憲章のプリンシプルによる再検討の場を与えられねばならなくなったといってよいだろう。1951年の対日平和条約でも，こうした見地からの若干の議論が出されながらも明確な取決めがなされなかったため，その後の日ソ関係の友好的発展を阻害する根を残したといえるのである。もとより日ソ（ロ）間の「北方領土」をめぐる長年の紛議が，国連憲章第6章上の（国際の平和や安全を阻害する虞のある）「紛争」や「事態」を構成しているかどうかは問題であるが，しかし憲章14条でいう平和的調整の必要のある「事態」（situation）を構成するということはできよう。わけても右条項でいう「国連の目的と原則の違反から生じた事態」としての性格をもつ点を注意する必要があると思われるのである。

　この場合，後述するように，憲章103条の憲章義務優先原則——北方領土の包括的放棄を定めた対日平和条約上の義務の履行が，日本が国連加盟によって負った武力不行使（侵略禁止）原則上の義務（ソ連（ロシア）も国連加盟国として当然この義務を負っている）に抵触するときは憲章103条が優先し，今後締結さるべき対ソ平和条約ではこの点の特別の配慮を必要とすること——と，日ロ共に締約国である条約法条約53条，64条，わけても71条1項（ユス・コーゲンスに抵触する規定上のいかなる行為の効果をも，可能な限り除去する）に盛られたユス・コーゲンス規定の趣旨が積極的に機能すべきこととなろう。しかしもとより明白に強行法規に反する条約規定が置かれたのでないかぎり，その規定の当然の無効性が論ぜられるわけではなく，条約の解釈上争いが生じ複数の解釈が可能とみられる場合に，制限的枠組みを示す優越的な解釈原則としてこの憲章義務の優先とユス・コーゲンス尊重の立場の援用が要請されているということなのである。それが新しい国際的システム（国連システム）の下での条約解釈に関するエフェクティヴネス（実効性）の原則の適用といえるのである。この例としてまさに対日平和条約の中の千島条項（2条

C項）とヤルタ協定（米英ソに対する拘束力はあろう）の同じく千島条項，並びに既に米国から返還済みなので問題は消滅したが，いわゆる対日平和条約の沖縄条項（3条）が考察の対象となりえたし，且つ今日でもなりうるのである。

3　北方領土の法的状況

(1)　ここで北方領土の法的状況を検討してみよう。まず千島についてである。第1の見解は，樺太（Sakhalin）と千島列島（the Kurile Islands）について，これを区別して取扱うことをしない立場である。すなわち対日平和条約2条C項で，エトロフ，クナシリのいわゆる南千島を含めて（ハボマイ，シコタンは北海道の一部を構成するものとして理解されているから別であるが），千島全島を樺太と同様に日本は放棄し，すでに日本の領有権からはずされたとするものである。たしかに講和会議のさいの南千島に関する吉田全権の発言[11]は記録には残されているが，いわゆる国際法上の「留保」としての効果はもっていない。正確に言えば「解釈宣言」として今日，一定の国際法上の効力をもつとみられる一方的意思表示の手続きをも対内的，対外的にとっていない。単なる講和会議上の演説の一部にすぎない。したがってかりに右演説の法的効果を何ほどか認めるとしても，せいぜい右発言を条文解釈の補助手段──締結のさいの諸事情（条約法条約32条）──として利用する程度にとどまろう。

　また行政区画としても，南千島は「千島列島」の一部としての歴史的沿革をもっている。さらにヤルタ協定（1945年2月11日に英・米・ソ3国間で締結）についていえば，その政治的意義のみならず，対日平和条約の解釈に関する法的土壌を構成している（対日平和条約調印国すべてがヤルタ協定を承認ないし受諾したとは言えないが，条約法条約31条2(b)，参照）ことを見落とすことができない。講和前

---

(11)　サンフランシスコ講和会議での吉田全権の演説はこうである。「千島列島および南樺太の地域は，日本が侵略によって奪取したものだというソ連全権の主張は承服いたしかねます。日本開国の当時，千島南部の2島，エトロフ，クナシリ両島が日本領であることについては，帝政ロシアもなんら異議を挿しはさまなかったのであります」と。注意すべきはこの吉田演説でもエトロフ，クナシリ両島を「千島」の一部（南部）として理解していることで，けっして「千島列島」（the Kurile Islands）には属さないとは言っていないことである。ただし北千島とは区別さるべき領域支配上の歴史的沿革があったことを指摘したことは確かで，これをどう法的評価に入れうるかの問題があるのである。
　なお第2次大戦末期の1945年2月のヤルタ会談と同年7月のポツダム会談のさいの米ソ軍事協議では，ソ連の対日参戦時の千島列島のソ連軍占領地域を北千島四島に限定し，残りの中，南千島は米国の占領地域として指定していた。したがってソ連軍の全千島占領は米ソの密約に反して行われた事実が，米国立公文書館で発見された文書から明らかとなっている（朝日新聞1997・10・4，1998・12・6）。

第1章　領　　土

の諸国家間の条約関係（ヤルタ協定もその1つ）や国家的実践過程が，対日平和条約の関係条項に対してもつ法的解釈根拠としての機能を否定することができないからである。一連の法の解釈基準としてのsubsequent practiceの法理（effectivenessの原則の展開過程を示す）がこの場合，関係国家間の実践過程に関する合目的的な評価の中で十分とらえられるということである。すなわち別の解釈が平和条約で明示されない以上，前条約関係を積極的に否定するような解釈はできないということである。むしろ第2次大戦中から平和条約締結までに関係諸外国によって法的にまた政治的に理解されてきたラインにそって，その一環としての規範として平和条約を理解することが，諸国間の国際的実践の合理的把握といわざるをえないのである(12)。

(2)　しかしここでの問題は何かというと，前述の「領土不拡大原則」という法的準則との関係である。しかもこの原則については，ソ連もまた対日降伏文書（1945年9月2日，ソ連を含む主要連合国と日本が署名）に調印することにより，対日領土処理についての法的規範を示す原則として，これにコミットする立場に立ったのである。すなわちカイロ宣言（1943年11月27日に英・米・中国間で締結）の第3文では「同盟国は自国のためには利得も求めず，また領土拡張の念も有しない」と規定し，このカイロ宣言の規定は，1945年7月26日に，英，米，中国間で署名され，後にソ連も参加し更に日本が受諾したポツダム宣言の8項に導入されて，日本の領土に関する戦後処理条項としての拘束力をもつに至ったのである。ポツダム宣言の8項は次のように規定している。「カイロ宣言の条項は履行せらるべく，また日本国の主権は，本州，北海道，九州及四国並びに吾等の決定する諸小島に局限せらるべし」と。ソ連も署名した対日降伏文書の前文では，右のポツダム宣言の日本による受諾を明記し，かくして戦後の対日領土処理に関して同宣言で確認された「領土不拡大原則」への降伏文書調印国によるコミットメントが明示されるに至っているのである。

(12)　対日平和条約2条c項の「放棄」規定によって，北方領土の領有権を日本が喪失したことを肯定しながらも，その最終的な主権的帰属については将来の国際会議の決定によるべきだとする高野教授も次のように述べる。「カイロ宣言の履行をうたったポツダム宣言（最初は米英中，後に米英中ソ）は，同時に，日本に残す領土の側から規定して，本土の他は「吾等ノ決定スル諸小島」と定めました。このように戦争のさいの一般の領土条項とちがって——およそ講和条約の領土条項の常道は，敗戦国から奪う領土を規定するのが例です。ポツダム宣言だけが，残す領土と，独自の定め方をどうしてしたのか。——日本に残す領土として一定のもの，あとは自分たちで決定するという異例の定め方をしたのは，ヤルタ秘密協定の存在が伏線であることはいうまでもありません。ここで，ポツダム宣言は，カイロ—ポツダムの基本線の他に，ヤルタ—ポツダムの伏線をも形式的に包含し得る独得の領土規定としてつくられたわけです。」（高野雄一「国際法からみた北方領土」岩波ブックレットNo. 62, 1986年，23～24頁，15～16頁）。

第 1 節　北方領土の領有権

　ところでこの「領土不拡大原則」はそれが単に第 2 次大戦中の連合国の戦争指導方針であったにとどまらない点に注意する必要があろう。すなわち連盟規約や不戦条約上の「国策の手段としての戦争の放棄」という法原則に由来する法観念的コロラリーであって，単なる政策指針の程度を超えた存在として戦間期において既に「法規範」的性格をもっていたといえる原則である（満州国独立に対する 1932 年の連盟理事会と総会の不承認決議はこれを示す）。こうしてこの原則は国連という戦後の新しい国際社会の構造原理すなわち「武力不行使原則」の適用準則と直接に結びつく最優先順位を与えらるべき価値規範であることは疑いがないのである。従ってこの原則が一連の条約体制を合理的且つ有機的に理解する場合の重要な（国際社会構造そのものからの）制限的解釈原理としての機能をもっていることを見落とすわけにはいかないのである。「領土の割譲」は固有の領土であろうとなかろうと関係国の合意によって自由に決められるという見方(13)は，本来，平時法上の処理方式に関するもので，戦争の結果としての講和手続を支配する国際連盟規約および国連憲章等の 20 世紀的構造規範の中では全称的肯定を得られる議論とはいえないだろう。

　この点は「領土不拡大原則」がそしてその法規的性格が，第 2 次大戦後の国連憲章原則（2 条 4 項の「武力不行使原則」）に基づいて戦後新たに明確に形成されたユス・コーゲンスである（ただし，ユス・アド・ベルーム上の侵略禁止やユス・イン・ベルーム上の基本人権尊重原則は，ユス・コーゲンスの名称はともかく，戦間期においてもアプリカブル・ローとして成立している。ニュルンベルグおよび極東国際軍事裁判所等の第 2 次大戦後の戦争犯罪法廷の判決はこれを明示している）とみた場合はなおさらそういえよう。すなわち条約法条約 64 条は，一般国際法の強行規範が新たに生じたときは，その規範に抵触するいかなる現行条約も無効となって終了すると規定しているし，また同 71 条は，強行規範に抵触する行為の効果を可能な限り除去し（1 項(a)），且つ既に確定した権利義務の状況も強行規範に抵触しない範囲で維持さるべきだ（2 項(b)）と規定しているのである。いいかえれば，積極的にこの「領土不拡大原則」を活用し，既存の法的取引に対する批判的価値基準として実践する義務を，少なくとも国連という機構法の枠の中で活動する限り，すべての加盟国は負っているとみるべきであろう。

　こうした解釈の態度は，クロードのいうような構造的解釈（constitutional interpretation）といえるかもしれない。つまりヤルタ協定や対日平和条約がそのもの

---
(13)　金子利喜男「北方領土問題の経過と将来」『二十一世紀の国際法』（宮崎教授還暦記念），1986 年，成文堂，426 頁。

第1章　領　土

としては，主権国家間の一般契約を超えるものではないにもかかわらず，右の領土問題の内包する武力行使→領土移転の法律関係（逆にいえば，武力不行使義務→領土の拡張禁止の法律関係）は，国際社会の公秩序との構成的関連（constitutional relationship）をもつことを認めざるをえないのである。従ってこうした場合の条約関係の理解は，クロードのいうように，「かりにはじめ解釈（interpretation）問題として出発しても，新しい展開（development）の問題として終ら」なければならないのである。つまりここでは，「過去において法的に形成された同意に基づく主張内容と，現在の政治的状況の認識並びに将来に対する国際共同体の要請に関する認識とのバランスの中でのみ健全な解釈が可能となるのである(14)」。

　もとより平和条約の当該条項が，この原則（領土不拡大原則）の不適用を明確に規定している場合とか，あるいはソ連及び対日領土処理（日本の占領管理）に責任をもつ他の連合国が，この原則を対日領土処理に関しては全面的には適用しない（例外を認める）ことを明示しているのであれば，国連法秩序の枠組みの中でも，例外的にそれが承認されなければならないであろう（憲章107条による103条の適用制限）。ここに実証主義法学における理念機能の限界がある。しかし対日平和条約の当該条項の通常の解釈からはそうした結論は得られないし，またソ連の国家的実践を基礎づける法的理由の中でも（千島全島のソ連邦編入手続は国内法上で完了しているが），領土不拡大の原則そのものが否定されているふしはない。その具体的適用のさいの理解の仕方に問題が残っているだけである。したがって右原則に照らして，遡って違法とされる部分はありうるのである（ニカラグア事件に関する国際司法裁判所の判決，186項，参照）。

　(3)　のみならず，重要なことは，憲章107条は，「旧敵国に対する行動について責任を有する政府（複数形）が，戦争の結果としてとり又は許可した」場合にかぎり，例外と認めているのであって，第2次大戦の戦勝国が，その個別意思で恣意的にとる行動を無原則に肯定しているわけではないことである。これは一つには，ファシズムの打倒と民主主義体制の回復という連合国の戦争目的（実質的に戦後の国連の機構目的と結びつく）という実体的理念からの拘束と，二つにはそれを保障するための手続方法（旧敵国に対する戦後処理については関係連合国の合意によって行うこと）からの制約という二重の制約を，戦勝国といえども負っていることを示すものである。そう理解しないかぎり，本来機構原理の中での「例外」の許容は意味を失うからである。「侵略」行為に対する国際社会（旧連合国）

---

(14)　I. L. Claude, Swords into Plowshares; The Problems and Progress of International Organization, 1959, p. 163.

の「制裁」措置としてのみ旧枢軸国の政権の強制変更と領土（国境）の変更が可能とされ，単なる自衛権の行使としてはプロポーショナリティの要件を逸脱するものとして許されないとする戦間期及び戦後の国際法信念(15)からも，この点は十分に認識しておく必要があるであろう(16)。

従って，対日領土処理については，原則として日本の占領管理に責任をもった対日理事会構成国全部（日本の領土の範囲の決定については，ポツダム宣言8項および対日降伏文書により，米・英・中・ソの4国）が，この場合の「責任を有する政府」(the Governments having responsibility) でなければならない。ソ連だけの行動と実践をそれが第2次大戦の結果であるからといって無条件で肯定する法的必然性は存在しない。

もとより"the Governments having responsibility"の文言のように"Governments"という複数形をとったのは，関係国による"集団的"行動をとることを要請したことは意味せず，その点で同じく憲章の第17章に属しながらも106条の過渡的集団安全保障のシステムが，国連機構に代る5大国の"joint action"とされて，国連体制の枠組の中での行動であることを示していることとの相違があるともいえよう。右の複数形は単独制府のとった「措置」(action)の複数形を意味するにすぎないとの見方がこれである。"taken or autorized"として"and"で結ばなかった規定表現にも集団的承認を経ない単独行動も許容範囲に入れている証拠だとみる見方もこれをサポートしよう。もっとも taken の他に authorized を入れたのは，責任ある政府が第三国に許可した行動を指すとみるべきだから（J. P. Cot et A. Pellet, éds., La Charte des Nations Unies : Commantaire Article par Article,

---

(15) 広瀬善男「平和に対する罪と国際法」明学・法学研究30号，1984年，4〜5頁。J. P. Rowles, "Secret Wars, Self-Defense and The Charter — A Reply to Prof. Moore", American Journal of International Law, Vol. 80, No. 3, 1986, p. 580.; P. Malanczuk, Counter-Measures and Self-Defense as Circumstances Precluding Wrongfulness in The I. L. C'. s Draft Articles on State Responsibility, Zeitschrift für ausländisches öffentliches Recht und Völkerrecht, Bd. 43, 1983, SS. 768〜769.; I. Brownlie, International Law and The Use of Force by States, 1963, pp. 261〜264, 372〜373, 433〜436.

(16) 2003年の米英によるイラク戦争と占領統治は，注(1)でもみたように，1907年のハーグ陸戦法規慣例規則の適用があり，従ってイラクの新しい政治・法秩序の強制的形成は"transformational occupation"の性格をもつから，同陸戦法規（43条）の違反となる，とシェファーやサソーリはいう（D. Scheffer, Beyond Occupation Law, A. J. I. L., Vol. 97, No. 4, 2003, pp. 847〜853.; M. Sassòli, Legislation and Maintenance of Public Order., E. J. I. L., Vol. 16, No. 4, 2005, p. 662）。但し，シェファーは，米英の占領統治を国連安保理決議（1483）が適法化し，米英軍を在イラク当局（authority）として国連の委任をうけた行政統治権の行使者として認定した（安保理決議1500, 1511等）以後については，米英等多国籍軍の治安維持力を背景とした変革であっても，イラク国民による新政権の構成と新国家法秩序の形成はユス・イン・ベロの制約を超えた国際法上の適法行為とみるべきだという。これに対しサソーリは，国連の権能によってもイラクの基本秩序の強制（力による）変更はできず，せいぜい勧告にとどめるべきだという（M. Sassòli, op. cit., p. 694）。

第1章 領　土

1985, p. 1411, n. 9），右の Governments の複数形に関する議論とは直接の関係はないとみるのが正解だろう。しかも「戦時占領」上の行動とは異なり，戦争による領土の最終的確定は，交戦関係国すべてによる平和条約の締結という集団的合意の手続を前提として有効化されるのが伝統的な国際法の慣例である（第1次大戦後のヴェルサイユ講和条約はその典型。しかしサンフランシスコ会議での対日平和条約の締結にはソ連は不参加。但し「領土処理」は関係国の異議がある限り，単独行動では有効化されない）。恣意的で一方的な，戦争当事国（戦勝国）1国だけによる「領土処理」行為，いいかえれば適法な「自衛権」の条件であるプロポーショナリティ（proportionality）の範囲を超えた戦後処理を「責任を有する政府がとった行動」に含ませるのは，国連憲章第17章が，最小限，旧連合国として米・英・仏・ソ・中の5大国の「責任」（106, 107条とも，"responsibility" の同一用語を意識的に用いている）システムの中での行動を予定しているとみられる点で疑問があるのである。かりに107条が106条とは異なり，国連の枠組からの除外を予定（国連の管轄権を否定）した（J.-P. Cot et A. Pellet, Ibid., p. 1412）ものであっても，領土問題を含む戦争処理上の手続準則だけは「共同責任」原理からの逸脱を認めてはいないと考えられる点で問題があるのである。のみならず前述したように国連憲章が，旧連合国（Allied Powers）の合意と責任の下で形成されたものであるだけに，かりに戦争の結果に関する法的処理について，憲章の根本原則に反する例外規定がおかれる場合でも，明文ある場合を除いて，原則として連合国全体の意思によって決定されるよう構成されているべき性質のものとみるのが合理的な見方であろう。──西側諸国は，国連憲章規範としての武力不行使原則（2条4項）や紛争の平和的解決義務（2条3項）更には人権尊重義務（1条3項）は，形式的には憲章107条によって旧敵国に対する行動に関する限り憲章規範の拘束から除外されうるとしても，それらは既に慣習法上の義務規範として確立しているからその拘束からは免れないとして，たとえば国連総会はソ連や東欧諸国の強い反対はあったが，ハンガリー，ブルガリア，ルーマニアにおける戦後の人権保護問題を議題として取上げたことがあるのである。またソ連に抑留されていたドイツ，イタリア及び日本の戦争捕虜の早期送還に関する決議（GA Res. 427（V），Dec. 14, 1950）も同様の立場から採択されたのである（B. Simma (ed.), The Charter of the United Nations : A Commentary, 1994, p. 1156）。Cot と Pellet も，憲章第107条は旧敵国に対する行動を国連機関が無効化する措置をとることは認めていないが，勧告することまで禁じてはいないとし，これが国連（総会，安保理）の実行となったと述べている（J. P. Cot et A. Pellet, op. cit., p. 1414）。──

　このことは実践的にも確認されていることである。たとえば1948年に，ソ連が

ベルリンを封鎖したとき，英，米，仏の3国は，これを平和の脅威として安保理事会に提訴したことがある。このときソ連は，わざわざ憲章107条を援用して「ベルリン問題を含むドイツに関するすべての問題」はこの規定により国連の管轄権から除外されており，既存の関連合意に従って4占領国（英・米・仏・ソ）の間で交渉によって解決さるべきが道筋である，と主張したことを忘れてはならないであろう[17]。また1951年に英，米，仏3国は，全ドイツにおける自由選挙を可能ならしめる条件が存在するかどうかにつき，公平な国際調査委員会を設置するよう国連総会に要請したことがある。これに対し，ソ連はポツダム協定と国連憲章107条を根拠に，こうしたドイツとの平和条約に関係のあるすべての問題は国連の権能の外にあり，全ドイツに責任をもつ4ヶ国の外相理事会で解決さるべきであると主張したのである[18]。

　このことはかりに対日平和条約や日ソ共同宣言の「解釈」問題が，国連の管轄権外の事項であることを容認したとしても，戦後の領土処理問題に関する限り，少なくとも対日降伏文書署名国（米英中ソ）の合意が必要であることをソ連（ロシア）すらも肯定せざるをえないことを示しているといえよう。また「領土不拡大」原則そのものは，国連憲章体制前の（既に戦間期における）国際社会の法原則であることを承知しておかなければならないことである。こうしてみると対日領土処理に責任をもつ右4国（米英中ソ）が，北方領土の帰属に関する処理方式として，国際司法裁判所（ICJ）への付託を勧告することも可能であり，それをうけて日ロによるICJの合意管轄権の設定も可能であろう（実質的には日ロの合意だけで可能）。

　(4)　以上のようにみる見方は，憲章の構造的性格から肯定される議論にとどまらず，憲章作成に主たる責任を負った米ソ等5大国の憲章作成時における当事者意思尊重という伝統的解釈原則を適用した場合でも肯定できる議論なのである。わけても，憲章が主たる連合国による新しい平和機構の基礎的合意として，「民主的で進歩的な原則の実現」という歴史的な法価値転換の基盤として理解されたのである限り，憲章の個別的規定は，こうした価値実現のための実践過程と連結して解釈さるべき必要があるといえるのである[19]。

　憲章107条はあくまでも例外規定であって，例外規定の解釈は，それが機構の

---

(17)　SCOR/3d Yr/361st and 362d Mtgs./Oct. 4〜5, 1948.
(18)　GAOR/6th Sess., Gen. Ctte./76th Mtg./Nov. 9, 1951/Paras. 37〜54.; L. M. Goodrich, E. Hambro & A. P. Simons. Charter of the United Nations; Commentary and Documents, 1969, pp. 635〜636.
(19)　G. Herczegh, General Principles of Law and The International Legal Order, 1969, pp. 70〜71.

第1章　領　土

構成原理と矛盾する性格をもつときには，とくに厳格に限定的に理解されなければならない。なるほど主権国家どうしの契約的条約であるならば，条文解釈はそれぞれの主権の利益を第一に考慮する（疑わしい場合は，主権を拘束しない方向で解釈する。いわゆるローチュス原則）ことが必要であろう。しかし国連法のようなconstitutive ないし constitutional な或いは institutional な条約については，個別国家の主権的利益よりもむしろ，機構全体の構造的・組織的利益を優先して解釈する必要があるのである[20]。「疑わしき場合には，債務者（債務国家）に有利に」という一般法上の解釈原則も（そしてローチュス原則もまた）この問題の場合，日本に有利に作用するが，しかしむしろ「疑わしき場合は，機構の目的・原則に有利に」と理解すべきことが，今日の有組織国際社会ではぜひとも必要なのである。

(5)　こうしてみると今日，対日平和条約の千島条項について解釈の余地が生じ，そこに紛議があるときには，この憲章上の実定理念が優先的に条約解釈過程において作用しなければならないということである。もとよりこの原則の適用上の限界もまた今日の国際社会の政治的基盤からでてくることを否定できない。つまりすでにみたように，国連憲章が自らの中に旧敵国条項を挿入し（53条・107条），憲章原則からの例外（除外）を認めている点を考慮する必要はたしかにある。従って千島条項についても，対日平和条約の中で（或いは場合によってその附属文書の中でも），明示的にエトロフ，クナシリに言及して，それを放棄地域の中に含めているのであれば，残念ながら，右の領土不拡大原則の優越的適用は認められないであろう。

しかしながら条約の条文解釈に争いが起きる書き方をしており（むしろそうし

---

[20]　E. Gordon, The World Court and The Interpretation of Constitutive Treaties, A. J. I. L., Vol. 59, No. 4, 1965, p. 821.; M. S. McDougal, H. D. Lasswell & Burke, The Public Order of The World Community, 1964, p. 317.

　　その点で，オーストラリア，ニュージーランド対日本の南マグロ漁業紛争に対して示された仲裁判決（2000・8・4）を批判して，主権国家間の「後の合意や特別合意の優位性」というマキシムは構成的条約（コンスティチューティブ・トリーティ）上の強制管轄権に対して否定的に作用してはならない，と述べたオックスマンの見解（B. H. Oxman, Complementary Agreements and Compulsory Jurisdiction, A. J. I. L., Vol. 95, No. 2, 2001, pp. 277～312.）は考慮に値いしよう。すなわち，主権的同意原則の優越性を明示したローチュス号事件に関する常設国際司法裁判所の判決（1927 PCIJ, Ser. A, No. 10, at 18～19）の観念は，国連憲章やWTO 憲章或いは国連海洋法条約のような constitutive な条約体制においてはそのまま適用できず，いわゆる「構成的条約」体制で設定された紛争処理手続わけても暫定（仮保全）措置上の紛争処理方式は，当事国間の同意に基づく処理方式よりも重視されなければならない（国家間合意によって一般的に排除さるべきでない）と，オックスマンは述べるのである。私見でも管轄権の存在については同様に考えるが，仮保全措置命令の段階では，南マグロ漁業資源の回復不能の緊急性が存在しない限り，豪・NZ の請求を却下することは可能であったろう。ただし海洋資源上の環境保全の見地を重視すれば別である。

た不分明さを意識的に残す形で対日平和条約が締結されたとみるべき余地がある[21]），且つ千島の帰属に関する歴史的経緯についてみても，南千島については，吉田全権がサンフランシスコ講和会議で言及したように，固有の日本領土としての性格が濃厚であるだけに，たとえば安政元年（1855年）の日露通交条約が，南千島の北方のウルップ島以北のみをロシア領土と規定し，明治8年（1875年）の千島・樺太交換条約によって，樺太と交換にこれを日本に譲渡した歴史的事実があるだけに，ここでは憲章の構造原理としての「武力不行使（侵略禁止）の理念（領土不拡大原則）」が優先的に機能する余地があるのである。この点でジェンクス（C. W. Jenks）の次の見方が参考になろう。彼は，条約解釈の指針としての"public policy"の存在を肯定する。但し彼は，これを「法の政策」(the policy of the law) と厳格に定義づけ，特定国家や特定の組織或いは或る裁判官や学派の政策ではないとして，一定の条件と制限をつける。すなわち「このパブリック・ポリシーは，法の限界内で作用すべきものであり，国際問題では明確な条約義務や十分に確立した慣習に優越することはできない」と述べている。しかし同時に，「それは条約義務の内容や範囲を決定する場合に大きな手助けとなるものであり，また確立以前の慣習の方向づけや慣習存在の証拠範囲についても効力をもちうるものである[22]」と。このように述べて国際公序が個別条約の解釈に及ぼす規範的効力を強調するのである。

　逆に言って，北および中千島については，これらの島々が平和的手段で日本によって獲得されたことは間違いないとしても，固有の領土の概念——エトロフ，クナシリだけは，日露通交条約でもはずされるほど日本領土としての歴史的固有性が強いが，北・中千島は日露人雑居の地とされていたことがあり，日本固有の領土といえない歴史的事情もあること[23]——や，講和会議のさいの日本全権のそれらの島々への不言及——南千島との意識的な区別——ならびに対日平和条約で「千島」列島の放棄を明文で規定し，千島全島の日本領土としての確保は，今後の政治的要求と

(21)　対日平和条約では，ことさら「北方領土」の範囲をあいまいにしたままの方が，将来，領土問題での日本の対ソ不満を作り出し，日ソの離間を計りえ，日本を米国につなぎとめるのに有利な取引材料となしうるというダレスの戦略が，大西洋憲章等で表明された「領土不拡大原則」を明確化しなかった理由であるという指摘がある（梶浦篤「北方領土をめぐる米国の政策——ダレスによる対日講和条約の形成——」国際政治85号，1987年，97〜114頁）。
(22)　C. W. Jenks, The Prospects on International Adjudication (London, 1964), pp. 458〜459.
(23)　和田春樹は次のように述べる。千島列島の先住民はアイヌ人とクリール人であり，後にロシア人と日本人が入ったのである。しかしロシアは1855年の日露通交条約でエトロフ，クナシリ両島の日本による安定的支配を認め，クルップ島とエトロフ島の間に国境線を引くことを認めた。その点で日露通交条約は1975年の千島樺太交換条約と性質の異なる政治的，歴史的意義をもっていると（和田春樹「北方領土問題についての考察」世界，1986年12月号，151〜153頁）。

第1章 領　　土

してはともかく，少なくとも法的には全く合理性をもたないことを自覚する必要があろう。

　実証主義法学の方法論からみれば，「領土不拡大原則」を宣明した1943年のカイロ宣言（英・米・中）にはソ連は加わっていないが，しかしその後ソ連と英米が当事国である1945年のヤルタ協定では，明確に千島列島の「引渡し」を規定して，「領土不拡大原則」に一定の「制限」を加えている事実を無視できないのである。このことは領土交換条約という法的手続きを経て平和的に移転した領土についても，それだけでは「領土不拡大原則」の適用をそのままで確保しえないという制約があることを意味するのである。そこには米英対ソ連という国際権力政治の反映があるが，しかし「実証主義」法学はこの事実を法的認識上で欠落させることはできないことを承知しておかなければならない。しかもこの（領土不拡大原則を宣明した）カイロ宣言自体の中に，第2次大戦を引き起こした侵略国としての日本が，「侵略の制止，処罰（再現防止）のため」，かつて「強慾により奪取した地域から駆逐される」ことを明示していること，そしてこの連合国合意はそのままポツダム宣言8項および対日降伏文書に導入されていることを無視できないのである。ここに千島全島の（日本と旧ロシアが交換条約により平和的に日本への移譲を合意した地域であっても，侵略政策の再現防止のため）日本残存を主張しえない根拠があるのである。

　このように，千島放棄という実定条項の存在意義を一定限度で肯定しうる或いは肯定しなければならないところに，（批判的）実証主義による条約解釈の今日的立場があるのである。また，日露戦争の結果として取得した樺太については，単にサンフランシスコ対日平和条約だけではなく，講和以前の日本と連合国または連合国相互間の条約関係——カイロ宣言で「日本は，また暴力及び強慾により日本国が略取した他のすべての地域から駆逐される」と規定し，ヤルタ協定では，千島列島のソ連への「引渡し」規定とは用語的にも区別して，樺太のソ連への「返還」をうたった条項をおいている。たしかに「樺太の一部（that portion of sakhalin）」に対する日本の主権行使は，日露戦争の結果としてのポーツマス条約という合法的手続で可能とされた。しかし対日平和条約2条C項が明示的にこの日本の主権の放棄を定めていることを無視できない。またカイロ宣言とヤルタ協定は前述したように，明治期以来の植民地獲得のための日ソ間の帝国主義戦争の結果（ポーツマス条約による樺太の日本への割譲）の「清算」という非植民地化の法理の適用を予定し，日本の「侵略の制止と処罰」を第2次大戦の目的と規定して，この見地からの戦後領土処理がありうることを示唆している。——や国家実践過程からみても，問題なくソ連へ帰属しているとみるほかな

28

第 1 節　北方領土の領有権

いと思われる。

　(6)　さて以上の見方はまた次の点からも肯定されよう。すなわち国際社会全体の利益（community interest）を優先させ、或る条約上の義務たとえば千島のソ連への領有権移転のための措置をとるべきことを定めたかつてのヤルタ協定上の米国の責任は、その履行が今日の段階において、国際社会の構造的原理に抵触する（たとえば平和と安全を阻害する）ようになった場合には、条約当事国の当初の意向にも拘らず、それを終了せしむべきであるという考え方ができないかということである。すなわち「事情変更原則」の新しい適用の方向（国際社会の利益といった考慮を軸とする司法的手段上の「平和的変更ないし調整」の試み——国連憲章14、36条、参照——）が必要ではないかということである(24)(25)。

　このことは憲章103条が、憲章義務の優先を明記していることとの関係でも十分理解されなければならない。つまり憲章103条は、それがかりに107条の例外を

---

(24)　O. J. Lissitzyn, Treaties and Changed Circumstances, A. J. I. L., Vol. 61, No. 4, 1967, p. 897.
(25)　ソ連編入の旧ポーランド領やポーランド編入の旧ドイツ東部地域等のヨーロッパにおける第2次大戦の戦後領土処理については、「事情変更原則」上で別の考慮が必要であろう。すなわち新たな国家領域の編成と統治体制における戦後今日までの半世紀以上に及ぶ当該地域における住民の生活関係の維持と発展という事実があるからである。この事実はその法的安定性の点で十分な規範的理解の対象としなければならないだろう。「人民自決原則」という今日的公理（ユス・コーゲンス的性格すらもつ）もまた現状としての国境線の保持を支える基盤となるだろう（Uti Possidetis 法理の一適用）。——その点では、イスラエルの建国がかりに国連総会の承認の下で行われたものであったとしても、既（先）住のパレスチナ住民の意思を除外して行われた点で民族自決原則の適用上で問題を残したが、しかし、建国後のイスラエル国民の生活関係の確立もまた法的安定性の見地から評価されるべき「事情の根本的変化」であることを見落とすわけにはいかないのである（ただし、難民化したパレスチナ住民への損害賠償や「政治的」救済の必要は別にある）。この点では東欧における戦後領土処理の法的文脈と相通ずる。もっとも、イスラエルが長期軍事占領しているヨルダン側西岸地域やシリア・ゴラン高原については、国連やICJの非難もあり統治の違法性は治癒されていない（広瀬善男、国際法選集Ⅰ『国家・政府の承認と内戦、上』2005年、信山社、緒言、参照）。——しかし千島については右の意味での事情変更原則や人民自決原則の適用を可能とし或いは必要とする法的基盤はない（国家を構成しうる政治単位＝国民＝としての住民の存在がないからである（なお南千島については先住民族としてのアイヌ族の取扱い上の問題があるが、彼らによる自治、独立の運動はなかったし、今もないから、朝鮮問題のような「非植民地化」の法理の適用の場はない。また戦前からの日本国籍住民は北海道等へ移住した）。この点では沖縄とも事情が異なる。従って法的安定性の考慮の必要は原則としてない。ただし、戦後、北方領土に移住したロシア国籍住民については、退去の場合の補償問題は生じうる。因みに、現状承認の法理と言われる「ウティ・ポシデティス」法理で北方領土のソ連（ロシア）への法的帰属を肯定する主張（同法理の戦時法での適用）がある（宮崎繁樹、国際法綱要、1984年、成文堂、437頁）が、妥当ではない。なぜなら北方領土の帰属については、千島列島の領有権に関し対日平和条約の明文規定が存在し（間接的には日ソ共同宣言もある）、かつ戦争終了に関する右の条文規定について関係国間紛争が長期に亘って継続して、この点で単なる「既成事実の尊重」という特殊慣行の介入する余地はないからである。かりに将来、日ロ間の最終的合意による解決で北方領土（エトロフ、クナシリ島）のロシア帰属が確定しても、それは日ソ共同宣言（および対日平和条約2条C）或いは国連憲章107条上のソ連（ロシア）の解釈と主張の妥当性が結果として認められたに過ぎないとみるべきで、ウティ・ポシデティス法理の適用があったとみるべきではない。

認めるものであるとしても,「平和」原理という憲章の基本的プリンシプル（強行法規的性格をもつ）に直接関連する場合には,「例外」を厳格に条件づける解釈態度を要求しているものと考えなければならないからである（条約法条約71条1, 2項,参照）。もとより強力に基づく領土変更措置が,今日,憲章の平和原則の下で強行法規違反の性格をもつとしても,ヤルタ協定が国連発足前の条約であり,1969年のウィーン条約法のユス・コーゲンスに関する規定でも,ユス・コーゲンス（ここでは領土不拡大原則が国連憲章下でそうした性格をもつとして——憲章2条4項ならびに条約法条約52条,参照——）成立以前に存在した条約については（それが確定効果をもって完了しているかぎり）,遡及的に適用される余地がないと解釈される可能性がある（条約法条約4条,64条および71条2項(b)前段,参照）。また一般に条約中の「領土」条項は通常 dispositive な性格をもつと考えられており,たとえば条約法条約62条2項(a)は,事情変更原則の適用によって取消（条約の終了またはそれからの脱退）できない条約として,「国境を確立するもの」を明示しているほどである。ただしヤルタ協定に関する限り,「確立すべき国境」が明示的でなく（割譲地域の名称は明記されているが）,従って領土移転の効果は完了していない点にも留意する必要があろう。この点で,条約法条約71条2項(a)および(b)（但し書）の適用の余地があり,ヤルタ協定領土条項（千島条項）の国連憲章規範成立後における無効化ないしは適用の限定性を主張しうるかなりの根拠があると思われるのである。さらに前述したように,武力不行使原則並びに自衛権の要件であるプロポーショナリティに違反する敵国（敗戦国）からの領土割譲に関する同盟国（戦勝国）の密約の違法性が,当時ユス・コーゲンスの用語こそ使用されていなかったにしても明白に国際公序の違反であるとの認識が既に戦間期において法的信念として確立していたとみられるかぎり（たとえば1941年の英米による大西洋憲章での領土不拡大宣言）,ヤルタ協定の千島条項に関してはむしろ条約法条約71条（1項(b)）及び53条の適用によって,その効果を右のユス・コーゲンスに合致させうる範囲にとどめるべき解釈が要求されるであろう。合致が絶対的に不可能な場合は,ユス・コーゲンスに抵触する限度でその効果を除去する義務（同71条1項(a)）が,今日の国際社会では主権国家に明瞭に課されていると言えるのである。

　このようにみてくるとここでの問題は,かりにヤルタ協定の領土条項（千島条項）が,ユス・コーゲンスに違反するから法律上当然に無効だとはいえなくとも,別の解釈基準によって,その規定の適用を排除ないし限定化する（その一つは制限的解釈であり,二つには英,米というヤルタ協定及び対日平和条約当事国の申立によ

り条項の廃棄ないし脱退の手続をとる）ことが可能だということである。すなわち対日平和条約を含む千島の法的地位を支配する全リーガル・コンテキストの中で，国連憲章の「平和」原則を中心とした基本的な法的事情の発展（変更）を認識し，まず日本自身についていえば，日本はヤルタ協定の「千島条項」（全千島の放棄）に拘束されない（単にヤルタ協定の当事国でないから拘束されないという法技術論ではなく，連盟時代の法確信や戦後の憲章原則によって実体的に規範効力をもっていない），したがって南千島は日本のコミットした平和条約によって放棄された領土ではないという主張ができるはずだということである。またヤルタ協定の当事国である米，英両国は，むしろ右のユス・コーゲンスの存在を基礎とした法理や事情変更原則の援用を積極的に考慮し，領土条項の履行責任を拒否する態度を明白にすべきなのである。すなわち千島引渡条項の廃棄か，南千島に対する解釈上の留保提起を行うべきなのである（条約法条約71条1，2項および62条1項(b)，参照）。

(7) ところで「領土不拡大原則」は，「武力不行使原則」を国連の構成的法原則として掲げた憲章の成立後のものであるという，次のような意見が有力に存在する。すなわち戦争中の大西洋憲章（1941年）やカイロ宣言（1943年）でも「領土不拡大原則」は戦争目的として掲げられたが，しかしそれは政策としてであり，連合国の一方的恩恵にとどまっていたとみるべきだという見方がこれである。戦間期における侵略の違法性の確立は，自衛行為の結果である限り戦勝した国に対する賠償として，敗戦（侵略）国の領土の一部を取得併合することを禁止する効果まではもたなかったというわけである。その点で戦前の政策原則と戦後の憲章上の法的プリンシプルとは性格を異にしているとして，たとえばレーベンシュタインは本来，戦争遂行上の政策原則を述べたにすぎない「大西洋憲章」（領土的拡大の意思を否定）から，「領土不変更」に関していかなる法的主張もドイツと日本はひきだすことは許されないとのべているのである（K. Loewenstein, *Political Reconstruction*（Macmilan, 1946), p. 7）。

しかし既にみたように，「武力不行使原則」およびそのコロラリーとしての「領土不拡大原則」が公理（ユス・コーゲンス）として成立したのは，国際連盟の形成という国際社会の組織化に基づく国際秩序の基本的転換すなわち戦争自由の19世紀秩序から戦争禁止の20世紀秩序への移行によってであり，第2次大戦後の国際連合の成立によって始めて形成されたのではない。国際慣習法として第2次大戦前において既に形成されていたと言って過言ではない[26]。すなわち満州国

---

(26) 広瀬善男「続・国際社会のコミュニティ化の条件——国際法上の国家主権観念を軸として——(二)」明学・法学研究35号，1986年，20〜68頁。広瀬善男『力の行使と国際法』1989年，信山社，第2，3

第1章 領　土

独立（中国からの領土剥奪）の不承認に関する国際連盟決議の採択（1932年）はこれを実証しよう。もとより第2次大戦の戦勝国による旧敵国に対する措置としての領土剥奪が（連合国全体の合意により）法行為上完成している限り、領土不変更原則の違反を理由としてその効果を否定できないことは既に述べた通りである。したがってその限りで、日本もドイツも領土変更に関する異議申立ての権利を「領土不拡大」の原則から単純に引き出すことはできない。しかしそうした戦勝国意思の優越は既にみた通り、例外的であり従ってまた明示的でなければならないということである。

　こうして「領土不拡大」原則を適用した他の例をあげれば、たとえば第2次大戦後、旧ナチス・ドイツによるオーストリアやチェコの併合措置を戦前に遡及して無効化する立場が主張されて実定化されていることにも現れていることを見落としてはならないことである（たとえば戦後のオーストリア国籍法の立場）。また国際連盟の決議を援用したニュールンベルグ国際軍事裁判所や極東国際軍事裁判所の判決でも、「侵略」の「犯罪」的性格を認定し（戦争犯罪人の処罰。Cmd. 6964 (1946), pp. 40〜41.; International Law Reports 15 (1948), p. 356, 362〜363）戦間期における連盟規約と不戦条約上の侵略禁止（武力不行使）原則を、実質的に「ユス・コーゲンス」（用語としては第2次大戦後のものであるが）として把握している事実を見落とすわけにはいかないのである[27]。ここにはまさに、武力による威嚇または武力の行使による領土変更条約の強制の禁止と無効（条約法条約52条）という領土不拡大原則が、戦間期（および第2次大戦期間中）を通じてユス・コーゲンスとしての性格を保持し、規範的効力をもっていたとみるべき法的基盤と根拠があるのである。こうしてみると、条約法条約第71条1項(a)および(b)が、「一般国際法の強行規範に抵触するいずれかの規定を信頼して行われいかなる行為の効果をも、可能な限り除去し」、かつ「当事国の相互関係を一般国際法の強行規範に合致させること」と規定していることを、このさいロシアのみならずヤルタ協定当事国としての米国及び英国は十分に想起すべき事情が存在すると言えるであろう。ヤルタ協定の千島条項の廃棄についての積極的な行動をとるべき

　　章，参照。M. Akehurst, Customs as a Source of International Law, B. Y. I. L., Vol. 47, 1974-75, p. 6.; A. Jacewicz, The Notion of "Force" in the Charter of the United Nations, 1977, p. 6.; I. Brownlie, International Law and the Use of Force by States, 1963, pp. 66.; A. Randelzhofer, Use of Force, in "R. Bernhard (ed.), Encyclopedia of Public International Law, Instalment 4, 1986, p. 137.

(27)　広瀬善男「平和に対する罪と国際法」前掲論文，1〜30頁。ユス・コーゲンスの問題につき、広瀬善男「国際社会のコミュニティ化の条件——国際法上の国家主権観念を軸として——」明学・法学研究31号、1984年、33〜40頁。広瀬善男『主権国家と新世界秩序』1997年、信山社、第2章、4、5、参照。

第1節　北方領土の領有権

法的義務すら米英両国にはあるということになろう。ロシアについてももとより同様である。

こうしてヤルタ協定の実現の不可能性——米国も同協定の実施に関する協定上の協力義務に対し，対日平和条約の締結時まではこれを無視できないという態度をとったが，その後，ヤルタ協定はそのままでは認められないと，立場を変えている——を，第三国ではあるが協定目的の直接の関係国である日本は，第三国に義務や負担を課する条約の実施は，右第三国の同意なしには有効でないという条約理論——これは日本が，直接，米ソ等ヤルタ協定当事国に対抗しうる法技術原則であり，条約法条約34条・35条の規定するところである——を援用して積極的に主張し，ヤルタ協定の非適用性を，南千島の法的地位の解釈の中で明確にする必要があるのである。結論的にいえば，ウィーン条約法条約で定める事情変更原則（62条）——ヤルタ協定の「千島列島引渡し」条項は，それ自体としては日ソ（ロ）間の国境の画定を目的とし，それを明示したものではないから62条2項(a)の適用はない。——や目的の破消による実施の不可能性（61条）という規定の直接の適用は，ヤルタ協定非当事国たる日本にはないが，しかしヤルタ協定の義務の第三者負担国としての地位に基づき，国連憲章の「平和」（武力不行使）原則を対日平和条約の解釈の中で実現する主張は十分可能であり，また国際社会の客観的な立場としても，そうした法解釈の仕方が妥当であることを主張する必要があると思うのである(28)。

ライト（Q. Wright）の言葉をかりて別の角度からいえばこうなろう。右にみてきた北方領土関係の法理的理解は，既存の条約関係やあるいは相互に抵触する複数の条約関係を国際共同体の新しい高権（公序）的法原則の枠の中で，"progressive" change を加えながら解釈する方法だということである。司法的解釈のカテゴリーにおける peaceful change の1つであるが，国際社会のコミュニティ化の方向にそう peaceful change といえよう。ライトのいうように，peaceful change は，その手段が pacific である限り，実質的には retrogressive change を含むこともありうるだけに，こうした歴史的進歩の方向での解釈の仕方は重要である。国連の法構造は，こうした理念的価値基準を必然的に含むものだから，その実定的で具体的な確立への手続方法として平和的変更の装置が的確に作動することが，本来的に要求されているといってよいのである(29)。

---

(28) 事情変更原則や条約履行不能原則につき，A. P. de Caviedes, De la Clause "Rebus Sic Stantibus" a la Clause de Révision dans les Conventions Internationales, Recueil des Cours., Tom. 118,（1966-II), pp. 135〜139.

(29) Q. Wright, The Role of International Law in The Elimination of War, 1961, p. 81.

第1章 領　土

　こうしてみると，戦間期において既に侵略禁止と領土不拡大に関する公序的規範の成立はあったが，第2次大戦中において大西洋憲章やカイロ宣言で宣明された「領土不拡大原則」に関する連合国の政策的宣明は，単に戦争目的の政策的表明であるにとどまらず，当時の国際社会の法的信念の表明でもあったのである。そして第2次大戦後の国連の体制の下では，領土割譲問題に関する平和と人権の理念からする制約が，いっそう明確に要請される社会的，制度的基盤が存在するといってよいのである（1951年の対日平和条約はまさに国連憲章下の条約作成作業であった）。ここに法的事情の基本的な変更（発展）が存在するといえるのである。このようにみてくると，南千島については，国連の法秩序の原理的拘束を前提とした条約解釈方法によって，対日平和条約によっても放棄されていないと解釈すべき十分な余地があると思われる。むしろそうした解釈態度をとることが，国連の実定的理念である平和と人権のプリンシプルを積極的に生かし，本来あるべき国際社会の法秩序を確立するための実践的な行動としての意義をももっているといえるであろう。換言すれば，そうした理解の立場がすなわち大国のパワー・ポリティクスからくる行動を法的にチェックする態度と思われるのである。その意味と範囲内で，ヤルタ協定の領土条項は少なくとも「南千島」について否定的に理解さるべきことになろう[30]。

第2節　日韓併合と竹島の領有権

1　日韓協約（日韓協約（1905年）→日韓併合条約（1910年））の国際法上の効力

　(1)　明治期の日韓併合措置が国際法上で有効であったかどうか，1965年の日韓基本条約の締結交渉に際して激しく争われた。即ち明治期における日韓間の一連の併合条約によって成立した法関係の一般国際法上の効力につき，日本は，右諸条約は当時に於ては国際法上で適法に締結されたものであり，したがって第2次

---

[30]　北方領土に関する日本の学者の対立する学説的立場と，それに対する筆者の分析と見解については，次の文献を参照していただきたい。広瀬善男「日本の領土問題の法的検討」明学・法学研究7号，1970年，52～55頁，62～88頁，93～96頁。なお他に，北方領土問題については次の文献を参照。国際法学会「北方領土の地位——千島・樺太をめぐる諸問題」，国際法外交雑誌60巻4・5・6合併号，1962年。高野雄一『日本の領土』1962年，東京大学出版会。同「領土問題」ジュリスト647号，1977年，43～52頁。太寿堂鼎「領土問題——北方領土・竹島・尖閣諸島の帰属」ジュリスト647号，53～59頁。

大戦後（ポツダム宣言と対日降伏文書の受諾により，日本が朝鮮半島の独立を受け入れた結果）大韓民国が独立宣言を行った時点（1948・8・15）までは，有効とみなさざるをえないと主張した。この日本側の立場は公式には現在でも変っていない。これに対し韓国側（大韓民国政府）は，日本が武力によって強制した右の条約関係は当時に於ても国際法上で違法な締結行為であり，従って当初から効力をもたない（もともと無効な）条約であると主張した。そしてこの主張を現在でも変えていない。激しい論争の結果，右の日韓基本条約の第2条は，日韓併合条約（1910・8・22）以前に「大日本帝国と大韓帝国との間で締結されたすべての条約及び協定は，もはや無効である」（傍点・広瀬）と規定して漸く合意された。「もはや」(already) という用語を挿入することで，日韓のいずれにも都合よく解釈できる両義性の規定を置いて決着したのは，基本条約の締結が請求権（補償）問題の解決を始め今後の日韓間の安定と発展のために絶対的に必要だとの政治判断が両者にあった（わけても韓国・朴正熙政権は経済発展原資の早期調達の必要に迫られていた）ための妥協の産物であったと言えよう。

　(2)　ところで明治期の日本による一連の韓国併合という外交措置（一連の条約，協定の締結）をどう評価するかは，国際法の歴史認識（国際法史観）と深くかかわりあう問題であると言ってよい。ここでは日韓基本条約の締結後，現在でも主要な対立点として残されている典型的な過程協定である1905年（明治28年）の「乙巳条約」（第2次日韓協約）の問題点をとりあげて論じてみよう。同条約は大韓帝国の外交権の日本（明治政府）への移譲（実情は日本による剥奪）を規定し（保護国化の完成），5年後の日韓併合条約（1910年）につなげた日本の韓国併合措置を進める上での重要な「合意」であったことは疑う余地がない。直截に言えば，一連の日韓保護条約（日韓協約）の締結は，最終的に大韓帝国の日本への併合という日本による朝鮮半島（大韓帝国国民）の「植民地化」の行為であったことは明らかであるが[31]，しかしこの評価を正当に行うためにはまさに当時における「植民地制度」という国際法の展開過程の中に位置づけられて検討されなければならない問題なのである。

---

[31]　日本の朝鮮半島植民地化の始まりを示す事件として，江華島事件があげられよう。明治政府は1875年（明治8年），大韓帝国国内の派閥抗争（大院君派と閔派の対立）を利用して，軍艦雲揚号を朝鮮半島沖に派遣し，江華島砲台からの砲撃への報復として，これに艦砲射撃を加えて破壊し，更に陸戦隊を上陸させ朝鮮軍民を殺傷した事件である。翌1876年，両国は「江華条約（日韓修好条約）」を結んで和解した。その第1条に朝鮮を「自主の邦で日本と平等の権をもつ」との規定を置いたが，その狙いは当時の清国の朝鮮に対する宗主権を否認させることにあり，清国との対朝鮮植民地化競争の開始を告げる条約であった。

第1章 領　土

　(3)　この「植民地(化)」の性格については，時代的に2つに分類して吟味しておく必要があるだろう。1つは主権国家体制が確立したいわゆる「ヨーロッパ」国際法の秩序が成立した近代（16〜19世紀）に於て，欧州諸国（たとえば，スペイン，ポルトガル，英，仏，オランダ等の先進国）により，無主地・先占（それによる原始的領土取得）の法理の強制的適用を通じて米州やアジア，アフリカ地域（住民）に対する支配，服従の体制が確立された時代といえよう。欧州列強の軍事力を背景に「植民地化」の法理が徹底して適用され実行された時代である。こうした植民地化における領域取得の法理としては，当初の「発見優先」のそれから，欧州植民国家間の抗争を背景にした「実効的先占（占有）」へと移り（帝国主義の時代），いずれにせよ宗主国となるべき欧州国家の軍事力が実効的支配の中心手段となり，軍事力行使の形態にも制限がなかった(32)。

　「植民地化」の2つめの形態は，19世紀から第1次大戦までの近代主権国家間を支配した戦争自由（無差別戦争）の時代に典型的にみられた現象である。ここでは戦争自由の一般的政治意識の下で，法観念的には「自衛権」（正確にはセルフ・プリザベーション自存権）概念の厳格化（1936年のカロライン号事件）という正当戦争観の制約化傾向をたしかに示し始めてはいたが，他主権国家（既に無主地ではない）の領域獲得に関し，自然法的正当戦争論としてはともかく実定法上では侵略違法の観念は未成熟であったことを見落としてはならないだろう。のみならず，武力による威嚇の禁止という法意識が未発達の時代的状況下では，軍事強者（戦争勝者）による領土割譲の強制や講和条約上の相手国領土の強制編入は，法的に非難される行為ではなく，むしろそれを当然のこととして許容する国際法体制が存在したと言ってよいのである。明治期における日清，日露の2つの戦争での日本による講和条約上の領土拡大利益の獲得は，当時における国際社会の法意識の反映を示すものだったのである。

　ここでは今日の条約法条約52条に込められた（国連憲章2条3，4項を根拠として武力の威嚇や武力の行使による条約強制の無効という）観念は成育する土壌が全く存在しなかったと言って過言でないだろう。1，2の例をあげよう。中国や日

---

(32)　たとえばキリスト教（神父）による宣教活動もしばしば植民地化の手段として利用され，現地住民の抵抗があれば布教妨害の正当な排除手段として武力の行使が法的にも（キリスト教神学の正当防衛論）許され，しばしば実行されもした。従って良心的な本国宗教者による批判も生じた（たとえば17世紀，スペインのF・スアレス）。1532年のスペイン軍の攻撃による南米インカ帝国の滅亡の際には，住民の虐殺のみならず恭順したインカ王の処刑すらも行われた。アフリカや東南アジアの地域に於ても同様で，現地領主に対する植民者による武力を背景とした強制や脅迫が保護地域化の手段として必要とあれば躊躇なく行われたことも，無視はできないであろう。

36

第 2 節　日韓併合と竹島の領有権

本は今日での「主権平等」(国連憲章2条1項)の保障は保持していなかったが，国際慣例上で既に「国家」としての地位を認められていた(したがって不平等条約の締結は「国家」として認められていた)から，19世紀後半から20世紀初頭(第1次大戦までの時代)に於て，欧米諸国の軍事的圧力を背景とした外交的強制により，(裁判管轄権や関税上の)不平等条約や一部領土の割譲或いは租借地権の設定条約の締結を国際法秩序に反することなく可能とされて(正確には余儀なくされて)いたのである。即ち米国のJ・ペリーの砲艦外交による日米和親条約(神奈川条約)の締結(1854年)や，イギリスの清国に対するアヘン戦争など武力行使を通じての19世紀後半における香港の割譲や九龍半島の租借権設定等の清英間の条約の締結はこの典例と言えよう。或いはまた，義和団事件(1900年)——西欧諸国の帝国主義による中国分割への民衆の抵抗運動であったが，宣教師など外国居留民や清国政府も黙認した在北京の外国公館への襲撃事件など外国人保護に関する国際法違反の行動も目立った。——の鎮圧を名とした日英米等8カ国軍隊による中国人民の殺害事件を惹起しながらも，——1899年のハーグ陸戦法規条約の締結にみられるように，jus in bello 上の違反の観念は慣習法規範としても既に形成されていたが，軍事力の威力を背景にした jus ad bellum 上の合法性はなお揺るぎのない規範観念として存在していた。——右の8ヶ国はいわゆる辛丑条約(義和団議定書)を清国皇帝と締結し，賠償金支払いや駐兵権設定を強制することに成功したのである。

　こうした欧米諸国による，いわゆる「砲艦外交」は19世紀における中南米諸国に対する彼らの権益の一方的設定を許容する結果をももたらした(1902年のアルゼンチン外相ドラゴーの提唱によるドラゴー・ドクトリンの主張は，こうした欧米先進国家の植民地政策に対する抗議と抵抗の現れではあったが)。こうした19世紀から第1次大戦に至る時期の戦争自由観を基盤とする欧米諸国による中南米，アジア等地域に対する武力の威嚇や行使の一般的許容(常態化)の風潮は，主権国家に対する武力の威迫や行使を通じての条約の締結行為を禁ずる体制を国際法秩序の1つとして構築することを困難とする状況が存在していたことを示すものと言わなければならないであろう。

　しかしながら同時に，蕃族（バーバリアン）視された17・8世紀の中南米やアフリカおよび一部アジア地域におけるいわゆる「無主地」住民とは異なり，19世紀以後の日本や中国に対する条約強制の手段としての国の代表者個人に対する武力的脅迫の行為は，文明国どうしの契約締結手段としては法的担保として明白に禁止される(近代法秩序の支配する主権国家間の有効な契約成立条件としては許されない)国際慣習法規範もまた成立していたことも疑いないところである。その点で条約法条約51

第1章 領　　土

条（国の代表者に対する強制の禁止）の規範的効力は19世紀後半から20世紀にかけての植民地化（帝国主義）時代にも確立していたとみるのが妥当であり合理的な理解であろう。——このことは前述したように，19世紀後半から20世紀初頭に於て戦争自由観を背景に武力の脅威や行使による領土や権益の強制取得が違法とはみられないという法状況，換言すればユス・アド・ベルームとしての武力不行使原則が未成熟の時代にも拘わらず，人道保護の見地から，ユス・イン・ベロ（交戦法規）としては，停戦合意のために派遣された国家代表個人への身体的，精神的脅迫の禁止規範（白旗を掲げ軍門に降り休戦合意を行う軍司令官の身体的保護や名誉の尊重を要求する慣行）が成立していたとみるべき時代状況と軌を一にしていたと言えよう。——

　(4)　こうしてみると第2次日韓協約（乙巳条約）の締結にさいして，交渉会場を包囲した日本軍（憲兵）が大韓帝国の交渉担当閣僚の行動を制約していた事情が「国の代表者に対する身体的，精神的強迫を意味し，その結果締結された右協約は無効とみるべきだ」という見解が，韓国側から1965年の日韓基本条約の交渉時にも主張されたし，今日でもそうした意識は韓国の（歴史認識上の）国民感情として強く存在することは，決して無視することのできない議論であると言えよう。

　即ち結論的には，第2次日韓協約（乙巳条約）そのものとしては締結当時から無効（有効に成立しなかった）とみるべき相当な理由があるというべきであろう。何故なら，交渉会場を包囲していた日本軍隊は名目上は日本側特派大使（伊藤博文）の警護を目的としていたとされているが（日本使節の警護責任は本来，会場地国の大韓民国政府にある），実体は韓国側代表に日本の要求を拒否することの不可能を覚悟させるに十分な——たしかに韓国側代表個人に物理的危害を加える行為がなされたのではないが——強迫効果を与えていたとみられる会場雰囲気を作っていたと言えるからである[33]。—— 10年前の1895年（明治28年），いわゆる乙未事件で排日政策をとった閔妃(ビンキ)の殺害が日本政府の後押しで実行されたという恐怖感が韓国側に色濃く残っていたことも韓国交渉者に強い威迫効果を与えていた事実があるとされる。したがってそうした強迫の疑念をもたれまいとするならば，日本は交渉会場を韓国内に設定するのであれば第三国公館内か或いは外国領域に求めるべきであったであろう。——

　また乙巳条約はその締結手続においても韓国法上で重大な瑕疵があったと言わなければならないだろう。当時の大韓帝国皇帝（高宗）の批准が欠落していたからである。この条約の目的は，大韓帝国の外交を日本が「管理指揮」すること

----

[33]　当時の在韓米公使エドウィン・モーガンの本国ルート国務長官あて1905年11月20日付文書，参照（朝日新聞2005・11・1）。

(外交権の移譲)と,ソウルに日本の「統監」府を置くことなど国家の基本権限を制限することに置かれていたから,韓国の一代表(朴外務大臣)の調印だけで発効要件を満たしうる性格の条約ではなく,元首たる大韓帝国皇帝の署名と国璽の捺印を発効の要件とする(1984年の大韓帝国勅令第1号18条)条約であったと言わなければならないからである[34]。因みに条約法条約46条1項「但書」は,国内法の違反が明白で,それが基本的な重要性をもつ場合は無効であると規定している[35]。

(5) さて以上によって第2次日韓協約(乙巳条約)そのものの無効性は(少なくとも jus in bello 次元の法領域では)率直に肯定しなければならないであろう。更に条約締結手続上の重大な瑕疵(大韓帝国皇帝の批准の欠落)を肯定すれば,その点でも無効とみざるをえなかったであろう。しかしながら日韓議定書(1904年)から日韓併合条約(1910年)に至る一連の日本による朝鮮半島の植民地化政策上の日韓条約関係を,全体として(en block)みる限り当時から無効(であった)とみることは困難であると言わざるをえないのである。何故ならば重要な視点は既にみたように,20世紀に入り第1次大戦を経験するまでは,国際社会は残念ながら「戦争自由」の基本的国際法(jus ad bellum)観念に支配されていたからである[36]。その法基盤の上に構築された日韓の併合措置であったからである。

---

[34] だからこそ伊藤博文は高宗の退位直前まで数回に亘って同条約の批准を強いたと言われるのであり,そうとすればこのことは日本側も条約の成立に瑕疵があることを認識していた証拠と言えよう(坂元茂樹『条約法の理論と実際』2004年,東信堂,321〜322頁,注(23)での白忠鉉「韓日併合の国際法的評価」韓国,コリア・フォーカス,1995年,80頁の紹介)。

[35] この条約法条約46条1項但書に定める法規範は,今日の条約法条約で始めて立法化されたものではなく,主権国家間の正常な関係維持の必要から慣例化され,国際判例でも援用されて慣習法規として確立している。従って条約法条約規定の不遡及を定めた同条約4条(本文)は適用がない。なお条約の国内手続上の無効問題につき,高野雄一『国際法概論(上)』1985年,108〜109頁も参照のこと。こうした点で,乙巳条約の無効を申し立てた高宗皇帝のロシア皇帝への親書(1906・6・22)や,正式議題としては取り上げられなかったが,1907年のハーグ平和会議への皇帝密使の派遣による訴えにも(軍事力の強制による非合法条約であるとの主張と共に),皇帝による批准の欠落が条約無効の理由として明記されていたことも過少視できない事実である。

[36] その上に更に,若干の植民地体制上の法(外交)環境をあげれば次のことがある。1つは,乙巳条約に基づき日本が大韓帝国から外交権を移譲させた(剥奪した)ことに伴い,英米等の諸外国は在朝鮮の外交機関を自動的に引揚げたが,その根拠には日英同盟(1902年)やポーツマス条約(1905年)で既に日本の朝鮮における特殊権益を容認していたことがあるのである。つまり日本による朝鮮半島の植民地化を既定の事実として受け入れていたと理解せざるをえない国際状況があったことである。こうした国際的雰囲気が日本の次の対韓強硬策の遂行を間接的に後押ししていたと言ってよいのである。即ち1907年に大韓帝国皇帝(高宗)を強制的に退位に追い込み(1907年のハーグ平和会議への高宗密使の派遣が直接の原因),親日派(当時,韓国内では日本寄りの親日開化派と親露,親清の保守派に分裂)の李完用政権に交代させて新たに第3次協約を締結し(1907年),いっさいの統治権を移譲させたのみならず大韓帝国軍隊の解散をも強行したことである。しかしこうした日本の朝鮮植民地化活動に対しては,韓国内にいわゆる「義兵運動」と呼ばれる排日運動が起こり,しばらくの期間,武力

第1章 領　　土

　もとよりこうして生じた植民地化のプロセスを全体として近代国際法（ヨーロッパ国際法）上で違法且つ無効となしえないとしても，侵略の禁止，戦争違法化という19世紀法秩序（戦争自由観の支配）から脱却した第１次大戦後の国際連盟の設立や不戦条約の成立を人類史上の画期的転換事業と把えることは決して不当ではないだろう。即ちこうした歴史的変革を背景とした植民地政策の反省時代に入ることにより，先進植民国家は漸く「文明の神聖な使命」（連盟規約22条１項）を自覚するに至り，新たな国際秩序観の下で，植民地（住民）の統治方式に人権観の導入を強く要請されたことも忘れてはならないであろう（但し旧植民地体制の違法化と即時の清算を要求されたのではなかった）。こうして，この連盟期法秩序の成立を契機として導入された後進植民国家（日本など）による新たな植民地形成の行動や強制的な他国の保護国化或いは領域編入行為は完全に違法化され，更に第２次大戦後の国連憲章下でユス・コーゲンスとして確立された非植民地化原則と民族自決原則の確立（国連憲章１条２項，11，12，13章，更に1960年の植民地独立付与宣言を経て）により，そうした後進植民国家の国際連盟時代（戦間期）における新たな植民地化の行為とその結果については遡及的無効化（デ・ファクト承認の適用のある事項を除き）を義務づけられなければならなくなったのである。たとえば1938年のドイツによるチェコ，オーストリアの併合，同じく日本の満州国設立（1932年）やイタリアのエチオピア併合（1936年）の措置の原初的無効化がそれである。即ち「不法から権利は生ぜず（"ex injuria jus non oritur"）」法理の支配と「事実の規範力（"ex factis jus oritur"）」観念の不適用がそれであり，国際連盟時代以来の「不承認主義」はそうした連盟秩序観を基本的に支えた国際法原則であることを忘れてはならない[37]。但し注意しなければならないことは，第一次大戦前までの先進国の帝国主義的植民地政策の結果に対する国連憲章下で形成された「非植民地化」の法理の適用効果は，原初的無効のそれではなく，有効性を認めた上での清算（clean slate）のそれ（問題によって補償を伴う）にとどま

　　紛争を含む争乱状況が続いたが，日本軍隊による武力鎮圧と韓国親日派に対する日本の懐柔政策により国内の安定化をみたのは，1910年の日韓併合条約の締結後であったのである。
　　こうして，日本の朝鮮半島植民地化政策に対する融和的な国際環境が，1907年の大韓帝国皇帝（高宗）によるハーグ平和会議への乙巳条約無効の訴えを門前払いする（訴えの不受理）という結果を招いた原因であったことは疑う余地がないであろう。そしてこうした事態は，日韓併合条約に至る一連の日韓協約がそれぞれ単一条約ごとに成立し且つ連結しながら事後の合意によって新たな解釈と適用を可能とするという，いわゆる subsequent practice（事後の実行）の効果として日本の朝鮮支配の実定（国際）法が着実に形成されるという状況を作りあげていったとみて差支えないだろう（条約法条約31条３項，参照）。
(37)　国際連盟時代の「不承認主義」については，広瀬善男・国際法選集Ⅰ『国家・政府の承認と内戦，上，下』2005年，の関係個所を参照のこと。

40

ることである。

2 竹島の領有権

この問題のキーワードは，第2節，1と同様に「植民地化」と「非植民地化」の法理である。まず竹島の領有権に関する相争う日本と朝鮮（大韓民国）との歴史的抗争の経過をみてみよう[38]。

(1) 人間の居住に不適な岩島（無人島）であった同島の領土的帰属に影響するとみられる日本，朝鮮両国人の渡航と利用の状況についてみると，古くは15世紀に遡ることができるが，17, 18世紀に於ては，漁採を中心とする日，韓民間人の往来が相互に交錯し，両者間（民間人とそれぞれの政府即ち徳川幕府と大韓帝国政府間）で時に衝突した事実が記録上からうかがえる。結果として17世紀末（1669年）に徳川幕府は竹島（現鬱陵島（ウルルンド））への日本人の渡海を禁止し，これを当時の鳥取藩に通達したことが明らかになっている。これで長年に亘ったいわゆる「竹島（現鬱陵島）一件」は結着（ケリ）がついた。しかし松島（現竹島）への渡航については，幕府は明確に禁止せず，したがって日本人の同島への渡海は事実上容認されていたとみるべきだろう（現日本政府の主張も概ねそうである）。しかしその後明治期に至るまで，日本人の竹島（現鬱陵島）への渡海（抜木漁採）は続けられていたので，大韓帝国政府は徳川幕府および後継の明治政府に強く抗議し，その結果1881年（明治14年），明治政府は竹島（現鬱陵島）が朝鮮領であることを確認し（前記1696年の徳川幕府の布令を再確認），日本漁民の同島への渡航は明確に禁止された。もとより明治政府は，この際も松島（現竹島）については従来通り日本人の渡海を禁ずることはなかった。——注意しておくべきは，18世紀後半には既に西洋の船が日本海に入り，海図にない竹島（現鬱陵島）や松島（現竹島）を発見し，それぞれ新しい名称をつけて竹島をアルゴノート，松島をダジュレーと呼んだことがある。後に英仏の捕鯨船が松島（現竹島）をリアンクール岩と命名し西洋の海図でも使われ，日本でもリアンコ島と呼ばれた時期がある（当時から日本領であるとの明確な意識があるならば日本名が使用されていたはずだとの見方がある）。のみならず長崎在住のシーボ

---

[38] 竹島問題については，1952年の李承晩ラインの設定を契機として日韓間の論議が高まったが，国際法の観点からの我が国の研究書，論文も1960年代前半に多くみられる。たとえば高野雄一『日本の領土』1962年，東京大学出版会。皆川洸「竹島紛争と国際判例」『国際法学の諸問題』（前原光雄教授還暦記念），1963年。大寿堂鼎「竹島紛争」国際法外交雑誌64巻4・5合併号，1966年。そして最近では，芦田健太郎『日本の領土』2002年，中公叢書。塚本孝「『竹島領有権紛争』が問う日本の姿勢」中央公論，1904年，10月号。内藤正中「竹島は日本固有の領土か」世界，2005年，6月号。

第1章 領　　土

ルトは松島と竹島を逆に記したため，島名の混乱も生じた。こうした背景から明治政府は島根県への照介を含め調査を行った結果，1876年（明治9年），「竹島（現鬱陵島）外一島（松島＝現竹島）本邦関係無之義」（カッコ内・広瀬）と決定した（岩倉右大臣以下3名の参議署名の太政官布告）。竹島（現鬱陵島）外「一島」の記述表現は「一島」即ち松島（現竹島）が竹島（現鬱陵島）の属島であることの明治政府の認識を証明したものだとの見方をも生んだ。——

　ところで歴史的に古くから（「竹島一件」時代を含めて）松島（現竹島）を竹島（現鬱陵島）の「属島」とみなしてきた朝鮮（大韓帝国）政府は，松島（現竹島）を竹島（現鬱陵島）と共に自国領土とする布令を1900年（明治33年）に施行した。——即ち，1900年10月25日付の大韓帝国勅令第41号は，鬱陵島を鬱島と改称し，島監を郡守に改めて郡制を施行した。同時に鬱島郡は鬱島の他，竹島，石島を管轄する，と定めたのである。ここでの竹島は鬱陵島近くの竹嶼島のことで，石島が独島（即ち現竹島）とされている（現韓国政府の説明）。——これに対し，当時，日本の明治政府は日露戦争が開始されていた（日本はロシアに対し，1904年2月10日に宣戦布告）ことで松島（現竹島）の戦略的価値が重視されたこともあり，1905年1月8日の閣議決定[39]で当時リアンコ島と呼ばれていた（フランス捕鯨船長の命名）松島（現竹島）における日本人（中井養三郎）のアシカ漁の実績を重視し「無主地先占」法理の適用を主張して（但し朝鮮側は，中井某の松島での10日間ほどの漁業小屋の仮設は移住とは言えないと反論している），松島（現竹島）の日本領たることを宣明したのである（右の1905年の明治政府の決定をうけて島根県が告示）。

　(2)　ここでは松島（現竹島）の領有権の決定に関し，「実効的占有（先占）」要件の具体的適用をどのように考えるべきかが重視されよう。わけても「実効的占有」という事実関係を決定する期日（critical date）をどうみるかの問題があるのである。ところで領域取得の要件としての「実効的占有」とは，それを主張する国が当該領域（たとえば島嶼）に対して主権者として行動する意思とそれに伴って国家権能の一定の実際的行使が認められなければならないとするのが一般的見解である（東部グリーンランド事件に関する1933年の常設国際司法裁判所判決）。この場合，国家権能の行使としては，司法権，（地方）行政権，立法権の何らかの行使が必要とされるが（マンキエ・エクレオ諸島事件に関する1953年の国際司法裁判

[39]　この閣議決定は次のように言う。「別紙内務大臣請議無人島所属ニ関スル件ヲ審査スルニ……無人島ハ他国ニ於テ之ヲ占領シタルト認ムヘキ形跡ナク，……明治三十六年以来中井養三郎ナル者該島ニ移住シ漁業ニ従事セルコトハ関係書類ニ依リ明ナレバ，国際法上占領ノ事実アルモノト認メ之ヲ本邦所属トナシ……。」（内藤正中「竹島は日本固有の領土か」前記論文，60頁）。

所判決），人が定住していない地域については主権的権利の行使はわずかでよいとされている（東部グリーンランド事件判決）。

　松島（現竹島）については，前述のように朝鮮（大韓帝国）政府が日本より早く1900年に勅令を発布して自国領土への編入措置を構じており（「実効的先占」の完成），それに対して日本（明治）政府は遅れて1905年（明治38年）に至って始めて同島の日本領編入の措置（政府閣議決定に基づく島根県告示）をとっている。しかしながら当該領域の領有について紛争が存在する場合には，「占有」と認められる国家活動が継続して展開されていることが必要であり，従って主権（領有権）主張の有効性決定には両者の総体的な力関係（間接的な軍事的支配力を含む）が評価上（クリティカル・デートの決定上）で重視されることが，伝統的な国際法理で一般的に承認されていたことを見落とすことはできない（マンキエ・エクレオ諸島事件判決）。換言すれば「実効的占有」とは土地の現実の使用や定住という物理的占有よりも当該地域に対する支配権の確立という社会的占有が重視されていたといってよいだろう(40)。こうしてみると，領土編入措置の先行国大韓帝国の「実効的占有」は一時的，経過的な事実としては認められるが，後継の日本の占有状況が国力を背景に最終的な法的効果を帰属させているとみざるをえないだろう（クリティカル・デート決定上での優位性）。わけても松島（現竹島）が空島（無人島）であった点で，島自体に対する実際上の行政的措置（たとえば見張り役人の常駐など）の存否よりも背後の国家的な政治軍事力の存否という力関係が主権的管轄権の行使状況としては重く評価されざるをえない状況があったとみるのが妥当な理解であろう(41)。のみならず紛争を発生させながらも1904〜05年の時期（日本が領域編入措置をとった時期）に小規模でも日本人の漁業が実施され，朝鮮側からの有効な抗議や排除措置がとられていなかったことは（日韓間の力関係の差がなせる結果だとしても），同島に対する日本（明治）政府の実効的管理があった証拠とみるべき根拠とはなろう。

　(3)　こうしてみると，竹島の領有権問題の正確な認識を行うためには，「実効的占有」という事実状況をより広い国際法史の中に位置づけて吟味する必要があ

---

(40)　東部グリーンランド事件，マンキエ・エクレオ諸島事件，パルマス島事件に関する国際判決，参照。また大寿堂鼎「領土問題——北方領土・竹島・尖閣諸島の帰属」ジュリスト647号，1977年，59頁。
(41)　明治期に入り，日本は1870年代から朝鮮への進出計画（植民地化政策）を軍事力を背景に展開した。即ち1875年には江華島事件を引き起こし日韓修好条約を大韓帝国政府との間で締結し（1876年），開国を強要した（注31，参照）。ペリー砲艦外交を反面教師とした明治政府の対韓政策の表れとも言えるだろう。換言すればこうした日本の圧力に屈した形で，大韓帝国政府の日本に対する発言力は急速に減退劣化した。日本の竹島領有布告（1905年）に対して有効な抗議は外交的政治的に不可能な状況が成立していた事実があるのである。

ることが理解されるだろう。17～19世紀（第1次大戦前まで）においては，前述（第2節1，参照）もしたように，植民地化の法理が確立していたことである。この認識が重要である。たとえばフォークランド（マルビーナス）諸島の帰属については，18～19世紀を通じてスペインとイギリスとの争奪抗争があったが，抗争に事実上勝利したイギリスの軍事力を背景とした「実効的占有」の効果が国際的に承認されてきた歴史的事実を無視するわけにはいかないのである。このフォークランド諸島の領有権の問題は，植民地形成時代において領土権確定上の領域占有の事実（クリティカル・デートの認定）が最終的には政治軍事力によって決定されることを意味する1つの先例を示したと言って過言ではないであろう(42)。

　しかしながら第1次，第2次の両大戦を経て，時代は決定的に変化し国際法秩序も根本的な転換を遂げた。「植民地化」から「非植民地化」への変貌がそれである（第2節1，参照）。国連憲章1条2項は人民（民族）自決原則（この当初政治原則としての「自決」規範は，1960年の国連総会による植民地独立付与宣言の採択や1966年の国際人権規約共通1条の締結により権利化した）を掲げたが，同憲章第11章（非自治地域に関する宣言），第12章（国際信託統治制度）を通じた国連実行によって明確に植民地の解放を国際義務化（ユス・コーゲンス化）したと言えるだろう。こうした画期的ともいうべき国際的法意識の変革によって，かつて先進国の領域に強制的に編入された旧植民地地域は本来（元の）歴史的権限保有国（地域）への帰属（植民地化時代に奪取された領域の原所有国への返還）が「非植民地化」の法理として展開され定着したと言えるのである(43)。たとえば19世紀に英領となった「香港」の元の所有国中国への返還（1997年）という行動は，紛争化した竹島問題を「交渉によって平和的に解決する」（このプリンシプルは国連憲章2条3項による関係国の今日での義務であり，前述したフォークランド諸島の帰属に関する1964年の国連総会勧告決議もこれを明示している。非植民地化を達成する手段とし

---

(42)　もっとも第2次大戦後の国連憲章下では，「非植民地化」と「民族自決」の原則の新たな法理の登場により，フォ諸島の帰属は旧宗主国のスペインから19世紀前半に既に独立を達成したアルゼンチンの歴史的権原に基づき，且つ同島のアルゼンチン領土への地理的近接性の理論の適用を伴い，アルゼンチンに認めるべきだという議論が国連では強かった。たとえば国連総会は1964年にそうした認識を背景に英・アルゼンチン両国に対して「交渉による問題の平和的解決」を勧告しているのである。
(43)　1928年のパルマス島事件に関する仲裁判決で「時際法」（intertemporal law）の観念が提示され定着した。この観念は，1つは或る行為の効力はそれがなされた時点で有効な法によって評価されること（たとえば植民地化の適法時代における力による領域取得の合法且つ有効性の承認）と，2つにはそうした効果を維持できるか否かは，法のその後の変化に適合しているかどうかで決定される（たとえば国連憲章下で，非植民地化の法理が確立した以上，植民地の解放と民族自決原則という新たな法観念により，かつて力で奪取された領域は，新たな法形成の時点以後は既存の主権的権限が無効化され，元の領有国に返還されるか，独立の地位の選択が保証される），というものである。

ての武力行使の禁止は，1982年のフォークランド戦争での安保理決議などでも明確にされている）さいの最良の参考例となるだろう（なお現竹島には「住民」は存在しないから，領域帰属に際して国連憲章73条の「住民（inhabitant）意思」の確認問題はない[(44)]）。即ち確かに（現）竹島は，19世紀を通じて第1次大戦時まで有効な国際法理であった強国日本の「植民地化」活動により，日本の実効的な「占有」行為の結果が法的に肯定されて日本領となったと言えよう。しかしながら第2次大戦後は，新たな「非植民地化」の法理の全面的適用をうけるべき対象領域となったと言わなければならない。――因みに，日清戦争（1894～1895）も日露戦争（2004～2005），も，朝鮮半島（後者は満州をも含む）の植民地化をめぐる日本と清露両国との帝国主義戦争であった。しかし第2次大戦後の日本の領土処理では，両戦争の結果として日本が国際法上適法に取得した台湾や樺太南部領域の原所有国への返還を義務づけられた（カイロ宣言，ヤルタ協定，ポツダム宣言）。これも第2次大戦後の「非植民地化」措置の1類型とみることもできよう。――前述したように，戦争自由の時代であった19世紀末から20世紀始めの明治期において，日本（明治）政府が行った（現）竹島の領土編入措置は外国（大韓帝国）領域の植民地化の過程の一環として行われたとみるのが公平（客観的）で的確な見方と考えられるからである。（現）竹島を日本の固有領土とみる見方は，隠岐島との比較からみても理解できるように，右にみた紛争の歴史的沿革即ち植民地化活動を含めた「実効的占有」論の検討からみても無理があると言わなければならないだろう。

(4) こうして右のような過程を経て植民地となった地域の「解放」が「民族自決」の思想を背景に「非植民地化」の法理として第2次大戦後，国連憲章体制の下で確立されたのである。そしてその直接の法効果として，既存の「植民地的地位」の解消と無効化が要求され，また原状（原初的地位）の回復が困難な場合の補償義務が旧宗主国（植民国家）に課された（たとえば現地所在の宗主国国有財産の無償供与）と言えるのである。それでは今日の国連体制下における「非植民地化」法理の対象となるべき（旧）植民地領域とは何かと言えば，たとえば「香港」が本来中国領土であったことを前提に非植民地化法理によって第2次大戦後（実際には1997年）中国に帰属したことでも理解されるように，原所有国領域（本件で言うと，朝鮮領域たる（現）鬱陵島＝大韓帝国領域）と地理的近接性（領域的一

---

(44) なおフォークランド，ジブラルタル，香港など多くの旧植民地領域の非植民地化に伴う領域帰属問題について，とくに本文(4)の地理的近接性（領域一体性）の観念につき，広瀬善男「国際社会のコミュニティ化の條件――国際法上の国家主権観念を軸として――」明学・法学研究31号，1984年，49～62頁。同「続・国際社会のコミュニティ化の條件――国際法上の国家主権観念を軸として――」明学・法学研究33号，1985年，44～46頁，参照。

第1章 領　　土

体性）をもつ（固有の日本領たる隠岐島との距離関係を比較せよ）ことが条件となるということである（詳細は注（44）の拙稿，参照）。したがって（現）鬱陵島が朝鮮（大韓帝国）領域であることについて争いがないことを前提にすれば（日本も徳川期以後それを明確に承認），松島（現竹島）が（現）鬱陵島と地理的近接性（領域的一体性）をもつ「属島」的地位にあったことを歴史的事実として承認すべきが合理的理解と言わざるをえないであろう。何故なら1つは朝鮮（大韓帝国）政府はしばしば松島（現竹島）が（現）鬱陵島の「属島」的地位を公式にも宣言し，前記したように特に1900年の勅令41号の布告でもそれを明確に表明しているからである。これに対し日本が同様の明確な対抗措置（日本領への編入措置）をとったのは1905年の（明治政府決定に基づく）島根県告示であり，しかもそこでは日本領たる隠岐島の「属島」としての位置づけには全く言及していないのである(45)。そしてこの時点（日本の主張するクリティカル・デート）では，既に今日の「非植民地化」法理の適用対象となるべき日本の対韓強硬行動（植民地化活動）が活発に展開され，日本の同島の正式な日本領としての編入措置はその一環に位置づけられていたとみるべきが妥当な理解と考えられるからである。

　この点でカイロ宣言（1943年）が「暴力及び強慾により日本国が略取した他のすべての地域から駆逐される」（傍点・広瀬）の「他のすべての地域」に（現）竹島が含まれるとみるべき歴史的沿革があるとみざるをえないであろう。そして第2次大戦後連合国の日本占領時に布告された連合国総司令官覚書677号（1946.1.29）で，竹島を日本の管轄権からはずしたのもこのカイロ宣言の趣旨の実施線上にあるとみるのが妥当な理解であろう(46)。

(45)　また1876年（明治9年）に島根県が隠岐の西北にあることを根拠に松島（現竹島）を県域に含めてよいかどうかの伺いを明治政府（内務省）に提出したさい，岩倉大臣等3名の参議の同意を得た太政官決議で「竹島（現鬱陵島）外一島（現竹島）本邦関係無之義」（カッコ内・広瀬）と決定し通達している事実も，（現）竹島が（現）鬱陵島の属島であるとの認識に基づいて，それが朝鮮領域であることを肯定した文書であることを意味しよう。更に，（現）鬱陵島や（現）竹島の発見と命名に，19世紀後半既に同島嶼周辺海域で漁業活動を行っていた英，仏船による一括した混合認識（後に命名上の混乱をもたらす原因ともなった，アルゴノート，ダジュレー，リアンクール岩等の呼称）からも（現）竹島を（現）鬱陵島から区別する意識は認められず，小島の竹島を鬱陵島の属島とみなし両者を一体化して認識していた事実がうかがえる。
(46)　国連憲章53条末段や107条の立法趣旨にも反映されている「侵略政策（軍国主義）の復活防止」という連合国の戦後政策は，「日本国の侵略を制止し罰するため」「日本国が略取した（植民地政策により，帰属について主張の対立する領域すらも強引に自国に編入した）すべての地域から駆逐される」（カッコ内・広瀬）というカイロ宣言における戦後日本の領土範囲縮限の決定とも連動しているのである。この連合国の領土政策は同宣言が宣明した「領土不拡大」という原則即ち「力と強慾による利得の禁止」という戦後の国際秩序の理念と合致するもので，「非植民地化」政策の具体化の1つなのである。ポツダム宣言第8項はそれをうけている。
　こうしてここでは明治期以来の日本の軍事力による植民地化政策が達成した結果に対する清算

46

第 2 節　日韓併合と竹島の領有権

　(5)　こうしてみると，1945年のポツダム宣言第 8 項が，「日本国の主権は本州，北海道，九州及び四国並に吾等の決定する諸小島に局限せらるべし」（傍点・広瀬）と規定し，島嶼については「領土不拡大」という原則の基本精神（暴力や強慾によって獲得した領域の返還）や「侵略の再現や軍国主義の復活の防止」という戦後秩序の基本政策推進の見地から，本来歴史的に日本の固有領土と解せらるべき領域についても，連合国の決定によっては日本の主権的権限を剥奪される法的可能性のあることを示唆していたことに注意しておかねばならないのである。

　たしかに対日平和条約（1952年）の領土条項たる第 2 条(a)には，日本から剥奪される朝鮮の島嶼の中には「竹島」の明示的指定はない（済州島，巨文島及び鬱陵島は明記されているが）。しかしながら，前記の連合国最高司令官覚書（1946年）では，ポツダム宣言及び降伏文書の実施として明文で竹島を日本の管轄権行使領域から除外し――日本の管轄権からはずされる "outlying minor islands" の 1 つとして「竹島」を明記し，――その後マッカーサー・ラインの設定の際にも（1946.6.22）竹島は日本漁船の操業区域外に置かれた。更に1952年の李承晩ラインの設定を始め，大韓民国政府の竹島に対する事実上の統治が今日まで続いてきたことも事実である。もとより右の最高司令官覚書の決定は領土管轄権の最終的決定ではなく，対日平和条約上の処理に最終的には委ねられていた。従って日本からはずされる領域を規定した対日平和条約 2 条(a)（領土権放棄条項）で「竹島」への言及がない以上，竹島は日本領土の範囲に残された地域（小島）とみるべきだとの解釈が日本で一般的であるのも理由がないわけではない（たとえば高野雄一『日本の領土』1962年，東京大学出版会，69頁）。

　たしかに連合国の対日占領政策に主要な役割を果たし影響力をもった米国が，対日平和条約の作定時に（米ソ冷戦たけなわの時期），等しく米国側（自由主義陣営）に属していた日韓両国の竹島領有に関する主張の対立（身内の争い）の調整に苦慮し，従来の（連合国最高司令官覚書に示された）韓国編入の方向を修正して中間的立場に軸足を移した政治的経緯（ダレス外交の一石投下の事実）はある。その結果として対日平和条約 2 条(a)で規定した日本の領土権放棄対象の島嶼として，済州島，巨文島，鬱陵島の 3 島は明記しながらも，竹島への明示的言及を避けたとみることはできよう[47]。即ちこうした既定の仕方は，反対解釈として放棄対

　　(clean slate) という連合国の政策要求が反映されており，日韓間に固有領土の範囲について植民地化時代の行動を含めて歴史的な紛争がある場合には，被害国である韓国に有利な解決がなされるべき非植民地化と補償の見地からの（「実効的占有」論とは別次元の）場がありうることを理解すべきなのである。
(47)　対日平和条約 2 条(a)の草案作成時に，条約立案に中心的役割を果したダレス米国務長官顧問に対

第1章 領　土

象から竹島がはずされている以上，同島の日本領土としての残存を肯定したものとみるべき，いわば条文の消極的効果（解釈）を可能とするかもしれない。

　しかし右の対日平和条約の規定は，本来の朝鮮領島嶼であった（日本支配時代も朝鮮総督府の管轄下にあった）済州，巨文，鬱陵の3島については日本の放棄を明示しながらも，そのうちの巨文島については1946年の連合国最高司令官覚書（日本の管轄権からはずされる島嶼を指定）には入っておらず，しかし韓国管轄権下には置かれていたことを見落としてはならないだろう。つまりこのことは対日平和条約の領土条項（2条(a)）上の明文的指定島嶼のみが，日本の放棄対象領域（島嶼）として確定されるべきだという理解への有力な反論根拠を提供しよう。換言すれば対日平和条約領土条項（2条(a)）の島嶼指定は，網羅的，限定的に理解されるべきではなく合理的な範囲（歴史的に妥当な経緯の範囲）で補足され実際的な取扱いを行うべきことを示唆し要求しているものとみるべきが妥当な理解と言えよう（条約法条約32条）。それが正義公平な条約解釈の方向だということである。

　より緻密にみれば，右条約2条(a)は，右3島を「含む（including）」朝鮮に対するすべての権原等の放棄という規定文言を用いており，この表現は右3島以外にも日本領から除外される諸小島（outlying minor islands）の存在を否定していないとみるべき法的（解釈の）余地を残したと言えるように思われるのである。わけても竹島が鬱陵島の「属島」と理解されるべき歴史的経緯があるだけに，対日平和条約2条(a)の規定から ipso jure に竹島の朝鮮領域からの除外（日本が放棄した対象島嶼に含まれない）という解釈を導くことはできないとしなければならないだろう。むしろ「鬱陵島」の放棄という明文規定は，「属島」たる竹島も ipso

---

　　して韓国駐米大使梁祐燦（ヤンユチャン）は，日本が放棄する島嶼の中に独島（ドクト）（竹島）を明文で入れることを求める書簡を手渡した。その際，ダレスは，同島が日本の朝鮮併合前に朝鮮領であったかと問い，韓国大使はそうだと答えた。ダレスはもしそうであれば同島が日本の放棄に関する規定の中に入れることは問題ないと述べた，と言う。しかしその後，ラスク国務次官補がダレスに代って，竹島が1905年頃から日本の島根県隠岐支庁の管轄下にあったことを理由に朝鮮領として返還の対象とはならないと述べた，と言われる。この点の資料として，Foreign Relations of the United States, 1951, Vol. 4 を引用した塚本孝「『竹島領有権紛争』が問う日本の姿勢」前掲誌，115～116頁。ここでは，竹島の領土権帰属について米国の朝鮮政策上での揺れがみられる。対日講和の条件がダレスの下で煮つまってきた1950年の段階で，極東における米ソ冷戦の激化と朝鮮半島の危機が顕著となり，米国は対日講和後における在日米軍基地の存続と日本の再軍備の必要を痛感し，そのための日本の協力を得るためにも竹島問題での日本の立場への肩入れ（日本の強い工作もあり）が必要と判断された。竹島の帰属についての従来の方針からの転換である。ダレスは英，ニュージーランド等の既存の立場をとる国の説得に努め，結論的に両義解釈の可能な対日平和条約2条(a)の規定となったとみられる。要するにこの米国の政策変更は政治的なものであり，厳密に歴史的国際法的な吟味の下になされたものではなく，いわんや第2次大戦後の非植民地化の法理への理解の下に行われたものではなかったといえよう。

jure に或いは自動的に（鬱陵島に付随して当然に）放棄された（日本領からはずされた）とみるべきが解釈が正道とも言えるのである。

　なるほど一般的に言えば，講和条約や領土割譲条約で規定された割譲移転されるべき領土の範囲は明示的であるべき（たとえば緯度や経度線を用いて）ことが（紛議を避けるための）常道であり，わけても（平和）条約締結時に帰属をめぐって紛争が現存する場合にはそうであるべきであろう。付属交換公文ででも解決の手がかりとなる何らかの規定をおくべきであったであろう。こうしてみると右にみた竹島の地位に関する経緯や沿革を総合的に勘案すると，同島の帰属については「未解決」とみるべきだという見解もあながち不当な結論とは言えない状況があるかもしれない。むしろ対日平和条約2条(a)で「竹島」を明記しなかった規定推進国たる米国（ダレス）外交の意図としては，同島を日本に残すことを積極的に推進するというよりも，意識的に規定を曖昧（アイマイ）にして（両義解釈をあえて可能として）将来の両国（日，韓）の交渉による解決を図ったということが考えられよう。

　(6)　ところでもう1つ，竹島の帰属に関する検討要因となるべき問題がある。第2次大戦後今日に至るまでの長期に亘る大韓民国政府による「実効的占有」状況をどうみるかの問題である。即ち1946年の連合国総司令官覚書の施行及び1948年の大韓民国の独立宣言を経て，竹島に対する韓国の「実効的占有」は第2次大戦終了後今日まで確実に継続されている実態があることである。

　なるほど1952年の対日平和条約の締結により，前述したように竹島は日本に復帰した（日本による領有権の回復）とみるのが日本政府の立場である。換言すれば条約に基づく日本の原初的権原（オリジナル・タイトル）の取得であった（クリティカル・デートを対日平和条約の締結時点とする）とみる見方ともいえる。しかしながら韓国政府は第2次大戦後，竹島に対する主権行使の事実として，公海上への李承晩ラインの設定（1952年）による竹島の囲い込みを始めとして，同島での国標の敷設や警備兵の常駐（1954年）等の「実効的占有」の既成事実を着々と積み重ねてきている。近年には灯台の設置や港湾施設の構築を行い（1997年），2004年には同島をあしらった郵便切手も発行している。日本はもとよりこうした韓国の行動にしばしば抗議を行い，問題の国際司法裁判所への提訴（韓国による応訴管轄の受諾）による解決をも提議している。――これは国連憲章33条の定める「紛争の平和的解決」義務の履行であるが，韓国が応諾しない以上，36条による安保理の勧告を求める外交努力も尽くすべきであろう。――しかし右の韓国のいわば実力行動による実効的占有活動は，実態からみて（竹島は無人島）国連憲章2条4項で禁じた国際法上で違法な

「武力行使」には相当しない（その点で1989年のアルゼンチンによるフォークランド諸島への武力侵攻とは性質が異なる）。また右の日本の抗議は韓国による竹島領有権取得を完成させる「時効」を中断する意味も効果ももたない。なぜなら国内法と異なり，国際法上では「時効」という確立した制度的概念はないからである。逆に言えば，韓国は「時効」を根拠に竹島取得を主張できないということである。また竹島は第2次大戦前からとうに「無主地」ではないし——前述した1946年の連合国総司令官覚書もそれを（無主地でないことを）前提として日本からの行政管轄権の剥奪を行っている。——領域帰属の決定要因は（クリティカル・デートの決定要因も）「実効的占有」という事実状況しかないのである（一般国際法上の「非植民地化」の法理を別とすれば）。そしてこの「実効的占有」の事実認定では，第2次大戦後の継続した状況（そして今日の状況）をみる限り，日本よりは韓国に「より重い（占有の）証拠（more convincing proof）」を認めざるをえないであろう（1953年の国際司法裁判所のマンキエ・エクレオ諸島事件判決）。即ち対日平和条約2条(a)の「竹島」名の不存在を理由に，且つまた韓国の占有実行に対する抗議の表明を行なっていることを根拠に，それだけで韓国の「実効的占有」事実の法的完成を阻止することは，かなりの無理があるように思われる。いわんや逆にそうした事実を基礎に，日本有利の「実効的占有」のクリティカル・デートを示す証拠とすることはいっそう困難と思われる。従ってもしどうしても竹島の韓国による権力支配（実効的占有事実）を中止させたい（そして最終的に国際仲裁などによる解決をはかりたいのであれば），日本としては経済断交や外交断絶すらも対抗措置としてとる覚悟をすべきであった（ある）であろう（それにより失う相互の利益を考慮の上で）。

　こうしてみると，「竹島」の領有権帰属を検討する場合には，私見では既に詳述したように「実効的占有」の事実そのものよりも，それ（実効的占有論）とは別次元の「非植民地化」の法理が優先され，そしてそれが決定的な論拠となるべきものと考えている(48)。

(48) なおかりに今後の日韓交渉により竹島が韓国領土に正式に編入された場合でも，既存の日韓新漁業協定（1998年）の「北部暫定水域」に取り込まれている竹島周辺海域上の日本側の漁業権益については，将来的にフェーズ・アウトすることは認めなければならないが，当面は保障されることになろう。しかし竹島がもつであろう「領海」権益については「領海」が一般国際法上で固有の領土的地位をもつことから，資源管轄権を含め直ちに領域帰属国（韓国）に排他的，独占的に帰属することになる。その点で「排他的経済水域」（EEZ）および大陸棚が sui generis の制度であることとの相違がある。但し竹島が国連海洋法条約上の「島」（同条約121条1項）ではなく「岩」（同121条3項）であるとすれば，EEZ も大陸棚ももつことはない（この点については，後述，第4節，沖ノ鳥島の地位(3)を参照のこと）。ところで韓国と日本は2006年5月，竹島（独島）周辺海域（暫定水域）下の地形についての，

第3節　尖閣諸島の領有権

(1)　尖閣諸島は，魚釣島，北小島，南小島等5つの小島と3つの岩礁で構成され総面積6.32km²の列島群であり，最大島の魚釣島で4.32km²（竹島の14倍）[49][50]である。竹島と同様に人間の居住には不適当であり現在も無人島である。しかし近辺海底区域での石油資源の埋蔵可能性が1968年の国連・ECAFEの調査によって明らかになって以来，日中両国の領有権紛争が激しくなり，わけても1971年に日米間に沖縄返還協定が結ばれ（1971・6・17，調印），米国（対日平和条約3条で施政権国となる）が同諸島を日本に返還して（1972年）から中国の度重なる抗議が提起されている（時に中国，台湾の活動家による魚釣島などへの領海内接近や強行上陸が行われ，日本の海上保安庁監視船との間で衝突事件も発生している）。しかし日本の「実効的支配（占有）」は，米国による同諸島の返還時以来維持，継続されている。

(2)　それでは尖閣諸島の領有権についてどうみるか[51]。結論から言おう。国際法上で日本への帰属を肯定すべきが正当であると考える。

この場合の領土帰属のクリティカル・デートについて2時点を指摘できるし，

それぞれ一方的な（事前通告なしの）調査活動をめぐり，紛議を招いた。これを契機に韓国（盧武鉉（ノムヒョン）政権）は従来竹島（独島（ドクド））を「岩」としてきた立場を変更し「島」とみなして，EEZの基点を従来の鬱陵島（ウルルンド）から竹島（独島）に移す方針を明らかにした（日本は従来から竹島を「島」とみなしている）。私見では「竹島」問題の解決は次のようであるべきだと考えている。即ち竹島（独島）の領有権は韓国に認め，しかしEEZは認めず代って既存協定上の暫定水域の地位（新たに海底資源についても適用）を継続し，周辺海域での共同資源管轄権の設定に合意すべきだと考えている。日韓の友好的な将来関係の確立のために，無意味な長期抗争は早急に終了させるべきである。

[49]　地形的には台湾島の大陸棚のエッジ上にあり，琉球諸島の宮古列島，八重山列島との間には，水深約2,000mの海溝（トラフ）が横たわっている。したがって尖閣諸島は地理（地勢）学上は，中国・台湾の自然延長地域とみるのが妥当だろう。つまり尖閣諸島は独自の大陸棚を形成することは地勢学的には無理である。

[50]　「尖閣」列島（後に諸島）の名称は，沖縄師範学校教諭の黒岩恒の命名とされる。中国側文献（歴代の冊封使録）では「尖頭」諸島と呼称されていたことが知られる。

[51]　尖閣諸島問題に関する論稿として，大寿堂鼎「領土問題――北方領土・竹島・尖閣諸島の帰属」ジュリスト647号，1977年。尾崎重義「尖閣諸島の帰属について」（上）・（中）・（下の一）・（下の二），各々，レファレンス259号（昭和47年），同261号（昭和47年），同262号（昭和47年），同263号。同「世界が注視し，国際法が試される尖閣の帰属」中央公論，1904年10月号。奥原敏雄「尖閣列島の法的地位」季刊・沖縄52号，昭和45年。同「尖閣列島の領土編入経緯」国士舘大学・政経学会誌，4号，昭和50年。同「尖閣諸島領有権の根拠」中央公論，1978年7月号。南方同胞援護会機関誌，季刊・沖縄56号「特集・尖閣列島」，1971年。同，季刊・沖縄63号「特集・尖閣列島」第2集，1972年。芹田健太郎『日本の領土』2002年，中公叢書。

第1章 領　土

またそうすべきだと考える。第1時点は，日清戦争を講和した1895年（明治28年）5月8日の下関条約（馬関条約）の発効日（正確には同条約第5条に規定された日清両国政府間の「台湾受渡ニ関スル公文」署名の時点たる同年，6月2日）である。但し右の公文で日本領となるべき「台湾附属島嶼」とは何処を指すかについて議論があった。経緯度の指定からみて「澎湖諸島」が中国（清）からはずされて日本領土となることは明瞭であったが，尖閣諸島については不明であった[52]。従って「附属島嶼」の何かについては，その後の国家実行（subsequent practice）に委ねられ，それによって確定されることになったとみる以外にないだろう。即ちここでは日清戦争の戦勝国たる日本が保持するに至った力関係の優位性が意味をもち，日本の（軍事的）支配権による管轄権行使が法的評価上で決定的な効果をもつ（社会的占有論の肯定）ということを意味したということである。より正確に言えば日清が講和した下関条約の締結前の1895年（明治28年）1月14日の日本政府の閣議決定（尖閣諸島を沖縄県の所轄に置き，標杭を設置した措置）が，両国間の講和条約で漸く正式に確認され，国際法上で有効な領土取得行為となったということである。即ち尖閣諸島の日本領土編入がこの時点で（第1時点として）法的に完成（確定）したというべきであろう。

　(3)　ところで尖閣諸島の日本領有権に関する日本政府の主張（1972年3月8日の外務省基本見解「尖閣諸島の領有権問題について」）は，大よそ次のようである。即ち，同諸島は上述の1895年1月14日の日本領編入措置以前は——1885年（明治18年）頃から古賀辰四郎がアホウ鳥の捕獲と羽毛採集のため魚釣島に渡海した実績はあるが，——「無人島」とみなすべきものであり，従って「無主地先占」（実効的占有）法理によって，日本領への編入措置をとった以後，原初的に日本領土としての地位（original title）が確定したものである。換言すれば，同諸島は日清戦争後の下

---

[52]　日清間の「台湾受渡ニ関スル公文」に規定された「台湾付属島嶼」の範囲について，当時，清国側全権委員李経方から「澎湖列島の区域は経緯度を以て明瞭にせられあるも，台湾の所属島嶼に就ては之等の区域を明にすることなし」という日本側全権委員樺山資紀の代理水野遵弁理公使に対する質問と懸念が提起された。しかし両者の会話は「台湾付属島嶼」の範囲を台湾島と福建省との間の島嶼に限定した内容で終っている（伊能嘉矩，台湾文化誌，下，1965年，936〜937頁。芹田健太郎『日本の領土』2002年，140〜141頁での引用）。つまり日本側としては，尖閣諸島は下関条約調印の3カ月ほど前（1895.1.14）の閣議決定により同諸島の沖縄県編入措置をとったことで日本領として確定しているのだから，改めて日清間で論議したり合意したりすることはないということであったろう。そして清国側からもそれ以上の異議はなかったのである。清国側の立場とすれば，台湾島の付属島嶼として主要な澎湖諸島が日本に割譲されることが明白となった以上，無人の小島である尖閣諸島を問題視しても弱者たる敗戦国の立場から無視されるのが当然と考え，これ以上の交渉は無意味として沈黙したというのが実情であっただろう。しかしこのことは，逆に尖閣諸島を台湾島の付属島嶼（属島）としての認識が清国側にあった（台湾島と共に譲渡したとの意識があった）ことを示す材料とはなろう。

関条約の締結日（1895・5・8）以前に於て既に日本の固有領土として確定していたというものである。

　しかしこの主張には問題がある。何故なら，同諸島に対する領有権主張にかかわる歴史的沿革（歴史的権限を成立させる事実関係）について，1つは冊封（サク）関係を含む琉球（南西）諸島との関係と，2つには台湾島との地理的関係について綿密な吟味を行っているように思われないからである。まず日本，中国のそれぞれがもった琉球国との関係についてである。琉球王は既に14世紀半ばには中国・明と朝貢関係に入り，明国皇帝の冊封をうけた。その後17世紀始めには薩摩藩にも服属し，いわゆる両属関係が19世紀まで続いた。――明治政府は1879年（明治12年）に琉球藩を廃し沖縄県を置き，琉球の中国との冊封関係を禁止した（琉球処分）。――しかし徳川幕府時代は鎖国令により日本人（或いは各藩）の海外渡航は禁じられていたから，琉球国の薩摩藩への服属（1609年）と両者の交易並びに琉球を通じての薩摩藩と中国（明，清）との交易は，琉球及び中国と日本（徳川幕府）との公的関係上のものではなく事実上ないし私的性格のものであったというべきだろう。こうして17～19世紀（徳川鎖国時代）を通じて，琉球（国）を中心とした相互交易は，公的な当事者としては中国（明，清）及び中国と公式な冊封関係を結んでいた琉球（国）の2国が法的面で評価されるだけだと言わなければならないであろう。「使船」の回数が中国からのものよりも琉球からの方が10倍にも達していたという事実は，琉球の朝貢関係が示す中国への領属意識が薩摩に対するよりも極めて強かったことを証明するものと言えよう。――また1879年（明治12年）のいわゆる「琉球処分」で，明治政府が長年維持されてきた琉球王の中国からの冊封を禁止した際，琉球王が強く抵抗し清国政府の援助を求めた事件も，琉球の領属意識が清国に傾斜していたことを示すものと言えよう。――

　また地理的関係からみても，航路上で尖閣諸島の利用頻度は（主として航路標示としての利用ではあったが）中国側船舶或いは両属関係中の琉球船舶（しばしば薩摩船であった。しかし幕府船ではなかった）に独占されていたと言ってよいのである。そして大陸・琉球間の交通経路としては，福建省から台湾の北を経て尖閣諸島の沖合に達し更に久米島から那覇を結ぶほぼ一直線の航路が用いられ，海図も中国が調査作成したものが利用されていたのである（たとえば「中山伝信録・図路針」康煕六十年辛丑刊）。こうした歴史的事情は，尖閣諸島の領属問題（中国へか日本へか）を検討する際の関係の緊密さが何れにあったかを判断する場合の重要な材料となろう。また右の歴史的事実を記した航路記録は，1534年に琉球に来た陳侃の「使琉球録」を始め多くの中国側の文献に収録されているが，琉球

第 1 章　領　　土

（または日本側）の文献は数も少なく，しかも中国側文献の転載が主であったことも記憶しておくべきだろう(53)。中国側はこうした冊封記録文献（その中には尖閣諸島である釣魚嶼，黄尾嶼，赤尾嶼の名が記録されている）に基づき，久米島から東が琉球の範囲で，赤尾嶼までは古くから中国領であったと主張しているのである(54)。

なるほどたしかに右の明，清と琉球間の冊封関係或いは交易関係を示す記録文書には，尖閣諸島が中国領土であるとの明確な記述は乏しいが，──後述するように中国渡航者側には，尖閣諸島を15世紀頃から実効占有していた台湾島の属島視していた状況が推定される。因みに漢民族（福建人が中心）が台湾島に移住し始めたのは明（1368～1644年）の中期頃である。そして17世紀の始めには，原住民の高砂族を圧倒して支配権を確立している。──当時に於ての「発見優先」や「実効的先占」の状況について強いて語れば，日本（徳川幕府）や薩摩藩よりも，関係の深さからみて中国（明，清）に有利な推定を下さなければならないであろう（もとよりそれが今日における領有関係の決定的証拠となるわけではないが）。

(4)　こうして尖閣諸島の領属問題を検討する際の琉球（国）をめぐる中国と日本の歴史的関係の経緯は右にみた通りであるとして，より重要な領属原因を構成するものとして吟味さるべき問題がある。台湾島の主権的帰属との関係である。中国（明，清）は前述したように，大陸・福建省を起点とする琉球との交易関係（冊封使の派遣を含む）で，航路途中にある尖閣諸島を台湾島の附属島嶼（属島）として認識していた（福建省が直接管轄する中国領としてではないが）とみるべき合理的理由があると考えられるからである。因みに台湾島は，1683年に中国（清）が当時，台湾島を支配していた明の遺臣鄭成功を降伏させて，自国領に編入し福建省の所管としていた（1684年に台湾府を設置）ことも記憶されなければならない。即ち台湾周辺の島嶼として琉球との交易や海賊からの防衛上で尖閣諸島の重要性が，従前にも増して認識され始めたと推定されるからである。また尖

(53)　なお，16世紀の清の胡宗憲撰「籌（チュウ）海図編」首巻の「沿海山抄図」には倭寇に対する海防史料として尖閣諸島が記録されている。これは尖閣諸島が福建沿海の中国領としてみなされていたことを示す資料となろう。

(54)　大寿堂鼎・前掲論文58頁。1885年（明治18年）9月22日の沖縄県令西村捨三から内務郷山縣有朋への上申書は次のように述べている。「本縣所轄ノ久米宮古八重山等ノ群島ニ接近シタル無人ノ島嶼ニ付大東島……トハ地勢相違中山伝信録ニ記載セル釣魚台黄尾嶼赤尾嶼ト同一ナルモノニ無之哉ノ疑ナキ能ハス果シテ同一ナルトキハ既ニ清国モ旧中山王ヲ冊封スル使船ノ詳悉セルノミナラス夫々名称ヲモ付シ琉球航海ノ目標トモセシ事明カナリ依テ今回大東島同様踏査直ニ国標取建候モ如何ト懸念仕候間……」（季刊・沖縄56号「特集・尖閣列島」前掲114頁）。この上申書から読みとれることは，①尖閣諸島の発見の優先度は中国側にあること，②島の命名も中国が最初であること，そして③領有については争いがあることを認識した上で，効果的手段を日本がとるよう求めていることである。

54

第 3 節　尖閣諸島の領有権

閣諸島に属する島々の名称が，古くから（たとえば1534年の陳侃「使琉球録」にもみられるように）釣魚嶼，黄尾嶼，赤尾嶼というように，台湾島の附属島嶼である花瓶嶼，綿花嶼，彭佳嶼といった島々の系列に入る命名法であったこと[(55)]も，尖閣諸島が台湾島の属島的地位とみられる要素となりうることを否定できないのである。こうして尖閣諸島の中国領土への帰属が，台湾島の支配管轄権とその地理的位置及びそれに伴う海防史的沿革からも，少なくとも19世紀半ば（明治期前）までは肯定的に理解すべき史的経緯があったとみるべきであろう。

　(5)　ただし私の見方は最終結論から言えば右と異なる。その後の歴史的事情の激変が考慮さるべきだからである。まず1894～95年（明治27～28年）の日清戦争で日本が勝利し，1895年4月17日に日清間の講和条約（下関条約）が調印され同年5月8日に発効した歴史的事実（事件）は日中間の領土権処理に大きな影響を与え，尖閣諸島の領属問題にも決定的効果をもったことを否定できないからである。

　ところで尖閣諸島を日本の領土とみなす「実効的占有」時点を明治政府の公式編入措置（1895・1・14）に求める日本政府の見解の難点は，前述(3)，(4)の論点（歴史的事実状況の問題）の他，もう1つの法理（国際法）上の難点があることを見逃すわけにはいかないだろう。即ちこの時期（1895年初頭）は日清間に「戦争」状態が存在していたことである。たしかに（近代）国際法は戦争自由の時代の観念を基礎に力の支配（の結果）を肯定していたから，この措置（日本による尖閣諸島の「社会的占有」事実の完成）による同諸島の日本領帰属の有効性を国際法上で否定することはできなかったであろう。しかし（近代）国際法は戦争法規上で領土的処理を戦争当事国の1つが一方的に行うこと（たとえば占領地の一方的な自国領への編入）を認めていない。その領土処理が（国際）法的に有効となるのはあくまでも講和条約によってである。なるほど尖閣諸島が中国（清）領土であることは少なくとも当時に於ては確定していない。もとより日本の固有の領土であることも前述したように法的にも事実関係上でも客観的な妥当性をもっていない。即ち19世紀後半（日清戦争中を含めて）の時代に於て，その帰属をめぐり日本との間で紛議のあった係争地であったとみるのが公平な認識だろう。従って係争地の帰属に関する最終的決定は法的には明確な両国間の合意文書，即ち日清間の講和条約としての「下関条約」（馬関条約）に基づかしめるのが合理的な理解と言わなければならない。こうして，前述したように下関条約の履行（subsequent

---

[(55)]　高橋庄五郎「尖閣列島ノート」，1979年（芹田健太郎『日本の領土』前掲書131頁の引用）。

第1章 領　土

practice) によって（日本の支配力による尖閣諸島の日本編入措置が実定化されたことにより）同諸島に対する日本領有のクリティカル・デートが確定されたとみるのが的確で公正な見方と言えるだろう。

　その後、日本の台湾統治（台湾島と澎湖諸島の日本領への帰属）は第2次大戦後まで続いた。正確に言えば、1952年4月28日の対日平和条約2条(b)の放棄条項の発効と同年8月5日の日華平和条約2条で右の対日平和条約規定を確認したことによって、台湾と澎湖諸島に対する日本の領有権は消滅し中国に返還された（もっとも事実上は1946年には、中国・国民政府による台湾島及び澎湖諸島の実効的支配が完成していたが）。しかしながら尖閣諸島については、第2次大戦後、1946年の連合国最高司令官覚書（領土処理の最終決定は対日平和条約に委ねられたが、ポツダム宣言第8項「吾等の決定する諸小島」の履行過程を示す文書）で、連合国占領下の日本の行政管轄権から除外された島嶼には入っておらず（その点で「竹島」と異なる）、また1951年調印の対日平和条約2条(b)で、日本は台湾及び澎湖諸島に対するすべての権利、権原及び請求権を放棄する一方、「南西諸島（琉球諸島及び大東諸島を含む）」を米国を唯一の施政権者とする信託統治制度の下に置くこと（正確にはそれまでの期間の米国の施政権行使）に同意していることを忘れてはならないだろう。これにより連合国最高司令官覚書に基づき連合国管轄下にあった尖閣諸島の行政管轄権はそのまま米国の施政権に移されることになったからである。このことは尖閣諸島が琉球諸島と共に、中国（台湾）に施政権を移譲されたり領土権を返還されたりする法的可能性が最終的に消滅したことを意味することで重要である(56)。換言すれば尖閣諸島は琉球諸島と共にその施政権は米国に移されるとしても、「残存」主権（Residual Sovereignty）（領土処分権）は日本が保有するという決定がなされたことを意味するのである。——なお対日平和条約の発効直前の1952年4月1日公布のアメリカ民政府布令第68号で、米国権政権の及ぶ地理的範囲を経緯度で示し、その区域内に尖閣諸島が入っていることに注意する必要がある（季刊・沖縄63号、前掲12頁）。この布令は1946年の連合国総司令官覚書と同様、ポツダム宣言第8項の連合国の決定の一部とみなしうるのである。——

---

(56)　もっとも、沖縄返還協定の調印時（1971年）に、プレイ米国務省スポークスマンは返還協定によって尖閣諸島は日本に返還されるが、「主権に関する国府の立場を損うものではない」とし、「主権」の帰属については日中当事者間で解決さるべきで米国は中立の立場をとることを明らかにした（季刊・沖縄、63号、前掲、274頁。尾崎重義「尖閣諸島の帰属について(上)」レファレンス259号、昭和47年、40頁）。しかしこの米国の態度は「竹島」と同様、責任逃れの印象が強い。わけても対日平和条約3条で規定された米国を施政権国とする信託統治制度は、国連憲章第77条1項cを根拠とするもので、同条1項bで規定する「第2次大戦の結果として旧敵国（日本）から分離される（「残存主権」も剥奪されうる）地域」ではなかったことに注意しておかなければならない。

第3節　尖閣諸島の領有権

そしてそれから20年後の1971年6月17日に締結された日米間の「沖縄返還協定」によって，米国は尖閣諸島を含め琉球諸島のすべての権限を日本に返還したのである（1972年）。これにより日本は尖閣諸島のすべての主権的権限を回復したと言ってよいだろう。以後，今日まで同諸島に対する日本の「実効的占有」の状況が法的のみならず事実上も続いている。

(6)　もとよりカイロ宣言（1943・11・27）は，「満州，台湾及び澎湖島のような日本国が清国人から盗取したすべての地域を中華民国に返還する」（傍点・広瀬）と規定している。「ような」の用語は日本が中国から盗取した地域が台湾，澎湖島に限定されない例示的性格のものであることを示していると読むこともできよう。また「暴力及び強慾により日本国が略取した他のすべての地域から駆逐される」ともカイロ宣言は述べている。これにより日清戦争（の講和条約＝下関条約）で合法的に（第1次大戦前の戦争自由の時代の国際法観念）日本が取得した領域であっても，連合国による第2次大戦後の戦敗国（侵略国として規定されていた）の領土処理「政策」の中で（もとよりこの「政策」は竹島を含む朝鮮半島の領土処理とは性格が異なるが，）日清間の朝鮮半島の支配権をめぐる植民地獲得をめざした帝国主義戦争であったことからみて，非植民地化の法理の適用をうけ（国連憲章77条b），強慾により略取した地域として（ヤルタ協定上の「樺太」と同様に）台湾，澎湖島の旧領主国たる中国への返還を義務づけられうる条件を一応は満たしていたとみなければならないであろう。こうしてみると，第2次大戦後の連合国総司令官覚書（1946年）ででも，領属について紛議のあった尖閣諸島を連合国の判断（決定）により日本の主権的管轄権からはずし，台湾，澎湖諸島と同様に，連合国の行政権下ではなく中国の管轄権下に直ちに置く（これは日本領土からの分離を意味する）措置をとることも可能であったろう。しかし連合国はこの措置（決定）をとらなかった。そしてこの連合国の立場は領土の最終的決定を示す対日平和条約でも維持されたとみなければならない。従ってもし中国（中華民国政府）が戦後処理として台湾島と同じ法的地位を尖閣諸島に対しても要求したかったのであれば，それを連合国に対して求めるべきであったであろう。しかし中国（国民政府）はそうしなかった。この事実は重い。わけても中国（中華民国）政府（既に中国本土を追われ台湾に政権基盤を移していた）は対日平和条約と同時期に並行的に締結した日本との間の日華平和条約（1952・4・28，調印）で，同条約の領土権条項（第2条）において，日本による台湾，澎湖諸島の放棄という対日平和条約2条(b)とほぼ同趣旨の規定を置いただけで，尖閣諸島に対する領有権主張を行っていないのである。もしそうした主張があるのであれば「交換公文」の形で

でも今後の同諸島の領有権に関する日本との交渉と解決に関する合意規定を置き，留保の意思を示しておくべきであったであろう。

因みに中華民国政府は，日本がポツダム宣言を受諾した（1945・8・14）直後からカイロ宣言（蔣介石・中国総統も参加し，署名）に規定された「台湾と澎湖諸島」の中国への返還作業を独自に開始し，1945年8月末には「台湾省行政長官」を任命しているのである。それにも拘わらず，当時，連合国占領下にあり且つ連合国の行政管轄権下にあった尖閣諸島に対して，同じ連合国の一員であった中国（国民政府）が，既に紛議の生じていた同諸島の領有権に関して何らの外交的主張も行わなかったことは，法的評価上でも看過さるべき事態とは決して言えないであろう。

こうしてみると結論はこうなろう。尖閣諸島の「実効的占有」のクリティカル・デートは，明治時代の下関条約締結（1985・4・17）による時点的確定以来引続いて継続されてきた日本の実効的支配が，第2次大戦によっていったんは切断され連合国の管轄下に置かれながらも，しかし形式的には（「残存主権」の形で）存続し，法的には日本のポツダム宣言（8項）の受諾に始まり新たに対日平和条約でその「残存主権」を再度設定し直された（確認された）時点（1952・4・28）とみるべきであろう。日米沖縄返還協定の締結（1971・6・17）に基づく米国による日本への尖閣諸島の返還は，単に対日平和条約（3条）で設定された信託統治制度上の施政（行政）権の返還の性格しかもたず，同諸島の領土権の帰属は既に対日平和条約で確定していたことを忘れてはならないであろう。

なおかりに尖閣諸島の日本帰属が確定した場合，領海（距岸12カイリ幅員）は当然，領域主権をもつ日本に確保されることになるが，周辺の排他的経済水域——領海と異なり，性質的に sui generis とされることに注意——わけてもその海底下の地下資源の管轄権については（注(49)も参照(57)）日中間の協議に委ね，現在（2006年現在）中国（中華人民共和国政府）が開発中の東シナ海の日中・中間線（日本が主張するEEZ境界線）周辺でのガス・石油資源の開発・利用の問題を含め，両国の共同管理（開発）権の設定が望ましいと思われる(58)。

---

(57)　「島」（「岩」を含む）は通常，独自の領海をもつが，大陸棚上にある無人で経済生活の営まれていない小島は，資源管轄権領域としての大陸棚や排他的経済水域をもたないことについて，小田滋『海洋法研究』昭和50年，有斐閣，251頁，259頁。同『海洋法，上巻』有斐閣，昭和54年，291頁。
(58)　海洋法上の共同開発の現状と今後の検討について，三好正弘「国連海洋法条約体制下の共同開発の再評価」慶応大・法学研究75巻2号，2002年，参照。

第4節　沖ノ鳥島の地位

(1)　沖ノ鳥島は東京の南南西1,740kmの海上にある日本最南端の「島」。東西約4.5km，南北約1.7km，周囲12kmの長円形サンゴ環礁である。長年の浸食で現在は海抜約1mの4畳半と1畳ほどの合わせて10㎡にも満たない北小島，東小島があるだけである。水没を防ぐため，日本政府は1987年から約600億円を投じてコンクリート護岸などの工事を行い，その後，作業基地を建設して気象，海象観測に利用している。また国土交通省は2007年始めまでに灯台（太陽電池使用の高床式無人灯台）を建設する予定で，更に将来はマグロ，カツオ等漁獲物の冷却保管基地や海洋温度差発電施設の建設も検討している。

(2)　同島は17世紀初めスペイン人によって発見されたが，1922，25年に日本の測量艦が調査し，「沖ノ鳥島」と命名して，1931年に小笠原支庁管轄下に編入して日本領土とした。第2次大戦後の連合国軍総司令官覚書（1946年）で，琉球諸島や小笠原群島，硫黄島，大東諸島などと共に，日本の行政管轄権から除外される指定をうけ（「竹島」や「尖閣諸島」と同様），1951年の対日平和条約（3条）で米国を施政権者とする信託統治制度化に移されたが，1968年に日本に返還され，東京都の小笠原支庁の管轄下にある。

(3)　最初にみたように，日本は経済的にペイするかどうか疑問があるほどのコストをかけて，沖ノ鳥島の「島」としての地形保存に努力し，更に人的施設の構築を促進することにこだわりをみせるのは，国連海洋法条約（121条）で規定された「島」の周辺海域（距岸200カイリ幅員）に排他的経済水域（EEZ）――日本の国土約38万㎢を上回る約40万㎢――を確保できるかどうかに，それがかかわるからである。しかし中国は，沖ノ鳥島は単なる「岩」で「島」ではないとして，独自のEEZを構成することはできないと主張している。そして日本政府への通告なしに周辺海域（日本の主張するEEZ内）に調査船を出入りさせている。

ところで国連海洋法条約は121条1項で，次のように規定している。「島とは自然に形成された陸地であって，水に囲まれ，高潮時においても水面上にあるものをいう」と。この点で，沖ノ鳥島は浸食が激しく，自然に放置されている（いた）ならば水没する可能性が高いだけに，人工的に造成されて始めて「島」としての形状が維持されている現状では，同条約でいう「自然に形成された陸地」と言えるかどうか疑問が生じよう（もっとも水没するまでの期間は「島」または「岩

といえるかもしれないが)。そのため，水産庁はサンゴの新しい増殖技術を用い，周辺サンゴ礁の保全と増殖をめざす予定と報道されている（朝日新聞，2006・4・17）。

　また同条3項は「人間の居住又は独自の経済的生活を維持することのできない岩は，排他的経済水域又は大陸棚を有しない」（傍点・広瀬）と規定する。これをどう読むか。私見では1項の規定に合致する「島」であっても，自然風土環境上の条件により人間の居住や経済生活を営むことに不適当な陸地は，「岩」とみなされ，この場合はEEZや大陸棚をもつことを許されないという趣旨に理解するのが妥当だと考える。したがってこうした「岩」であっても1項の「島」としての条件を満たして特定国の領土を構成する限り，ipso jureに固有の「領海」をもつことは認められるだろう。しかし国連海洋法上のsui generisの地位を条約上で特別に容認されたEEZと大陸棚については別に考えるべきで，「岩」はそうした制度上の特権はもつことがないというのが，121条3項の（立法）趣旨とみるべきであろう。なお右の3項で「人間の居住又は独自の（of their own）経済生活を維持することのできない岩」（傍点・広瀬）とは何を意味するか。「独自の」或いは「それ自身の」の意味は，他所からの支援なしでも「そこ（それ）だけで」居住を含め人間としての経済生活（economic life）が可能であるということを意味するのであるか。「人間の居住」或いは「経済生活」という以上，今日ではロビンソン・クルーソー的生活ではなく通常の文明人としての長期に亘る継続的な生活維持の可能性を意味し，従ってそうであれば一定の（最低限度の）生活環境（の土台）がその島独自に存在し人的工作を加えずとも，居住，生活が可能であることを意味するのかどうか。更にまた右の「居住」とか「経済生活」というような条件の存在は「現在」のそれを意味するのか，或いは将来，科学・人知の進歩による大規模な人工工作物の構築によって人間の居住や経済生活の著しい改善が可能とされる（それが予測できる）場合は，別だというのかどうか。未解決の問題が存在するように思われる[59]。

　なお右の「沖ノ鳥島」の国連海洋法条約121条3項的地位と条件（「岩」である状況）は「竹島」や「尖閣諸島」についても基本的に存在するように思われる。

---

[59] 小田滋『注解国連海洋法条約，上巻』昭和60年，有斐閣，321～324頁，参照。

第 2 章

外国人参政権

第 1 節　憲法九条と帰属意識(アイデンティティ)そしてナショナリズム
　　1　ボーダーレス時代と帰属意識
　　2　帰属意識としてのナショナリズム
　　3　「理念」に基づくナショナリズム
　　　　——米国と日本の場合——

第 2 節　民族(人民)自決原則の系譜と主権国家制
　　1　自決原則の歴史的展開と主権国家制
　　2　自決原則と香港，台湾
　　3　日本の憲法条件と外国人の地位
　　　　——国籍および「在日」の参政権と公務就任権——

● 広瀬善男　国際法選集 II

第1節　憲法九条と帰属意識(アイデンティティ)そしてナショナリズム

1　ボーダーレス時代と帰属意識

　冷戦後の今日，見通しうる将来の世界秩序をどうみるかは，本章の記述にあたって重要な考察前提となる。私は21世紀の見通しうる人類社会の形態として，基本的には現今の世界秩序と同様，主権国家の並存状況つまり，「国際」的（international）な社会秩序が維持されるだろうとみている。

　たしかに人類の経済，情報活動の広域化はますます強まるだろう。今日の欧州連合（EU），北米自由貿易地域（NAFTA），あるいはアジア太平洋経済協力会議（APEC）のような経済共同体が地球各地域に設定され，ボーダーレスの広域経済・情報秩序が確立され機能することになるだろう。

　「500年前の『大航海』が世界の構造を一変させたように，今世紀末の『情報』『経済』の急激な世界化は，東西対立を掘り崩し，主権国家を守る国境を揺さぶりつつある。より人道的で安定的な国際関係のため，一定の条件下で『むしろ内政干渉が認知さるべき時代』（『国境なき医師団』創設者ベルナール・クシュネル氏）という発想は，大胆すぎるとはいえまい」と述べる新聞社説（朝日新聞1996・1・5）すらある。

　たしかに電子メールをはじめ，コミュニケーション・システムの革命的変化は無視できない。インターネットによる国境を越えた取引は一国政府の規則，統制を無意味化する可能性さえあるのである。

　また西欧キリスト教の社会文化の中で胚胎し，歴史の風雪に堪えて育成された「市民的自由」を基幹とする基本的人権観[1]は，ときに非西欧世界の秩序観と摩擦を生じ衝突をくり返しながらも，アジア，中東，アフリカの非キリスト教社会にも次第に受容されて，歴史的伝統文化の固有価値に今日なお優位性をおこうとするこれら地域にも次第に浸透して，そこでの根強い共同社会国家観の壁を徐々にくずすことになるだろう。市場経済システムの地球的拡大の傾向はこれを基底で支える潮流の役割を果たそう。

（1）　西欧における人権観念の形成過程につき，国家主権との相関的機能分析の論文として，広瀬善男「国際社会における国家主権の歴史的考察――人権と平和の概念との関係で――」明学・法学研究10号，1972年，37～125頁。

第2章　外国人参政権

　しかし同時にまた人間は,「群れ」の属性を本質的にもつ。学校や企業, 各種のソサイエティ等特定のアイデンティティ意識による集団帰属化は避けることのできない人間的本性である。そこに政治的動物である人間が, 政治的エスニシティとしてのナショナリズムという帰属系を「国家」という最も権力基盤の強い形態で維持しようとする土壌があることもまた見落とすことのできない事実である。こうしてたとえばシャクター（O. Schachter）は次のように言う。「利害の異なる各グループ間を調整するための責任ある権限もつ仕組みが必要である。『国家』とはそのための社会秩序と公共正義を実現できる有効な組織体であり, そうした組織体の必要性は将来も消えることはないだろう」と(2)。アビサーブ (G. Abi-Saab) も「そうした『国家』とは歴史的にみて, 原始母体としての領域的結合に支えられた人的集合体である」とし(3), またコスケニーミ（M. Koskenniemi）は「機能的組織としての各種のネットワークが存在するし, それは今後も増えるだろう。しかしそれは個人に, 領域国家が提供する共通の制度や平等の法の保護へのアクセスを可能とするものではなく, 人類の部分的な利益の提供にとどまる」と述べているのである(4)(5)。

2　帰属意識としてのナショナリズム

　こうして「民族」（Nation）を単位とし, しかも領土, 領域の分立を前提とする政治統治上の「主権国家制度」（Sovereign States System）は見通しうる将来, 変更されることはないと思われる。ネーション・ステートに代りうる適当な統治行政単位を近い将来の人類（世界）秩序に構想することは困難だというのが一般的な見方であろう(6)。

（2）　O. Schchter, The Decline of the Nation-State and Its Implication for International Law, Col. J. of Transnational Law, Vol. 36, Double Issue, 1997, pp. 22〜23.
（3）　G. Abi-Saab, Recueil des Cours., Tom. 207（1987- Ⅶ）, p. 69.
（4）　M. Koskenniemi, The Wonderful Artificiality of States, ASIL Proc., 88th Ann, Mtg., 1994, pp. 28〜29.
（5）　一国（米国）の映画産業等のグローバリゼーション化の影響として始まっている世界的な文化的統合の傾向に対して, フランスやカナダ或いはイスラム諸国から, 自国の伝統文化への侵略だとする反発が根強くあり, その1つの表れとしてユネスコ総会は2005年,「文化多様性（文化的表現保護）条約」（The Convention on the Protection of Cultural Expression）を採択した経緯がある。
（6）　ゴットリーブ（G. Cottlieb）は, 現行のネーション・ステートと並行的に, State — plus — Nations という行政単位を考案し, international association という soft borders をもった広域圏を構想する。そこでは国籍（nationality）の他に市民権（citizenship）の制度を作り, 政治的人権の付与も肯定すべきだと主張する（G. Gottlieb, Nation Against State, A New Approach to Ethnic Conflicts and Decline of Sovereignty, 1993.）。しかしこの見解に対し, 1990年代の旧ユーゴ紛争の解決方式にもみられるように,「領域主権」という現行国家制度から脱却できる国際状況は全くないという批判がある（R. G. Stein-

第1節　憲法九条と帰属意識そしてナショナリズム

　なるほど人権団体としての非政府組織（NGO）や，国際企業（多国籍企業）による国境を越えた 'trans' national な活動はいっそう増大しよう。そしてまた国連（或いは国際通貨機関，国際貿易機関，国際労働機関，国際保健機関，国際教育科学文化機関等々）の機能のように，政治，経済，文化等の各種の人類的営為の中で，一定限度であれ，主権国家の権限，権能をも超え，これを制約する国際機関の活動も活発化するだろう（いわゆる機能的統合（functionalism）の作用はその1つ）。従って国際的アクターの数や種類は増えるであろう。

　しかしそれにも拘わらず，見通しうる21世紀の世界秩序の主要な責任構成母体は，依然として欧州近代において成立起源をもつ「主権国民（民族）国家」（Sovereign Nation-States）である——第2次大戦後は非植民地化をめざす国連の政策により，第2次の主権民族国家の時代が到来した——という見方は，多分批判に十分堪えうる分析であり見通しであると思われる。

　今日の時代，エスノナショナリズム（ethnonationalism）のばっこによる民族紛争わけても武力紛争の頻発という現象はある。しかし，だからといって，その根源にあるナショナリズム（nationalism）を一般的に否定的にとらえるわけにはいかない。民族や人種等の自然発生的な実在すなわち先天的，生具的な生物種異態としての存在のみを基盤とする原始的ナショナリズムはもとよりのこと，文化や言語，宗教等の人類の長期に亘る歴史的営為の中で形成された精神的価値をも重層的に摂取して形成されたナショナリズムは，在る時代の特定の政治的意図だけで否定しようとしても否定しえない人類史的な存在価値（レゾンデートル）を有しているのである。今日，「人類」社会としての一元的価値観（人権と平和）を共通の普遍的規範となしつつある国際社会でも，そうした共通価値観を維持するための条件として，多元的文化社会の形成を前提とし必要としているのである。

　たしかに文化，言語，宗教等の後天的な民族活動と結合したナショナリズムは，しばしば利害の閉鎖的輻輳化（開放的拡散化ではなく）を生じ易く，個人の多様性を抑圧して集団的一元化，画一化の誘因に導かれ易い。また経済的生活水準の相違を意図的に集団間の歴史的な人為格差として把え，ことさらに他民族（他ナショナリズム）との差異意識を強調して，対抗的「差別」化（観）の中で紛争を

---

hardt, A. J. I. L., Vol. 88, No. 4, 1994, pp. 831〜837）。なお，デービス（M. C. Davis）は次のように言う。21世紀には世界は分裂と同時に統合をくり返して，国家（State）の概念は新たな意味をもつことになるだろう。即ち従来の主権国家的地位ではなく，より地域性にウェイトを置いた非国家的領域共同体（nonstate territorial communities）の性格を強めるだろうと（M. C. Davis, Human Rights, Political Values in East Asia, in "A. Pollis and P. Schwab（eds.）, Human Rights : New Perspectives, New Realities", 2000, p. 157）。

第2章　外国人参政権

激化させる傾向が少なくない。わけてもナショナリズムという「集団主義」に，個人の尊厳という基本的人権観の支配がみられない限り，抑制力を失ったナショナリズムは容易に当該集団を狂信と憎悪の走狗と化し，武装化は必然的に国家間戦争や領域内内戦（国内武力紛争）を惹起するのである。この場合，注意しておきたいことは，民族（Nation）とそれを組織化する国家（State）制度の結合が近代における民族紛争の特長であり(7)，さらに内戦（国内武力紛争）における国家の形態や権力制度のあり方をめぐる民族（種族，宗教宗派）間闘争は，紛争主題として国家制度の介在があるだけに解決を困難にし易いのである。ゲルマン民族主義がドイツ国家体制と結びつき世界的覇権をめざして第2次大戦をひき起したナチズム(8)や，1990年代のユーゴ連邦の解体の危機に際して「大セルビア主義」の復活によるバルカン半島の支配を望み続けたミロシェビッチ・ユーゴ大統領のセルビア・ナショナリズムが起こした旧ユーゴ・ボスニアの内戦（セルビア正教徒，ムスリム，クロアチア・カトリックの内戦）やコソボでの紛争（セルビア正教徒のユーゴ系住民とアルバニア系ムスリム住民の武力紛争）はその最近例である。

　その点では近年のアフリカ地域における部族抗争，たとえば1993年から96年にかけてのソマリア，ルワンダの内戦（典型的な部族紛争）や未だに終息しないスーダン（ダルフール地方）の武力紛争（イスラム・アラブ系とキリスト教・黒人系の紛争）更にはスリランカの内戦（イスラム・仏教系とヒンズー・インド系の紛争）の例にみられるような，いわば種族権力をめぐる原始的（非近代的）紛争の形態については，それがむき出しの利己性に支えられた非合理的情動性が強いだけに，国際社会の嫌悪を容易に招き，国際社会（国連）が早期に且つ適切に対応してい

（7）　コナー（W. Connor）は言う。Nation 概念と State 概念の混同（一体化ではなく）は妥当でない。たしかに民族（Nation）は生具的（非合理的，情緒的）要素が強く，国家（State）は制度的（理性的）側面が強調される。しかし"紛争"形態として把える場合は，権力組織としての State 観を排除した Nation 観は紛争の本質に迫ることは難かしく，従って単一統治組織（国家）と結びついた Nationalism を捨象した ethnic な紛争の分析は無意味である。紛争分析概念としての ethnonationalism とはそういうことであると（W. Conner, Nation-Building or Nation-Destroying?, Wored Politics, Vol. 24, No. 3, 1972, pp. 319～355）。
（8）　ナチズムは，ヒトラー・グループがゲルマン民族の血の優越性を主張してドイツ国民を特殊なエスニック集団化した「エリート主導モデル」（伊藤融「エスニック紛争の源泉──原初主義対道具主義をこえて──」法学新法104巻6・7号，153頁以下），即ち政治エリートによる国家間闘争を勝ち抜くためのエスニシティの利用（道具化）であったとみる "instrumentalism" の立場がある。この点では，いわゆるエスニック紛争の源泉に関する "instrumentalism" は，エスニック紛争の情動的・心理的側面（非合理性）を軽視しすぎるという批判即ち「いわゆる『道具主義』はエスノナショナルな帰属意識の情緒的深層とその名の下に積み上げられた大衆の犠牲とを反映し損っている」という批判（W. Conner, Ethnonationalism, in "M. Weiner and S. Huntington（eds.）, Political Development, 1987", guoted by 「思想，850号，34頁」）とは対立する。

第1節　憲法九条と帰属意識そしてナショナリズム

たならば国際社会の力の介入によって，むしろ解決の比較的簡単な単純エスニック紛争形であるように思われる（ルワンダ事件では国連安保理は対処方法を誤り，犠牲をふやした）。この場合は，先進国からの武器の売買・移転の抑制，禁止の徹底化と国連等国際社会（NGOを含む）による紛争予防的平和活動（教育教化活動を含む）の常時展開によって，解決の比較的容易な側面がみられたはずである。

　しかしながら歴史文化を背景として醸成されたナショナリズムが，政治経済上の国家（共同体）イズムによって触発された場合の紛争については，事は簡単ではない。ただそうだからといって，ナショナリズムに紛争激化の要因となりうる性格が濃厚な側面があるという理由だけで，ナショナリズムそのものを否定的に理解することは妥当ではない。民族や人種或いは文化，言語，宗教といったいわば人類の歴史的活動経緯の中で特定のグループ的アイデンティティを確立する基盤を提供し，あるいはそのために役立ち機能してきた属性要因は，個々の人間の「社会的」存在証明としてもその意義を今日でも失っていないし，むしろますます人間（人類）活動の源泉としての機能的意義をもつと言ってよいだろう。

　人間は社会的動物であり，従って個人の内的充実は価値観を共有するグループ的協同化によってしか高度化されえないからである。ナショナリズムとは，そうしたグループ化の端的な歴史的表現でもあるのである。そしてそれは人間の社会的統治基盤（ガバナンス）としての最有力な活動源泉を提供しているといってよいであろう。

3　「理念」に基づくナショナリズム——米国と日本の場合——

　米国はもともとピューリタンをはじめ欧州大陸からの移民による人造国家として形成され，後に他大陸からの異種族，異文化移民をも受け入れて建国された多民族（多人種）国家である。そこには個人の「自由」という共通の後天的な市民的価値観（理念）に裏うちされた強固な（他からの理念的脅威に対しては断固たる排撃行動をも辞さない）人為的ナショナリズムが存在する。——黒人やアジア系，中南米ヒスパニック系の住民にしても，本来の出身国家をもちながらも既にそれへの帰属意識はなく，米国国民（市民）としてのみのアイデンティティで生存する。しかしユダヤ系人は米国とイスラエルの両国家への二重帰属意識をもつ傾向が強い。それが米国建国理念（自由と平等）をイスラエル帰属のユダヤ・ナショナリズムで包み込み，米国の外交，政治指針への組織的な投影力となり，しばしば，二重基準的な理念適用となって現れている。——そしてそうした人工ナショナリズムによる主権国家を造営して，今日でもその存在感の強固さを示す人類史上稀な歴史的営為と経緯をもつので

ある。

　そこでの「自由」を中心とした理念ナショナリズムが，思想としてはコスモポリタニズム（普遍的価値基準）でありながらも，「アメリカ合衆国」という主権国家制の中でのアメリカという大地と歴史が形成した人類史上独自のナショナリズムであり（G・ワシントンによる自由のための独立戦争と，「政府は被治者の同意によるもの」とするT・ジェファーソンの独立宣言，更にはA・リンカーンの民主主義と平等を掲げたゲティスバーグ演説はその構成理念を示す），ユニークな国家形態を示すといえよう。──ここではコナー（W. Connor）が，エスニック・アイデンティティの認識にしばしば語謬をもちこんだと批判する「ネーション概念とステート概念の混同」（注（7），参照）が，むしろ混同でなく一致（一体化）として存在する。──

　ナショナリズムは閉鎖的囲い込みを特質としてもつ一方，特定の地域人民から他世界への発信，主張の機能をももつ。しかしその内容が単なる利己的集団（国）益でなく，「自由」や「平等」或いは「博愛」のような普遍的な人類価値であるならば，ナショナリズムは攻撃的，征服的或いは強要的と形容されるような否定的性向を当然にもつわけではない。もとより自己の「理念的」国家価値を暴力で侵された場合の防衛的抵抗は，逆に極めて信念的強固さを示すことになる。米国の建国史と今日までの実践は大筋の傾向としてみる限り，これを示す。──もっとも，米国ブッシュ政権がイラク戦争（2003年）の正当化根拠とした米国的価値観（自由と民主主義）の世界的展開の主張は，誤謬に基づく開戦の後智恵の糊塗にすぎず，戦争を主導したネオコン・グループの集団益の展開にすぎない（広瀬善男『国家・政府の承認と内戦，上』2005年，緒言─「構造的テロ」論─参照）。米国的理念はいずれにせよ，早急にこの失敗の克服に向かうだろう。──

　そうとすればわが国が憲法（前文，九条）原理として，「平和」と「国際協調主義」を掲げて，人類史上での新たな「理念国家」の形成をめざして先導的な民族的実践を始めた以上，右の米国の歴史的先例を教訓としながら，国際社会に普遍的人類価値としての意義をもつ新たなナショナリズムを展開する自覚と努力と責任（accountability）が，われわれ日本国民に要求されるであろう。それが「国際社会において，名誉ある地位を占めたいと思う」との憲法の精神であるだろう。

　そしてそうした理念国家の活動基盤が，今日の国際社会と見通しうる将来の人類社会の構造の中に確実な形で発見しうることを認識することである。不侵略・非武装の「一国平和主義」というナショナリズムの国際化，普遍化の活動基盤がすなわちこれなのである。

　こうしてみると，ナショナリズムが平等的価値観を維持しつつ，個人と民族の

第1節 憲法九条と帰属意識そしてナショナリズム

多様性を相互に承認しあいながら，それぞれの間の競争的共存の活化剤として機能しうるか，或いはまた単なる差異強調的なシンボル機能としてのみ作用し，分裂と抗争の媒介としてもっぱら作動するかは，別の与件の介入による問題といえよう。つまり分裂と抗争わけても武力紛争は，ナショナリズムの不可避の帰結ではなく，ナショナリズムに活動の場を与える個別具体的な社会状況と人間の精神構造のあり方にかかわる別の問題なのである。

ナショナリズムの違いに原因と根拠をもつとされる武力に頼る民族紛争も緻密に分析するならば，グループ的エスニシティ（エスノセントリズム）の高揚の前に，人間ないし個人の存在価値を認めあう市民社会意識の醸成（個人人権観の確立，愛国心ではなく公共心の涵養）が不十分な秩序状況の中でのみ生起しているにすぎないことに気づくだろう。且つまたこうして発生した対立や抗争を調整し解決するシステムが，人類秩序の中に十分に確立されていないことから激化するにすぎないことも知るだろう。

わけても主権国家＝"軍事力"保有政治体の意識からの脱却ができていない現状としての民族意識，つまり「（軍事的）国家主義」の副産物ないし手段としての「民族主義」と，民族という自然的実在に意識的に「主義」（イズム）を加えイデオロギー化して，闘争的人工物としての国家を構想しようとする民族運動（これは差別と抑圧への抵抗とそれからの独立という人権的民族主義運動とは無縁）をなお沈静化ないし除去できない今日の世界秩序の精神的・構造的欠陥に，民族紛争の多くは胚胎するものといわなければならない。

だからこそ，日本国憲法の前文と九条が示す各民族，各市民の平和的共存と非武装・不侵略の国際的な意識の確立を求める今日と今後における日本の国是的原理（日本の国際政策原理）の価値が重視されなければならないのである。従ってたとえば，対外対内のいずれの方向においてもナショナリズムの主張に武器は不要であることを，徹底してあらゆる国際的フォーラムで説くことである。武器の国際的移転・売買の縮減，禁止をどのように進めるべきかが，今日，わが国外交に問われる基本問題であるというのは，その意味においてである。

日本がイニシアチブをとって実現させた国連の通常兵器移転登録制度を強化するために，この制度の早期の条約化（義務化）をはかり，登録必要兵器の範囲と種類を拡大する運動を積極的に進めること，更に核兵器廃絶の第一歩として，国連による核兵器保有国の核の共同管理（国際原子力機関（IAEA）の査察と管理を条件）の提唱もまた，わが国ナショナリズムを特徴づける平和価値観に基づく外交として要請されているといえよう。不侵略・非武装の「一国平和主義」（平和ナ

ショナリズム)の国際化，普遍化の事業がすなわちこれなのである。こうして地域(民族)に身を置きながら世界(人類)を考えるのが，今日のナショナリズムの正しい姿だといえるであろう。

　たしかにわが国憲法は制定時においては，不侵略・非武装を自らの領域内で確立することを誓い，それで十分であった。いわゆる閉ざされた「一国平和主義」の時代があったといえよう。しかしその後の冷戦の激化による国際状勢の変化わけても極東の平和と安全の不安定化に対応して，自衛隊を創設しながらも，従って非武装国是を当面，理念形へと後退させながらも，将来における国際社会での確固とした平和秩序の構築のための日本の規範的政策原理として位置づけてきた沿革があるといえるだろう。いいかえれば不侵略・非武装という「一国平和主義」の国際化，普遍化に日本の国際的活動の場を見出すべき新たな憲法的要請を確実に認識すべき立場に置かれていた(いる)と言ってよいだろう(たとえば北東アジアの「核先制不使用地域化」の提唱)。そしてこうした日本国憲法の理念と精神は，テロの横行や騒乱の果てしない21世紀の今日でも，否(イナ)そうした不条理ともいえる国際社会の状況があるからこそ，今後の国際社会を築く指針としての重要性をますます深めていると言ってよいであろう。

　こうしてみるとナショナリズムや一般にエスニシティの観念は，それ自体が欠陥観念でも有害意識でもないことが理解されるであろう。最近の人類史だけからみても，ナショナリズムは第2次大戦後の国連体制下で，アジア，中東，アフリカにおける多くの民族が先進諸国の植民地支配から脱却し，主権国家を形成したエネルギー源としても歴史的に評価されるはずである。またエスニシティに基づく文化的多様性や多元性は，それ自体，人間的生存の価値的豊かさを証明するものであり，またグループ間の適切な競争エネルギーは，人類的発展にとっても積極的な役割を果たしうることを認識する必要があるのである。

　こうして今日，民族間のみならず各種エスニック・グループ間の「共生」(symphysis)[9]こそ，人類に課せられた責務であり使命であると言えるだろう。

---

(9)　この「共生」に関し，外国人労働者の受け入れ問題におけるエスニック・グループの「自然同化」(natural assimilation)と，派遣国と受入国の「棲み分け」を「共生」の望ましい形態として指摘する広瀬善男「シンポジウム・わが国における外国人の就労問題」明治学院大法学部立法研究会編，1994年，106～107頁，参照。

第2節　民族(人民)自決原則の系譜と主権国家制

1　自決原則の歴史的展開と主権国家制

　(1)　「ナショナリズム」が国際社会における一民族・人民の政治的活動を支えるイデオロギーとして機能するとき，それはしばしば「民族（人民）自決」（self-determination of peoples）の原則として主張され，作動してきた。

　ところで「民族（人民）自決」という場合に，問題となるのは，第1にそこでの「民族」ないし「人民」が国際社会でわけても国際法上でどのような意味と内容をもっているのか，換言すれば"people"ないし"nation"なるものの概念が何であるかが明らかにされなければならない。そして第2には，「自決」（self-determination）の意味と性格についての検討が必要である。

　ヨーロッパ国際法史からみるかぎり，まず「民族自決」の観念は，17世紀のウェストファリア（Westphalia）条約以後の欧州大陸に出現したいわゆる欧州主権国家系（European Sovereign States System）における「国民国家」（Nation-State）の形成概念として登場した。

　しかし注意すべきは，ここでいう「国民」（Nation）とは，「種族」とか狭義の「民族」つまり集団としての'Volk'ではなくて，一定の領土をもち君主主権の支配下にはあったが，一個の人間つまり'Citizen'（Citoyen）の集合体として理解されていたことである。

　このCitizenの集合体としての「国家」の中にも，社会的には当時の宗教改革によるプロテスタントとカトリックという信仰観の相違に基づくethnicな他者との区別要素が民衆感情としては存在した。しかしこうした宗派的対立感情も，Sovereignとしての君主（統治者）の信仰に左右される教会的対立の範囲に収まり，イスパニア支配下の遠隔地であるベルギー，オランダを除けば，一般には国家の政治的分裂を導くことはなかった。君主主権機能の強固さを意味しよう。

　そしてやがて18世紀におけるイギリスやフランスでの市民革命によって絶対主義的君主主権が崩壊し，人民主権が確立されるにいたって，こうした個人を基礎とした国籍保持者の総体としての「国民」という概念は，民主主義政治形態の中で，いっそう明確化されるに至ったのである。

　このことは，或る地域に集団的に居住して歴史的に一定の文化や共通の言語や

宗教をもつ特定種族が，それだけの社会的事実で当然に（ipso facto），「主権をもつ国民国家」の形成を認められたのではないことを意味する。16世紀の宗教改革家ルター（M. Luther）のいう「それぞれの領土に於けるそれぞれの君主」という，「領土」と共に一定の統治伝統をもつ覇権実体が存在することが条件としては必要であった。いわゆる「領域制国民国家」の概念がこれである。

その点では「国民(ネーション)」の概念は生活文化的というよりは，支配統治の実体に裏付けられたすぐれて政治的性格の概念であったといってよい(10)。つまり「国民(ネーション)」とは，上述したように発生史的には，まず君主主権を属性とした統治形態の中での国籍保持者の概念として登場し，その後，イギリスやフランス等でみられたような民主革命の政治運動を経ることによって主権の帰属主体の転換（君主から国民へ）が行われ，人民主権の政治形態へと主権概念が変革されることにより成熟した人的集団観念である。そして国家（State）もまた人種や信仰や文化の相違を越えた一定領域内における市民（Citizen）としての権利の平等性を保障する「国民国家」（Nation-State）として完成したである。——もっとも「出生」や「職業」という伝統的な社会的地位による差別関係は，国家内の階級制度として長期に亘って残存し続けたが。——

従って今日の「近代（現代）国民国家」（modern Nation-State）では，その国家が統一体を保持しうる条件としては，複数の種族や民族或いは異なった文化，伝統，言語，宗教等の生活実体をもつ市民（citizen）をすべて包摂しながらも，彼らを個人（individual）としては，常に無差別平等に保障するシステムの確立が，前提条件として必要となるのである。そうしたすべての人民の個人としての無差別，平等保障の条件が継続的に満たされる体制がなければ，今日の国際社会では，主権をもつ「国民国家」として存立し続けることはできず，逆に幾つかのエスニック集団はそれぞれ別個の独立政治組織の結成をめざして政治的分裂を始め，既存の単一法主体としての国家的統一制の維持は困難とならざるをえないであろう。

わけても他者と区別される人種的相違や文化や言語や宗教的特性をもつ特定少

---

(10) 「ネーション」は政治概念で「エスニシティ」は文化概念と言えよう。今日でもなお続く北アイルランドにおけるイギリス系プロテスタントとアイルランド系カトリックの両住民の対立は，エスニック対立（種族や宗教宗派的対立）というよりはそれぞれの本国（イギリスとアイルランド）への帰属意識が中心の「ネーション」意識の対立といえよう。一方，イラクやトルコのクルド族やスペイン・バスク地方住民の帰属意識は「ネーション」というよりは文化や言語，生活様式を中心とした「エスニシティ」にあり，それが一国内の多数派住民に対する政治的抵抗の形態をとっているとみるべきであろう。

数民族が，一定地域に集団的に偏在する場合は，「それぞれの領土におけるそれぞれの君主」という古典的領域国家の観念が優越的に作動し始め，独立分離国家の状況が潜在的に進行することになろう。このことは逆説的にいえば，次のことで証明されるだろう。すなわち米国の黒人がかりに彼らに対する社会的差別が解消されないとしても，全国点在的な居住（混住）状況が維持し続けられる限り，——メルティング・ポットかサラダ・ボール的存在が維持し続けられる限り，——米国領土内での独立分離運動すなわち別の主権国家の形成運動は，ほとんど発生の可能性がないということである。

1990年代に数年に亘り内戦が継続した旧ユーゴのボスニア・ヘルツェゴビナでは，セルビア系（セルビア正教徒），ムスリム系（イスラム教徒）及びクロアチア系（カトリック教徒）の混在的居住が都市部ではかなりの程度でみられたが，なおそれぞれのグループに独立的な領域囲い込みを許す偏在的居住性は全域的にはくずれてはいなかった。それが領域の争奪をめざす内戦を激化させ，最終的には分離国家の形成を余儀なくされたといえる。

こうして多民族国家の統一性（integrity）が維持されるためには，移動，居住の自由と職業選択の自由，機会の均等が保障される社会的環境が必要だということである。更に米国に典型的に実現されているように，「自由」の人権理念を多民族の求心価値観（旗）として掲げうる理念国家の形態的確立が望ましいことになろう。

(2)　さて現代国際法上，「民族自決」の観念は適用対象と保障形態から2つに区別，分類して理解すべきである。第1は，数世紀に亘り西欧先進諸国の政治支配をうけた，アジア，アフリカ等旧植民地の住民の意思に基づく独立国家の形成を保障する観念である。第2は，こうして独立を達成した後の途上国並びに歴史的に植民地化の経験のない既存国家内での民族自決の問題である。

前者は，第2次大戦後の国連憲章（1条2項）にその原則が示され，1960年の国連総会によって採択された「植民地独立付与宣言」を経て，単なる政治原則（political principle）としてではなく，法的対抗力を持つ権利（right）概念として完成した。1966年に国連総会で採択された国際人権規約の共通1条はそれを明確に示している。そしてこの意味での民族自決「権」は，今日，ユス・コーゲンス（Jus Cogens）としての普遍的な法的対抗力を持つと言えよう。

ところでこの種の非植民地化を目的とする民族自決原則は，イギリス領香港の中国への返還（1997年7月1日に実現）後はジブラルタルやフォークランド（マルビーナス）諸島の領土権の最終帰属問題等若干の事案を除き，——ジブラルタルの

スペインへの返還については英領にとどまりたいという多数派住民意思の取扱いをめぐり（両国の「共同主権」案は，2002年の住民投票で否決），英・スペイン間の協議が進展せず，またフォークランド諸島の帰属については，英・アルゼンチン間の平和的解決を求める1965年の国連総会決議があるものの，1982年のフォークランド戦争後は両国間の交渉は途絶えている。――今日ではほとんど解決済みである。この場合，非植民地化をめざす民族自決原則上の領土支配形態の解決方式は，①自決権行使の主体を「住民」（inhabitants）におき，住民投票等の方法による住民の意思表明で決める――但しこの場合の「住民」の範囲をめぐる紛争が西サハラの帰属問題等にはなお存在するが――，②隣接国家の歴史的権限に基づく領域一体性（地理的近接性）の原則による帰属先の決定という2つの方式がある。

　(3)　そして今日では，非植民地化つまり植民地解放というジャンルにおける民族自決の問題は，「政治的」非植民地化を達成した発展途上国が彼らの独立達成後，経済的に自立できるか否かの問題に移っている。いわゆる「経済的」非植民地化の問題がこれである。

　植民地の廃止と新独立国家の成立に伴う旧宗主国財産・既存条約の「清算」といういわゆるクリーン・スレート（clean slate）原則の登場はこの典型である。また，先進国の経済的支配という新植民地主義（neo-colonialism）を防止するための外国資本（資産）の国有化に関する新たな国際法原則の形成，たとえば財産所在地国の国内裁判管轄権の優位性の保障や国内法に基づく保障という原則の一時期の（たとえば1970年代における）登場はこれを示す（1974年の国連総会採択の「国家間の経済権利義務憲章」に示された new economic order 観念の登場）。但し最近では，先進国との「相互依存」を前提とした国際法に基づく国際協力の方向が有力となっている（国際人権規約共通1条2項，前段，参照）。また，「天然の富と資源に関する恒久主権」観念の確立（国際人権・社会権規約25条）も旧植民地の住民の経済的自立を保障するための法原則としての機能を果たしているといえよう。

　(4)　第2の既存国家内の民族自決についてはどうか。既存国家内の少数民族には，旧植民地住民と同様の独立国家の形成を伴う政治的自決権の行使が法律上当然に（ipso jure）認められるのかどうか。答えは否である。

　1970年に国連総会で採択された「国家間の友好関係宣言」では，既存国家の民族的統一と「領域的一体性」（領土保全）の原則を確認しているからである。ここでは国家的分裂・分離は平和的手続による関係住民の自由意思による場合を除いて，原則的に否定されている。しかしながら同時にこの「領域一体性」の原則が維持されるためには，少数民族の宗教，文化，言語等の権利保障を含む市民的

平等権の保障が前提とならなければならない。但しこの少数民族の人権とは集団性はもちながらも，あくまでも個人としての人権（individual human right）の性格にとどまり（国際人権・自由権規約27条），政治的自決を含む集団的人権（collective human right）の性格はもたない。この点を注意する必要がある。

(5) 米ソの冷戦崩壊後，世界各地で少数民族の分離独立の政治運動と武力を伴う紛争が頻発している。しかし，これは大部分，既存領域国家わけても（明確な権限分配を完了した）連邦制をとらない単一国家（unitary state）内での，少数民族の人権と自由の保障が不十分で，差別や権力による抑圧の状況が根強く存在する場合の現象という特性をもっている。

1980年代末から90年代初めにかけて，旧ユーゴ地域および旧ソ連地域での民族紛争を経て成立した新たな分離独立国家の承認条件として，1991年に欧州連合（EU，当時はEC）が採択した原則は，伝統的な国家承認の原則（一定の領土と住民の存在及び統治権力の確立の3条件）の他に，人権と法の支配と民主主義の確立並びにエスニック（ethnic）の住民及び少数民族（minority）の権利の保障を新たな条件として掲げた。この条件が守られることによってのみ，既に成立した分離国家が更に再分裂を始めたり，或いは新たな武力紛争が発生したりすることを防ぐことができるといえよう。そしてこれは既存のnation-state systemの維持を21世紀の世界秩序の構成原理として死守しようとする西欧諸国の姿勢の現れとみてもよいだろう。冷戦後の世界が主権をもつnation-stateを単位とする組織構成を維持しながら，構成国家間の平和秩序を永続化しうるための必須の条件が，こうした市民的人権意識の確立にあると考えているためでもあるといえよう。

2　自決原則と香港，台湾

中国は55の少数民族（人口は約1億1000万人にのぼる）をかかえる多民族国家であるが，チベット，新疆ウィグル自治区を中心に彼らの分離運動が根強く存在する。中国共産党政権はかって各民族間の「連邦制」を標榜したが，現在では「中華民族」の一体制を強調し，統一国家体制の確立に重点を移している。しかし台湾を含め「領域一体制」という統合メカニズムを完成するためには各民族の積極的な政治参加による「多元主義」的政治体制の構築が不可欠であろう[11]。

(1) さて香港地域が1997年7月に中国に返還され，こうしてようやく植民地体

---

[11] 毛利和子『周辺からの中国』1998年，参照。

制の遺物が中国でも終焉を迎えることになった。中国政府が一国主権の下に経済機能を中心とした複数の制度を容認しようとしている政策（香港の自由主義モデルをも容認）は、長期に亘り文化や政治形態を異にしてきた地域住民への人権保障の方法として、中国の統一領域国家制すなわち nation-state としての国家を維持しつつ、しかも一部地域がもつその先進的経済基盤を本土にもスピルオーバーさせてゆく方策として賢明であろう。しかしながら中国の国有企業の効率性を高め、国際競争力をもたせるためには、創意工夫を最大限に保障する市場経済機能と、競争によって生ずる優勝劣敗後の社会保障機能とを明確に分離する制度を確立することが必要である。こうした制度観念が十分成育していないために、沿海地帯の急速な発展の一方、農業形態と土地利用の遅れも伴って内陸奥地（農村部）の経済停滞状況を脱却できないでいる事実も見落とせない。

　現今、国際社会では後進的な先住民（indigenous people）に対して自治（政治的自決ではないが）権能を含み、彼らの歴史的な生活経済基盤に対する特別な保護政策の採用という一種の affirmative action が積極的に進められている。中国政府が採用した一国二制度の経済政策（富めるところは先ず富め、そしてその成果を他地域に及ぼせ、という政策）は、そうした先住民に対する affirmative action 観念の逆方向での作用をめざし、その効果を中国全体の経済発展に取り入れようとしている立場といえよう。しかしこの政策方向は、本土（北京）政府が自由・民主主義体制への抜本的転換を図らない限り、限界が証明される可能性が強いだろう。このことは台湾政権が大陸本土との経済交流をどれほど強化していっても、台湾の中国への統合化を実現する（台湾の中国復帰という）政治的帰結とは当然には結びつかないことを意味しよう。中国の将来の政治的、経済的発展は、そうした両地域の制度と本土制度との同化が進み、更に西欧的人権意識を経験しながら世界市民的感覚をとぎすまして地球的規模で散在する"華僑"（アジア地域に5300万人、その他の地域に400万人といわれる）の協力によってこそ、始めて確実な成果が得られるものと思われる。そしてこの場合には東（南）アジア一帯を外延経済圏としてもつ大中国経済圏が誕生する可能性があろう。但し中国が東南アジアの華僑に対して、本国の政治的支配の手段として利用する政策をとれば、現地国政府や住民の反撥をうけ、また華僑自体も中国政府から離れて、政治的土着化を強めるであろう[12]。

　しかしそうした内・外中国民（人）の協力構図を画ききれず、或いは中国編入

---

(12)　田中京子「中国・台湾とどう付き合うか」朝日新聞1997・6・9。

後の香港の経済活力が減衰して，台湾住民への中国統合への反面教師となる状況が生ずれば，東南アジア諸国をはじめアジア新興工業経済地域（NIES）は，中国の国家経済力から距離を置くアジア太平洋経済協力会議（APEC）内での独自の非中国経済圏を形成することになるだろう。そしてたとえば「華南」地域のように，東アジアまたは東南アジアと直接交流し集合経済域を作る地方経済が中国内に分立する可能性さえ出てこよう。――これは北京政権の指導の下での現象ではあるが，中国が東南アジア諸国連合（ASEAN）と締結した2004年の自由貿易協定（FTA）により，東南アジアに近い中国南部の少数民族（たとえば広西チワン族自治区や恭城ヤオ族自治県）は，FTAで関税が下がった東南アジアへの農産物の輸出を急増させた（たとえば農産物の3割がASEAN向けで，そのうち7割がベトナム向け）。また物流費や人件費の安いラオスへの移住農家も増えているという（朝日新聞，2006・3・29）。――この場合には，中国の統一国家としての国家経済の発展を弱める方向にベクトルは動くが，しかし中国人の市民的経済生活水準の向上には寄与するものとして，中国史にしばしば登場した分裂（しかし広義の共同体）の新たな時代を迎える可能性さえも完全には否定できないと思われる。

　(2)　1996年3月，台湾で初めての総統の住民直接選挙が実施され，54％を得票した李登輝総統が再選された。以後21世紀の現在（2006年）に至るまで（現在は陳水扁総統），直接選挙方式が国家元首の選任方法として採用されている。

　ところで台湾はその住民の大多数が大陸から渡来した漢民族（日中戦争終了後の国共内戦で台湾に移住した旧国民党系中国人を含めて）であり，儒教文化圏に属し，且つ中国本土と共通言語をもっていることはたしかである。しかし上述したように，主権国家の形成要因がすぐれて政治的（体制的）な「領域制国民国家」であった歴史的経緯からみれば，政治・イデオロギー体制の全く異なる台湾住民が，大陸から隔離されたその特殊な地理的環境と相俟って，――そして戦後移住した外省人（子孫）の本島人化が進めば進むほど――独立志向が強まる社会的政治的土壌は十分に存在するといえよう。

　伝統文化としてのアジア的価値は権威主義（authoritarianism）政権の存在を当然に必要とするわけではない。インド，フィリピン，インドネシアに今日既にその例をみることはできる。それらの国が欧米の支配（植民地化）経験をもったからだとは言えないだろう。従ってアジア地域に，立憲主義（constitutionalism）を通じての民主主義政治が定着（indigenization）するならば，当然に人権尊重の行動規範をもつ国際共同体のプロセスとのリンケージをもちうるだろう[13]。

　こうしてみると，台湾が大陸中国との統合化プロセスを歩みうるための条件は，

第2章　外国人参政権

まず何よりも中国・北京政府が自由民主主義，人権尊重の政治的仕組みをその「領域国民国家」の体制として確立することであるが，同時にそうした政治体制を前提としてのみ可能とされ確実化されうる経済発展の軌道に乗ること，それによって台湾経済の本土依存を決定的にすること，を置いて他にはないであろう。

ところで注意しておかなければならないことがある。韓国と北朝鮮は，第2次大戦直後に日本から解放分離されて，ソ連に支援された北朝鮮と，米国に支援された韓国の2つに分割されて，それぞれが独立国家を形成した。そうした国際法上の領域画定の条件を戦争直後に保持していたのである。しかし台湾は満州と同様に，もともと日本から「中華民国」（中国）に返還されることを義務づけられていた（1943年のカイロ宣言と1945年のポツダム宣言）地域で，台湾の独立は予定されていなかったことである（広瀬善男「光華寮訴訟と国際法」明学・法学研究46号，1990年，55～60頁）。同じ戦後の分裂国家（地域）でも法的な相違があることを見逃してはならない。

しかし第2次大戦後，長期に亘って大陸から分離して活動を続ける事実上の政治的実体は，住民の独立志向をも育てることになる。従ってかりにそうした分離独立の動因を阻止し，台湾をあくまで中国の一部にとどめようとする吸引力が中国本土にあるとすれば，再言しておくが，その1つは市場経済を基盤とする両岸（両政治体）の経済的一体化による相互利益の確保が見通しうる将来，確実に可能かどうかという実益問題にかかっていることを否定することはできないということである。2つには，そしてこれが本質的要素であるが，総統の直接住民選挙で示したような台湾の民主主義が中国では単に狭い島国でのみ実現可能性をもつ政治形態ではなく，中国文明という中国人民自体の伝統的な文化価値観にも齟齬しない新たな歴史的実践として，いいかえれば西洋の技術だけを借用する「中体西用」のそれではなく（香港・エイジアン・ウォールストリート・ジャーナル，1996年5月21日社説），西洋の本質である民主人権観に基礎をおく中国文化を新たに築く可能性を中国本土が示せるかどうかにかかっているということである。

---

(13)　M. C. Davis, Human Rights, Political Values, and Development in East Asia, op. cit., p. 157.

3　日本の憲法条件と外国人の地位
　——国籍および「在日」の参政権と公務就任権——

(I)　国籍の付与と民族自決原則

　新たに分離して独立国家を形成した民族集団に本来帰属すべき個人が，分離する以前からの旧国家に定住し続ける場合に，その国籍はどのように扱われ定められるべきかの問題が，第2次大戦後の在日朝鮮・韓国人について（台湾系人についても）生じた。

　(1)　第2次大戦後，1952年の日本政府（民事局長）「通達」によって在日韓国・朝鮮人は，強制的に日本人としての国籍を消滅させられ，本国法（韓国，北朝鮮のそれぞれの法）によって自動的に韓国・朝鮮国籍の保持者となった（在日台湾人についても同様に，日本国籍を喪失し，「中国」籍者となった）。いわゆる「領土の移転は国籍の移転を伴う」という伝統的国際法ルールにのっとったものである。——因みに，日本はこの伝統的国際法原則に従い，千島樺太交換条約（明治8年）でも日清講和（下関）条約（明治28年）でも，原住民（les aborigènes, 前者ではアイヌ人，後者では台湾の高砂族）の新国籍について，当該交換地または割譲地にそのまま居住し続ける者について，新主権国家の国籍が自動的に付与された『『国際法先例彙集』に関する研究」外交史料館報18号，平成16年，97頁（森川俊孝）。——

　この点に関し，かつて桑田三郎氏と大沼保昭氏の間に論争があり（ジュリスト731号，1981・1・1；737号，1981・4・1）[14]，私もこの論争を採りあげ別の角度から批評したことがある（明学・法学研究28号，1982年）。以下，若干の補正を加えて再録しておきたい。

　桑田論文（そして日本政府の「通達」）は，「伝統的」国際法ルールには忠実だが，第2次大戦後の新しい人権（個人利益の尊重）思想に無頓着な点で問題があると思われる。これに対し，大沼論文は民族自決原則という第2次大戦後の新しい国際法潮流に依拠しようとしながらも，その吟味が不十分なため，個人の国籍の付与ないし取得という行為とは原理的に無関係な自決原則の援用を試みて，逆に自縄自縛に陥った面があるように思われる。

　(2)　まず民族自決の原則が，思想的，沿革的には（集団的）人権の系譜にありながら，しばしば国家主権の系の中でそれと対立的機能を営んでいる現状を見落としてはならないことを指摘しておかなければならない。或いは対立とまでゆか

---

[14]　この大沼氏の見解は，氏の『在日韓国・朝鮮人の国籍と人権』2004年，東信堂の著書でも，ほぼ同様に維持されている。同書については金東勲氏の紹介がある（国際法外交雑誌104巻3号，2005年）。

なくても民族自決の観念が個別人権への制約要因として作動している現実の状況があることを見落としてはならないということである。私も民族（人民）自決権については、いくらかの研究を行い、若干の論作をも行っている（「民族自決権と国連の権能」明学・法学研究11，1973年。『国家責任論の再構成——経済と人権と——』，1978年，有信堂，第２編，第３章，わけても86頁。「人権と世界秩序」明学・法学研究22号，1979年。「南北問題と人権」国際問題221号，1978年８月）。

　しかし民族自決原則によって、主権国家を形成した第２次大戦後の新国家も、自国民の範囲の決定にさいして、伝統的な領域変更に伴う自動的国籍移転の方式を、そのまま採用するのが一般であったことを否定することはできない。つまり自国民の範囲の決定にさいして国家主権の系の中で問題の処理をはかるのが通常であったことを忘れてはならないということである。こと新しく自決権をもち出すまでもなく、1930年の国籍法抵触条約１条でも、自国民の範囲の決定は、各国の権限に属すると規定して、国籍の決定は各国の主権事項であることを認めている。これは次のことを意味する。旧国家から分離独立した新国家が、国家の構成要素としての「主権」と「領域」と「人民」の３つを一体としてとらえて、「領域の主権的地位の変更に伴い、それと一定の関係をもつ人民の国籍を新しい主権意思によって立法的に変更する」という原則を確立したということである。しかもこの主権意思により定められた国民の範囲は海外在住者をも包含するのが通常であった。もとより新国家が領域外の人員に対して、恣意的に自国国籍を付与することはできないが、しかし真正な結合関係、一定の社会的紐帯をもつ者に対して、自国国籍を義務的に付与することは国際法上で禁止されていないのである（J. G. Starke, An Introduction to International Law, 1977, p. 367. ; J. B. Moore, Digest of International Law, 1906, Vol. III, pp. 302～310）。一般には歴史的にみて、血統、言語、出身地、宗教、文化関係を本国人と同じくする者がそれに相当しよう。従って旧日本人であった韓国・朝鮮人の場合はそうした事実関係が明瞭であり、具体的には原籍を基準として韓国（朝鮮）国籍の判断が可能であろう。のみならず、植民地支配から解放された民族が、集団的意思に基づく自決機能を営もうとするときには、その民族グループに属する者は、居住地の如何を問わず新国家に対する一定の責任と義務を果すべきだという見方がでてきて当然であろう。こうして「民族自決」の思想と「国籍選択に関する個人の自由意思尊重」の原則とは、往々にして対立的機能を営むことになるのである。

　(3)　もとよりこの例外もある。長期に亘って海外地域に居住し、その個人生活上の経済的、文化的関係をその地域に定着させた者には、かりに血統、出生地等

の他の真正紐帯要因が本国との間に存在する場合でも，その個人の現在の生活上の便益を優先させることによって，国籍の選択を認められた場合があるのである。アフリカ，東南アジアその他の海外地域に居住するインド系人の国籍の帰属がそうであり，東南アジアにおける中国華僑の国籍の処理もそうである。これはまさに個別人権上の利益を優先させた実際上の解決といってよいのであり，民族自決原則と直接の関係はない。

　次のように言ってもよいであろう。世界人権宣言15条2項すなわち「何人もほしいままにその国籍を奪われまたはその国籍を変更する権利を否認されることはない」という個別人権としての国籍選択の自由の観念は，右のような国家主権の系の中で作動する民族自決原則（主権国家構成要素としての国籍を媒介とする人的主体つまり国民の範囲の決定にさいし，主権的利益，国家利益の優越性を示そうとする立場に赤裸々に現われている）とは，しばしば無縁のものとなるということである。

　のみならず，次のこともつけ加えておこう。少数民族としての日本在住の韓国（朝鮮）人の民族自決権を国際法上で認めるべきかという問題である。しかしこれも否定的に理解せざるをえない。なるほど国際人権自由権規約第27条は，一国内にある人種的，宗教的または言語的少数民族者（minorities）に対して，宗教，文化，言語上（事項限定的である点に留意が必要）の特別な権利を保障している。しかしこれも少数民族の"民族"或いは"人民"（people）としての権利の形で，つまり"集団的"人権の形式で認められたわけではない。あくまでも「少数民族に属する者」ないし「構成員」（persons, members）の形で，"個別的"人権として認められているにすぎない。こうしてみると，一国内の少数民族が，自己と同一種族の人民が別の地域で独立主権国家を形成した場合，それとは別の居住地国家の国籍を集団的に選択しうる権利を少数民族の自決権として国際法上で保障していると考えることは全く非現実的である。国際人権規約共通1条で規定する人民（民族）自決権の範囲に「少数民族」の自決権は含まれていないといえよう（UN Doc. A/C, 3/SR, 366 para. 29（1951）; SR. 369 para. 13（1951）; SR. 399 paras. 5〜6（1952）; UN Doc. E/CN. 4/SR. 253 at 13（1952）; SR. 256 at 5（1952））。

　このようにみてくると，大沼氏が，一方において民族自決原則による国籍決定方式を提唱しながら，他方，「国籍は，近代法政治理論上，自由な人間の主体的意思に基づく政治共同体への帰属を示す」と主張し，「国籍について個人の主体的意思を尊重するさまざまな条約規定――……国籍法抵触条約6条など――」が存在すると述べて（ジュリスト737号，78頁），民族自決原則に基づく国籍決定と個人の自由意思による選択とを同一の機能次元にもちこもうとしているのは，誤解

であるとしかいいようがないだろう。民族自決原則が主権国家形成権として利用されたとき、この原則は近世以来のヨーロッパ国家系のシステム（Das europäische Staaten System）の中に取込まれ、国籍を規制する伝統国際法（たとえば領域変更に伴う国籍の変動原則）の適用を排除する意味は全くもちあわせなかったのである。

　(4)　ところで1960，70年代、UNCTADに結集した途上国の主張する民族自決権の中心は、独立国家の形成という積極的な政治的権利としてよりも、経済的自立のための継続的な先進国への請求権におかれていたように思える。1974年の国連総会での「諸国家の経済権利義務憲章」の採択はそれを意味する（政治的権利としては「内政不干渉」原則の主張という、むしろ消極的な主権的権利として機能）。「天然資源に対する恒久主権」の観念の提唱（国際人権社会権規約25条）をはじめとするいわゆる新経済秩序（NIEO）の制定要求がこれである。民族自決権が主権国家並存の既存国際法秩序の中にとりこまれ、人権の系としてよりは、これと対立する主権の系の中で作動しつつあるといわれるゆえんがここにある。国際人権社会権規約が2条3項で、発展途上国が経済的権利を行使するさいには、「人権への考慮」を必要とするという規定をわざわざおいたことも、民族自決権の主権的性格を前提としているといえよう。

　このようにみてくると、大沼氏が「民族自決＝新たな国民国家の形成が領域的基礎をもつことは、国籍問題を領土変更の一態様としてとらえることと、決して同値ではない。問題は、民族自決、人権の観念が法・政治理論上重視される第2次大戦後の状況において、『領土が変更したから、それに付随して、その領土に関係ある（たとえば居住、出生）者の国籍が変る』という論理は、民族自決に伴う国籍問題を解決する枠組として、とうてい維持できない」、（ジュリスト、同77頁）と述べているのは、民族自決原則の実証的な法・政治的意味を正確に把握していないことに原因があるように思われるのである。のみならず、主権独立国家が自主的に自国民の範囲を決定したことだけを強調して、民族自決権の特性がそこにあるといったような議論も皮相すぎる見方だろう。これならば、伝統国際法、たとえば国籍法抵触条約（1930年）1条でも、国籍の決定権は国にあることを定めていて、別に目新しいことではない。民族自決観念の系譜の意義とは何の関係もない無意味な議論と言えよう。「韓国が自国民の確定基準として血統を採用し、……戸籍を基準とする……趣旨」は「正当」であるが、それは「自国民による自国民確定……という、民族自決の枠組による国籍変更の論理にほかならない」（同、77頁、傍点・広瀬）などという主張は、まさにタウトロギー的無内容の議論

というほかない。単に主権国家制度のコロラリーを表現しただけだからである。1930年代のドイツで国会による授権法の承認という合法手続を経て，ナチス政権が採択したユダヤ人迫害の行政措置を，形式的な立法手続面で民主国家と同様な議会制定のプロセスを経ているのだから，措置の内容も自動的にデモクラティックになっているというたぐいの議論とあまり違わないだろう。

　民族自決原則が，人権の系の中で作動しているかどうかは，1つは，言論，集会，結社の自由等の市民的人権の保障や選挙への参加や秘密投票の保障等の政治的人権が国内法体系に確立されて，民主的決定手続が継続的に維持されているかどうかで決められるべきことである。また2つには，独立新国家が，自らの国内法規定の中で，少数民族構成員の保護とか国籍選択の自由等の保障規定をおき，且つ具体的な実践に入っているかどうかで測られるべきことがらなのである。いわゆる「対内的自決」のそれである。残念ながら，戦後独立したほとんどの途上国でそれをみることができないことは，まさに民族自決原則が「主権」の系の中で（内政不干渉原則の強い主張に支えられて），もっぱら作動してきたことを意味しており，それが実態なのである。つまり個別的人権観念から分離された集団的人権（＝国家主権）としての民族自決権が実定国際法上で堅固な位置を占めていることを疑うことはできないのである。これが実証的研究の結果であることを忘れてはならない。こうしてみるとすでに明らかにしたように，「国籍は，近代・法政治理論上，自由な人間の主体的意思に基づく政治共同体の帰属を示す」などという含意が，全く伝統的国際法には存在しないのに，特定資料の一方的な思い込み解釈でこじつけようとすると，自らも認める「国籍は完全に一国の対人主権に服従すべき包括的地位」であるという法形式との思想的矛盾に気づかず，結果的に「通達」（の結論）を肯定することになってしまうのである。

　(5)　もとより，個人による国籍選択を肯定した条約例は，ザール地方の住民の国籍処理問題にみられるように戦前にも存在する。しかしこれを人権（政治的人権）保障の先例とみる場合でも，集団的性格の民族自決権のそれではなく，個別人権の系に属するものである。この点を見落としてはいけない。

　たとえば，H・ラウターパクトは，一国の領域が他国へ割譲分離（cession）または併合（annexation）された場合，その地域以外の領域に常住居所をもつ個人（individuals habitually resident outside～）については，国籍選択の自由を与えるのが，英，米，仏等を含む多くの国の慣行であると述べている（H. Lauterpacht, International Law, Collected Papers, Vol. 3, ed. by E. Lauterpacht, 1977, pp. 392〜393）[15]。

　しかし注意しなければならないのは，右の事例は，割譲や併合によって真正の

結合関係の従来なかった新支配（主権）国の国籍を強制付与される場合であって，或る民族が民族自決原則によって独立国家を新たに形成する場合とは性格的に異なる。のみならず右の例での国籍選択の自由は，本来，個人の個別的人権のカテゴリーに属するといわなければならない[16]。さらにより正確にいえば，国籍選択の自由といっても，第３国国籍への変更を含めて，右個人の自由で主体的な国籍の変更を一般的に可能とするのではなく，あくまで領域の主権的地位の変動に伴う付随的なものであることに注意しなければならない。選択の幅は旧国籍にとどまるか，新たな割譲地域の国籍を取得するかに限られる。

なお国籍法抵触条約５条・６条にもみられるように，個人の住，居所に優先性を認めた１個人１国籍原則の保障システムは，抵触する国家の主権的利益の調整手段として常住居所を中心として客観的事実主義（真性結合原則）による解決をはかったものであって，国家との事実上の関係の継続的密接性を無視し，個人の一時点における主体的意思による国籍選択の自由を国際的に保障した意味は全くもっていない。移住地グァテマラの敵産管理措置を免れる目的でリヒテンシュタ

---

(15)　同趣旨の見解は，H・イェリネックやA・フェドロスの著作にもみられる。前者は「２つの世界大戦の後に，国籍選択条項はほとんど例外なしに（fast ausnahmslos）諸条約に含まれていた」（H. Jellineke, Der automatische Erwerb und Verlust der Staatsangehörigkeit durch völkerrechtliche Vorgänge, zugleich ein Beitrag zur Lehre von der Staatensukzession, 1951, S. 29）と述べ，後者でも「最近の平和条約では，通常，割譲領域の住民に対して，多かれ少なかれ国籍選択権が認められている」（A. Verdross, Völkerrecht, 4 Aufl., 1959, S. 290）としている。更にマカロフも「広汎な国家のPraxisによれば，領土変更の際，住民に属する個人に国籍の選択権が保障されている」と述べているのである（A. N. Makarov, Staatsangehörigkeit（Wörterbuch des Völkerrechts, 2. Aufl. Bd. Ⅲ.）, S. 328）。

(16)　こうしてたとえば，第２次大戦後に日本から分離された朝鮮半島及び台湾の人々の国籍問題を研究した山下康雄氏は，『領土割譲の主要問題』（条約局法規課編『領土割譲と国籍・私有財産』昭和26年，１頁以下，とくに16～17頁）で次のように述べている。「国籍選択制度は割譲地住民に譲渡国の国籍を回復する機会を与える制度であって，その目的は割譲地住民の意思と無関係に生じた領土変更の事実が及ぼす影響から割譲地住民を保護しようとすることにある。」しかし「過去の事例を実証的に考察すれば，国籍選択は新領有国の国籍を取得した者が旧領有国の国籍を『回復』する場合だけでなく，新国籍を取得せず，旧国籍をそのまま保持する『国籍の継続』の場合をも含み，法的にはむしろ後者が国籍選択として知られている。更に最近では領土の帰属につき，人民自決原則から広く「人民投票制度」が導入されていると述べたあと，次のように記述していることに注意しなければならない。「人民投票制度と国籍選択制度は，目的において共通するところがある。即ち自己の所属すべき国家を自らの意思で決定するという点である。しかしこの自主的な選択権が人民投票の場合には集団的に行使されるに反し，国籍選択の場合には個別的に行使される点で異なる。しかしいずれも被治者の同意を基礎とするという民主原理に基づいているということができる。またこの自主的権利の行使の結果から言えば，人民投票の場合は直接には領土の帰属そのものが影響をうけるに反し，国籍選択の場合には個々の住民の国籍が変更されるだけである。人民投票制度は，しかしまだ国際法上の制度としては確立していないが，国籍選択制度は19世紀を通じて発達し，ほとんど一般化している」と（宮崎繁樹「放棄された領土と住民の国籍」法律論叢51巻１号，45頁での引用）。即ち領土変更に伴う国籍選択上の住民の権利とは，人民（民族）自決権という集団的人権のそれではなく個人の個別的人権のそれであると述べているのである。

第2節　民族(人民)自決原則の系譜と主権国家制

イン国籍を取得したノッテボーム事件でその新国籍を否定した1955年のICJ判決上の真性結合理論(ジェヌイン・リンク・セオリー)は，十分検討の対象となるべき理論である。

「真性結合理論」とは，国籍の所在を国際法上で決定する場合に，単に形式的(一時的)な個人の意思ではなく，実際の住・居所や言語，血統，歴史的文化紐帯等の実体的，継続的関係を重視する立場を明らかにした考え方なのである。国籍選択の自由の観念とは性格的に異なる。結びつくと考える場合でも，ワン・クッションをおいて考えるべき性格の理論である。

(6)　ところで，戦間期においては，人権の国際的保障の条件がほとんど存在しなかったことを見落としてはならない。なるほど，当時すでに交戦法規の中には人道原則がとり入れられていた。しかしそれも自国の兵士と市民を防衛するための相互的保証という国家原理が基礎にあったことを忘れてはならないし，従って「軍事上ノ必要」理由によって容易に破られる運命にあったのである。また連盟規約22条1項では，委任統治地域住民に対する施政権国の「文明ノ神聖ナ使命」を規定していた。しかしこれもむしろ植民地経営の継続を是認した上での施政権国の恩恵的措置を要請したにすぎず，独立権，主権国家形成権の許与を含む第2次大戦後の民族自決原則の保障とは，法・政治的意味を異にするといってよいものであった。戦間期における東欧諸国の少数民族保護条約にしても，戦勝国優位の戦後秩序の維持に基本的な狙いがあり，大国にも平等に適用される普遍的性格のものではなかった。労働条件の改善のためのILOの設置と活動（国際連盟規約23条(a)）は，19世紀以来の産業革命後の西欧国家の社会環境を反映して，人道原則の展開上，画期的なものであったといえるが，それでも第2次大戦後の今日における人権の国際保障の一般方式と比較すれば，その範囲においてきわめて限定的であったといわざるをえない。むしろロシア革命を契機とした社会主義思想が労働問題を通じて自国へ波及することを防止しようとする資本主義諸国の政治的対応策の範囲にとどまっていたというのが正確であろう（この点で，広瀬善男『国家責任論の再構成，——経済と人権と——』1978年，有信堂，113〜118頁参照）。

こうして国家主権の絶対性が国際システムで営む機能は，戦間期においては，なおきわめて強く，内政不干渉原則の広範な作用に影響されて，ナチスの人権侵害政策の跳梁を許し，国際連盟の早期崩壊と世界大戦の再発への道を開いたといってよいのである。

(7)　人権の国際的保障の観念が一般化したのは，第2次大戦後，まさに国連憲章下今日のことである。国籍離脱の自由について，世界人権宣言がその15条2項で「何人も，ほしいままにその国籍を奪われ，又はその国籍を変更する権利を否

認されることはない」と規定したのは，その一環を示す。もっとも，植民地から解放されて新しい主権国家を形成した新独立国が，領域の主権的地位の変更に伴って，在外同胞に自動的に——在外居住者の意思無関係に——自国籍を付与する法律を制定した場合，これをしも「ほしいまま」と言えるかどうかは難しい。このことは前述したとうりである。——国籍を変更する権利を「恣意的」に奪われないとの規定は，米州人権条約（1969年）20条3項でもみられる。人権保障の規定に，ことさら「恣意的に」とか「ほしいままに」という条件付用語を挿入すること自体，逆に個人の国籍選択権が絶対的保障でないことを意味していよう。——

　また世界人権宣言採択後の国際的実践をみても，欧州人権条約でも，国際人権規約でも，国民の「出国の自由」を保障する規定は置いても（前者については第4議定書2条1項，後者については自由権規約12条2項），「国籍離脱の自由」の保障規定はないのである。——だからといって，すでに国内法（たとえば日本国憲法22条2項）で認められている「国籍離脱の自由」を，国際人権規約が明示的に認めていないという理由で制限的，廃止的方向で理解することは許されないが（国際人権規約，共通5条2項，参照）。——

　たしかに理念的には，主権（集団的人権としての民族自決権）と（個別的）人権は車の両輪であって，並行的，補完的な機能を営むことによってのみ，意義をもちえよう。しかし主権（集団的人権）が個別的人権に優先するということは原則的にないというべきであろう。したがって，国の安全や経済開発上の国益をどんなに重視しても，たとえば拷問のような個人の尊厳を棄損する人権侵害は許されることではない。国際人権自由権規約で保障する・市・民・的・人・権のかなりの部分，わけても derogation の許されない人権についてはそういえよう（自由権規約4条，参照）。それらは「法の一般原則」で保障されたユス・コーゲンス的権利としての性格を今日の国際秩序の中ですでにもっているからである。しかし一部の市民的，政治的人権については簡単にそう言えない。たとえば自由権規約12条の居住，移転，出国の自由については，公共の秩序や国家の安全の理由によって制限しうることを定めている（3項）のである。欧州人権条約第4議定書2条（3項），米州人権条約22条（3項）もそうである。このことに注意しなければならない。国籍の選択，決定の問題についても右のことは示唆的であるといえよう。

　(8)　こうしてみてくると，今日では，新国家の成立の場合には（旧植民地体制から解放された新国家が，"民族自決"原則により旧支配国内に居住する同胞に，国造りへの積極的な政治参加を呼びかける場合はなおさらのこと)，新国家領域外に居住する当該自国民（原籍が新国家内にある者）に対して，・分・離・独・立・上・の・関・係・条・約・で，

自動的, 強制的な国籍変更を承認しそうした規定をおくことも, 決して国際法上で違法ではないのである。国内法で国籍選択の自由権が認められていても, その適用の範囲外として肯定されうるのである。しかし他方, 常住居所を中心とした現在の生活関係と, 歴史的文化的紐帯や血統, 言語等のファクターによる国家的結びつきとが相違する場合に (真正結合要素間の抵触), 右個人にいずれの国籍を選ぶかのオプションの自由を与えるという取極めの仕方をすることもまた, 現行国際法上での妥当な方式の一つといえよう。

今日の国連憲章上での個人の人権保障の観念を重視すれば, 後者の方向が望ましいであろうが, しかしそうすべき国際法上の義務があるとまでは言えない。その意味では, 京都地裁判決 (昭54・4・3) が,「国籍選択権は, 当事国間の条約の締結を待つまでもなく, ……当事国の合意なしに, ……選択権を認めることも妥当でない」(傍点・広瀬) と述べているのは, 今日の国際システムにおいては, 伝統的な「領土変更──→自動的国籍変更」原則の過大な評価というべきであろう。日韓間で, 日本在住の朝鮮・韓国系人の国籍問題について, 条約規定をおかなかった以上, 日本国憲法22条2項「国籍離脱の自由」の原則と権利を在日朝鮮・韓国人にも適用しうる (選択により, 日本国籍の継続的保持が可能) 余地は, 十分あったといえるのである (もとよりこれは, 単に一裁判所における司法的解決上の問題だけでなく, 行政, 立法上の問題でもあったが)。従ってこの場合には, 在日韓国・朝鮮人には, 日本国籍と韓国・朝鮮籍の二重国籍となるが, この場合の国際的解決の仕方としては, 国籍法抵触条約5, 6条に基づく住, 居所地の国籍の優先性を認められることになろう (なお以上につき, 個別人権の観念を基礎に, 新たな視点から問題提起した論文として, 畝村繁「朝鮮の人と朝鮮に関係のあった人に対する第2次大戦後の国籍の処理」, 神戸法学雑誌30巻2号, 1980年, 参照)。

(9) ところで, ここで, 在日韓国・朝鮮人の政治的人権のあり方について問題提起をしておこう。

国際人権規約の市民的, 政治的権利規約 (自由権規約) 25条は,「市民」(citizen) の用語を用い,「人一般」とは区別して, 公務参加 (就任) 権及び参政権を保障した。ここでの「市民」の概念を人権規約の基本精神からみて,「国籍」を媒介とした「国民」(national) とは区別し, 一定期間の居住関係の存在などを条件とした特別の人的範囲をさすものとみることは可能であろう。また実践的にそういう解釈を定着させるべきであろう。もっとも両者を同一概念と理解する国家実行は少なくない。たとえば1969年の米州人権条約23条 (1項) は,「市民」に対して統治に参加する権利を保障しているが, 2項で「年齢」や「言語」,「居

第 2 章　外国人参政権

住」条件などと共に「国籍」による区別は認めている。つまり外国人を含む人一般に対して「国民」と平等な参政権を認めているわけではない。しかしこの条約上の人権保障体制では，参政権の享有と行使を「居住」，「言語」「教育」等の基準によってコントロールすることを絶対的条件としているに反し，むしろ「国籍」は相対的な規制条件としてしか考えられていないことである。つまり外国人（外国国籍保持者）に対しても，一定の条件の下で参政権を与えうることを禁じていないのである（与える義務はないが）。もとより前記のように国際慣行上は，「市民」と「国民」の用語を区別なしに使う場合が少なくないことも承知しておくべきであろう。

　ところで，「人種」(race) による差別は，最近では絶対的禁止の対象とされている。しかし「国籍」による且つ「国籍」だけの差別は，慣習国際法のみならず，最近の人権条約体制の中でも，一定の合理的範囲で許される一般的に認められた基準であると理解されている。たとえば欧州人権条約14条は「無差別原則」をうたっているが，その範疇に入れられている"民族的出身"による差別とか，同じく「無差別原則」をうたった国際人権社会権規約2条2項や自由権規約2条1項のカテゴリーに入れられている"国民的出身"(national origin) の概念は，「国籍」(nationality) を含まないと理解する見解が一般である（たとえば London Borough Ealing v. Race Relations Board, [1972] A. C. 342 事件における英上院の判決がそうである。G. S. Goodwin-Gill, The Limits of the Power of Expulsion in Public International Law, B. Y. I. L., Vol. 47, 1974～75, p. 74. n. 1)。人種差別撤廃条約1条2項でも，「国民」(national) と「国民でない者」(non-national) との間に区別や，除外，制限等を設けることを禁止していないし，欧州人権条約16条も，外国人の政治活動に対する制約を，無差別原則（14条）に抵触しないと明記している。

　しかし米国のアリゾナ州地方裁判所は，州の福祉援助の享有資格としての期間15年の居住条件を定めた州法の規定を違憲と判決し，この条件は，法の下の平等規定に反するのみならず，外国国籍（alienage）という除外条件は，福祉問題に関しての区別基準として本質的に疑問であると言い切っているのである（Richardson v. Graham, 313 F. Supp. 34（1970）, affirmed 403 U. S. 365（1971）; Goodwin-Gill, op. cit., p. 76)。もっとも違う判決もある。たとえばコロラド州地方裁判所は，"unique pension program" の受給資格としての "citizenship" の条件を，合衆国憲法第14修正条項（The Fourteenth Amendment）の平等保障規定に違反しないと判決している（Goodwin-Gill, op. cit., p. 76, n. 2)。

　これらは，若干の国における外国人の経済的，社会的権利についての保障のあ

り方の現状を示している。ところで，政治的権利（公務参加権）についての幾つかの国内裁判所の判例を紹介しておこう。米国ではたとえば Perkins v. Smith 事件判決（70 F. Supp. 134（1974））で，陪審員（司法職）に就任する場合の欠格要件としての "alienage" は違法とはされなかった（Goodwin-Gill, op. cit., p. 76, n. 2）。しかし Espionage v. Farah Manufacturing Co. Inc. 事件判決（94 S. C. T. 334（1973））の反対意見の中で，ダグラス（Douglas）判事は，米国で出生した者（出生地主義により米国籍を取得する）に対する優越取扱は，禁止された "national origin" による差別に相当すると述べている（同判決録，340～341頁）。グッドウィン・ギルはこれを注目すべき見解だとみているのである（Goodwin-Gill, op. cit., p. 76, n. 2）。この論理は，国籍取得上，血統主義を採用している我が国などにも適用できるであろう。たとえば父系血統主義の結果，日本領土内で日本人母と米国人父の間に生まれた子が無国籍のままであった場合，国際人権自由権規約25条の公務への参加権を拒否されたならば，「出生」による差別ないし「国民的出身」による差別を構成するとみるべきであろう（但し1984年の国籍法の改正で父系主義は廃止され，父母平等主義により，母が日本人であれば子に日本国籍が付与されることになった）。

⑽　もとより国民的忠誠を基礎とした主権国家体制を保障する今日の国際法秩序の中で，「国籍」の概念が，参政権，公務への就任権を中心とする政治的権利の保障にさいし，合理的な区別基準であることを否定することはできない。しかしだからといって，「国籍」を政治的権利の絶対的不許可の条件とすることには多くの疑問がある。なるほど，国の基幹産業や重要な財産権の取得資格として，「国籍」基準はたしかに長期に亘って維持されてきた経緯がある。しかし，こうした条件も通商航海条約上の内国民待遇や最恵国民待遇原則の発展に応じて次第に緩和される傾向にあることは否めない事実である（Goodwin-Gill, op. cit., p. 74.）。しかもこの傾向は政治的権利についても現れているところである。たとえば既に早く経済共同体を結成した西欧では，1956年の EEC 条約の第 7 条で，一定の条件付きではあれ，またこの条約の目的とする欧州共同体の経済活動の枠の中という限界はあれ，"any discrimination on the grounds of nationality shall be prohibited" と規定していることも注目してよいところである。これは外国人（加盟国国籍）の政治的権利についてまで，「国籍」による差別取扱いを廃止する方向へ道を開くことを予想している規定であったといってよいであろう。EU（欧州共同体）諸国では，その後の参政権の付与について外国人居住者への許与が拡大されてきている事実はこれを証明しているといえよう。

即ち，EU 加盟諸国の国籍をもつ外国人労働者に，少なくとも地方レベルでの選

挙への参加権を加盟各国の国内法で与えるよう，欧州理事会での検討が進んだし，欧州議会（総会）議員を直接選ぶ選挙制度は1993年の EC 発足後に於てすでに実施されているので，共同体所属の外国人労働者が居住地国において，EC（EU）人として選挙に参加できる方向がとうに確立されているのである。これらは各国の国政選挙への EC（EU）加盟国国民（外国国民）の参加という外国人の政治的権利一般のいっそうの拡大問題へも影響を及ぼす可能性があったし，現にそうである（A. C. Evans, The Political Status of Aliens in International Law, Municipal Law and EC Law, I. C. L. Q., Vol. 30, Pt. 1, 1981, pp. 20〜41）。

こうしてたとえばイギリスでは，アイルランド人に対して，イギリス議会での参政権を以前から認めているし，アイルランドは，外国人居住者一般に，国籍を問わず地方議会の選挙権，被選挙権を認めているのである。またスウェーデンでは，3年以上の居住（住民登録）を条件として，18歳以上の外国人に対して，国会の選挙権，被選挙権を保障している。

こうした方向は，歴史的に特殊な紐帯をもってきた日本と朝鮮（韓国）との関係を考慮するならば，在日韓国（朝鮮）人の参政権や公務参加権の問題についても示唆的と思われるのである（なお，「国籍」を合理的区別基準とするかどうかの問題につき，高野雄一「国際人権(A)規約における人権保障と差別禁止条項」上智法学論集24巻，昭和55年，119〜163頁，および久保敦彦「社会保障に対する権利の国際保障と内外人均等待遇」神奈川法学15巻2・3合併号，昭和54年，1〜71頁，参照）。

(II) 重 国 籍

(1) 第2次大戦後の非植民地化と民族自決原則による地球規模での分離独立国家の形成状況や，近来のトランス・バウンダリー（ボーダレス）な資本と労働の移動状況を背景に，一国家内に複数の人種，民族，言語，宗教，文化の各々相違するグループが共存することが常態化している。

前述（第2章，第2節1）したように，近代ヨーロッパの主権国家の形成期における領邦制 原型 国家（ネーション・ステート）においても，各種の帰属上の区別基準に従って，それぞれのアイデンティティをもつグループが，早くから1つの「国家主権」の下で政治生活上の共同体（コミュニティ）を営んでいたのである（たとえばフランス，ドイツ等の領域におけるカトリックとプロテスタントの共存）。

そしてこの場合の共同体構成の各個人の「真の生存，利益，感情上の法的きずな（legal bond）」が「国籍」であり[17]，絶対主義政治体制下では領主と君主に対

する封建的忠誠観念に専ら基礎づけられていたのである。この共通の政治的アイデンティティ軸が，以後，第3国(者)との関係つまり対外ないし国際関係での区別基準とされてきたのである。

たしかに個人は社会関係の中で複重（層）的な帰属意識と帰属形態をもっている。しかし政治的に重要なアイデンティティは「国家」への帰属のそれであり，そして今日では基本的人権として（特定政治階層のみの権利としてではなく）市民一般の政治的権利（公務参加権）が肯定されることになった。すなわち地球上の政治・行政単位としての各主権国家の運営に，国籍保持者ならば誰でも参加する権利をもつと同時に，運営上の責任をも負うことになったのである。

(2) もとより近代のヨーロッパ主権国家系でみられたように，伝統的な「国籍」概念では軍事（兵役）義務を中心とした排他的な忠誠（loyalty）が精神的紐帯として重視され，それが「国籍」付与（取得）の絶対的条件であった。従って国家政治形態が君権絶対主義から民主的市民秩序へ移行した段階でも，ロイヤルティの「当然の法理」として，重国籍の否定（1個人1国籍＝国籍唯一＝原則）――新国籍取得の場合の現国籍からの離脱義務――が一般的な原則とされてきた。

しかし最近では兵役への従事は国籍ないし市民権の絶対的対応義務では必ずしもない国が増えつつある（「良心的兵役拒否」のように別の社会的貢献によって代替可能）。むしろ「忠誠」とは，今日では敵対国を前提とした軍事的貢献意識のそれではなく，帰属主権国家の構成原理つまり憲法原則（理念）に対する当該個人の感情，利害上のきずな（の強さ）として把握さるべき時代に入っているといえるであろう。社会秩序維持の連結素は愛国心でなく公共心，連帯心なのである。

そこにわが国の主権国家としての特性が十分考慮さるべき条件が存在するように思われるのである。平和と国際協調主義を基盤とするいわゆる「国際国家」のそれである。米国が憲法上で'nationality'の用語でなく'citizenship'を用いたのは，母国イギリスが過去において，そして現在も「国家の臣民」（国王の財産）として'nationals'の用語を用いていることから離脱することを明確にする意図があったからであり，更に「自由」と「平等」という人権観を国是として多民族国家を運営することを宣明にしようとしたためである(18)。

その点からみる限り，日本国憲法の掲げる「国民主権」（憲法前文，1条）のい

---

(17)「国籍は，結び付きという社会的事実，つまり権利・義務の相互性と接合された生存，利害及び感情の真の連帯性を基礎とする法的きずなである」（ノッテボーム事件に関する国際司法裁判所の判決）。Nottebohm Case, ICJ Reports, 1955, p. 23.) 皆川洸『国際法判例集』1975年，有信堂，487頁。金城清子「ノッテボーム事件」高野雄一編『判例研究・国際司法裁判所』1965年，東京大学出版会，128頁。

(18) 布井敬次郎『米国における出入国及び国籍法・上巻〈解説編〉』昭和60年，305頁。

う「国民」とは単に形式上の国籍保持者の総体（nationals）を意味するのではなく，憲法理念への忠誠帰属を誓う「人民」（people）ないし「市民」（citizens）を意味するというべきであろう。――日本国憲法の各条項で「国民」の用語を用いた場合でも，英文では第10条の 'national' を除き，すべて 'people' で表現されている。――そうした民衆，市民に憲法原理を履行するためのそれぞれの政治責任（公務参加権もその1つ）を課しているというべきがむしろ合理的な認識であろう。

　（3）　しかも重要なことは個人の実生活の国際化の傾向が強まると共に，国籍付与（取得）上で重視される政治的アイデンティティの多元化，複重化が，人類社会でも急速に進んでいることである。たとえばノッテボーム事件に関する国際司法裁判所の判決では，ノッテボーム（F. Nottebohm）が既存国籍の国民（ドイツ国民）としての戦時国際法上の義務負担から免れるという便宜的手段で得た[19]新国籍については――リヒテンシュタイン国籍取得による二重国籍者となった――国際法上の効果（本件では，外交保護権の行使主体としての効果）を（新国籍付与国のリヒテンシュタインに）否定した（「真の法的きずな」の欠如を理由）が，決して「重国籍」そのものを否定したわけではなく，むしろ事案の性格によって，重国籍のうちいずれが「真の法的結びつきがあるか」（生活関係や営業活動上の結合が強いか）を決定すればよいという見方を示したにすぎないのである。――したがって国連国際法委員会が「外交的保護」議案の審議（2002年，54会期）で，ノッテボーム判決での "genuin link" theory を否定したとみるのは正しくなく，"genuin"（真正）の概念範囲を広げて被害者保護の機会を増やす考えを強めたというべきだろう。――

　すなわち右の判決は次のように述べている。「国際仲裁裁判官は，……二重国籍の処理で，……実効的な国籍，すなわち事実上の状態に一致する国籍，関係個人とその国籍が問題となった国の1つとの間の優越した事実上の結び付きに基づく国籍を優先させてきた。考慮された要素はさまざまであり，その重要性も場合に応じて変る。関係個人の住所は大きな地位を占めるが，その利害関係の本拠，家族関係，公共生活への参加，彼がある国に対して示しその子供に植えつけた愛着の念等もある[20]」（傍点・広瀬）と。――1930年の「国籍法の抵触についての或る種の問題に関する条約」も，また同年の「二重国籍のある場合における軍事的義務に関する議定書」も，複重国籍が当該関係国または第3国で問題になったときの調整方式を

---

(19)　ノッテボーム事件判決はいう。「帰化はノッテボームがリヒテンシュタイン国民の一員として法的承認を得るためというよりは，むしろ交戦国民の代りに，中立国民の地位を取得するために申請された」（ICJ Reports, 1955, ibid., p. 36.; 皆川洸・前掲書489頁）。
(20)　ノッテボーム事件判決。皆川洸・前掲書486頁。

示したものにすぎない。──

　たしかに歴史的なネーション・ステートの勃興期においては、「国籍の決定は各国（君主）の主権事項」という「絶対主権」国家観が支配的であったから、自国籍者の閉鎖的な「囲い込み」に各国が熱中することはあっても、それは単に重国籍への嫌忌感にとどまり、更に進んで重国籍防（禁）止のために「相互協力」をしようという意識が国家（君主）間に醸成されるはずもなかった。「それぞれご自由にどうぞ」の段階にとどまったのである。一方また独立し主権をもった国家形成要素としての「国民」の存在を重視しただけに、個人の自由な政治的アイデンティティとしての「国籍選択の自由」はもちろんのこと、「複数国籍を選択する自由」などの観念が育ちうる余地はなかった。そしてこの風潮は主権国家（並存）体制の続く国際社会では容易にくずれることはなく、20世紀の最近まで維持されてきたのである。

　(4)　こうして、個人の国籍問題が国際社会の関心事となったのは、国民間の交流が活発化し始めた（移民、戦争による移動等）20世紀になってからであり、それも国家の権利（たとえば外交保護権や軍事上の権利）の調整を軸として、国家間の交渉が行なわれ合意がなされるに及んでからのことである（1930年の「国籍法抵触条約」などの成立）。従って「個人の人権」に国籍問題の解決の軸足が移され始めたのは、むしろ第2次大戦後であるというべきなのである。

　こうして「重国籍」が制度として登場する場合でも、しばらくは例外的許容のそれにすぎなかったのはいわば当然であったといえよう。たとえば植民地制度が崩壊した後のアジア、アフリカ諸国家の形成にさいして採用された旧宗主国国籍との重複国籍の許容（たとえば今日でも一部カンボジア人にみられるカンボジア国籍とフランス国籍の共有）、旧ソ連崩壊後の「独立国家共同体」（CIS）諸国誕生後におけるロシアと新国家の両国籍の並有問題がそうした例である。──ロシアはCIS諸国がとるCIS在住のロシア人のロシアへの帰還抑制や差別問題の解消策として、CIS諸国に二重国籍の導入を提案している。しかしCIS諸国の多くは否定的である。またキルギスタンやカザフスタンは、CISをEU型の国家連合に統合すべきだとして、この場合の統一国籍として「ユーラシア連合国籍」を導入することによって、右のロシア提案の二重国籍問題を解消できるとしている（朝日新聞、1994・6・12）。──しかしこれらは国家の分裂、分離、独立等に伴う便宜主義的な特殊現象上の現実的処理方策にすぎない[21][22]。

---

(21)　第2次大戦後の在日韓国、朝鮮人の国籍変更は、日本国籍からの強制離脱の方式をとった。これは伝統的な「領域変更に伴う国籍変更原則」によるとされている（前述、第2章、第2節、3、(a)、

第 2 章　外国人参政権

――――――――――――
参照)。
　しかし関係個人の自由意思に基づく国籍選択(日本国籍の継続的保持の可能性も含めて)という別の解決方式も当時においてもありえた。それこそが，むしろ個人の人権保障の観点からみて望ましく，前記したように既に国際社会には先例があったのである。——たとえば1921年のザール住民権の設定や第 2 次大戦後の西独居住のオーストリア人への西ドイツ国籍選択権の付与(1956年の西独の「第 2 次国籍問題規制法」。川上太郎「領土変更と国籍の得喪——朝鮮領土の変更に伴う日本国籍の喪失問題を中心として—」国際法外交雑誌76巻 1 号，1977年，14〜17頁)，あるいはベルギーへ割譲された旧ドイツ領域居住者に対するベルギー国籍の選択権の付与等(広瀬善男，明学・法学研究28号，1982年，147〜158頁。同，明学・法学研究29号，1983年，114〜116頁)。——
　もっとも第 2 次大戦後，韓国と北朝鮮(朝鮮民主主義人民共和国)の両当局による「在日」に対する政治的支配権の獲得競争が激化していたことが，当時，日本政府に日本国籍からの離脱のみの処理にとどめさせ，日本国籍の継続的保持を許容しなかった政治的側面はある。こうしてここでも人権は考慮の外におかれ，国益だけが優先されたといえるのである。
　こうしてみると今でも遅くはなく(江橋崇「国籍再考」ジュリスト1101号，1996・11・15，10頁も，今日での「在日」の「簡易帰化」の立法化を提案しているが)，北朝鮮との国交樹立を含む戦後処理が近い将来にありうるとすれば，その時点をとらえて韓国人を含めて，改めて「在日」韓国・朝鮮人の日本国籍選択の機会が法的に設定されることが望ましい。その場合は国籍法 5 条の例外を認める特別法の制定が必要であるが，重国籍の許可も考慮さるべきであろう。
　なお国連国際法委員会(ILC)で，かつて審議された(たとえば1995年の47会期及び96年の48会期)の議題に，「国家承継並びにその自然人及び法人の国籍に与える影響」のテーマがあり，そこでの意見の大勢は「人権法の発展により個人の意思の表明による選択が最も考慮さるべき問題である」というものであった。
　筆者はかつて朝日新聞・論壇(1985・10・31)で，在日韓国，朝鮮人の指紋押捺問題に関連して，これらの人々に対して「国籍選択の特例を設けよ」と主張したことがある。しかしその時点では，「二重国籍の許容」は念頭になかった。自由な国籍選択の機会の付与は，「在日」の旧植民地住民には必要であると考えていたが，その場合でも「単一国籍」のみの選択が，個人の政治的アイデンティティの確保にとって望ましいものと理解していた。国籍を別にする市民(国民)間の自由な競争によってこそ国際社会の繁栄がもたらされるだろうと考えていたからである。主権国家体制の効用である。オリンピックの国旗掲揚に興奮する素朴な市民の「国民感情」を肯定的に理解していたことも関係があろう。
　しかし次第に，1 つは血統により，もう 1 つは居住，職業等の実生活上の便宜から祖国を複数持つこともできるのではないかと考えるようになった。それは感情上でも可能であり，実利性でも必要な時代条件が着実に整いつつあるように思われるようになったからである。「相互依存」国際社会の到来がこれである。
　国民間の競争の原動力としての単一国籍の意義は今日でもたしかに否定できないが，特殊な条件下にある市民個人に複重国籍を許容することが，むしろ国民間競争がしばしばもたらす民族間の(政治的)対立と憎悪の緩和剤として，何ほどかの役割を果たすことができるのではないかと考えるようになったのである。言いかえれば，「重国籍」がもつ両国民関係の「調和」と「橋渡し」の機能をより重視すべきではないかと考えるようになったと言えるかもしれない。こうしてこの問題の抜本的再検討の必要を感じ，原理的な分析を試みようと決意した結果が本書での主張である。
(22)　わが国「法例」上で，身分法事案の本国法として，「中国」や「朝鮮」地域にわが国が外交的承認を与えていない北朝鮮(朝鮮民主主義人民共和国)や台湾(中華民国)の法が，関係当事者の原籍の存在等から実質的な関係をもつ地域の法として，準拠法上の指定がなされる場合がある。しかしこの場合でも「国籍」は，自由選択の許容されている通常の場合の「重国籍」上の決定基準(ノッテボーム判決で示されているような実質的利害関係の存在を基準とする)による特定「国籍」の指定を行うことは許されていない。行政府による政治的外交的承認の効果が司法的決定にも及ぶ事案と考えられているからである。従ってたとえばわが国の外国人登録法上の「国籍」に関する限りでは，北朝鮮系の「在日」の国籍は地域名称上の「朝鮮」であり，「在日」台湾人については「中国」とせざるをえない。「法例」30条の「公序」の適用があるからである(広瀬善男「光華寮訴訟と国際法」明学・法学研

(5) しかし最近では経済上の交流や労働力の移動等国家間の相互依存関係の深化に伴い、個人生活上でも実質的な生活関係のトランス・ナショナルな状況への変容が急速に進みつつある。このことが国籍問題にも影響を及ぼし始めている。ヨーロッパの経済統合を背景とする最近のEU諸国の「重国籍」許容の方向への転換はこの端的な例である。——たとえば、フランス、オランダ、スウェーデンでは、「自国で出生し育った者」については、本来「血統主義」を適用すべき場合であっても、「居住地主義」を特別に適用し、既に取得している（血統主義に基づき）国籍を保持したまま、届出により居住地国籍の取得が可能とされている（たとえばフランスで出生し、フランスに居住し生活しているモロッコ国籍者は、届出によりフランス国籍も取得でき、重国籍者となりうる）。——

政治生活についても、たとえば「迫害からの避難を他国に求め、かつ、これを他国で享有する権利を有する」（世界人権宣言14条）という亡命権の肯定や政治難民に対する不送還(ノンルフールマン)義務の設定（難民条約33条）等を根拠にして、外交的保護権についてすら伝統的国籍所属国の専権ではなく、亡命による忠誠義務の亡命地国への（暫定的）移転を重視して、亡命地国による代替行使すら主張されている人権保護観念の進展があるのである（ILCでは、合法的居住国による難民の外交的保護を、出身国籍国に対する場合を除き、許容する見解を示している）。

こうして、かって国籍の任意取得による重国籍の防止の観点（「国籍は当該国への排他的な忠誠を意味する」という伝統的観念を基礎）から採択されたＥＣ諸国によるストラスブール条約（1963年）が、1993年に改正されたさいに提示された見解が注目されるのである。つまり「移民は居住国市民としての新しいアイデンティティを取得するが、必ずしも祖国へのアイデンティティを喪失するわけではない」「多くの外国人住民は受入れ国で生まれた場合ですら、いつの日か祖国へ帰ってそこに住む可能性を放棄することを望まない。実際には定住移民の多くは容易に帰国を決心しないであろうが、それができる可能性にかなりの象徴的な重要性をもたせ続ける。そうであれば二重国籍を認めることによって、そのような可能性が残されるべきである」という見解がこれである[23]。

ここには伝統的な民族的アイデンティティを基礎とした原国籍と、個人の国境を越えた多面的交流に基づく実質的な生活関係の移動を重視し、そこでの「利害共同体上の法的きずな」を尊重した新国籍の設定という複重国籍の容認ないし推進の見解があるのである。「国籍自由の原則」がこれである。

究46号、1990年、5頁）。
[23] 国友明彦「国籍の任意取得による重国籍」国際法外交雑誌93巻5号、1994年、24頁。

第2章　外国人参政権

　たとえばわが国と同様，血統主義をとってきたドイツでは，戦後，労働力として移入を認めてきたトルコ人等に，1965年の「外国人法」を改正して新たに「外国人法再調整法」を1990年に制定し，従来の「ガストアルバイター」（一時滞在労働者）の立場から「共同市民」的立場を認め，更に1993年には本国（トルコ）国籍を放棄することなく，ドイツ国籍を取得できる「二重国籍」を可能とする法案が議会に提出された。しかし反対が多く未成立に終った。その後，シュレーダー社民党政権の時代に入り，1999年に，国籍取得の条件を大幅に緩和する外国人法改正案が提出された。これは従来の血統主義から出生地主義へと原則を転換した（2000年1月1日施行の新国籍法）ドイツにとっても画期的なもので，英仏伊と同様，二重国籍の取得を基本的に認めたものである。法案では，一般成人の場合，15年以上滞在しなければ国籍を申請できなかった期間を8年に短縮する。また在独2世で18歳未満の外国人には，ドイツ国籍を付与するというものである。更にフランス，ベルギーでは，自国籍者の外国への移民につき，その2世，3世の現地国籍との二重国籍が認められている。またフランスは，アルジェリアなど旧植民地出身者に二重国籍を認めてきた。スイスも1992年の「改正国籍法」で，スイスへの帰化のさい原国籍からの離脱を求めない立場を採用した。オランダも同年，同様の法改正を行った。イタリアも1992年の法改正で従来の国籍選択義務を廃止した。またOECD加盟23カ国のうち，帰化のさい，従来の国籍の放棄を要求しない国が，1994年段階で14か国ある。更にスウェーデンなど北欧諸国は，選択権に基づく届出の場合には，二重国籍を認めている[24]。因みに2000年に発効した「欧州国籍条約」は出生時の二重国籍の継続的保持を容認したほか，婚姻による新たな国籍の取得も認め，二重国籍の保持に道を開いた。

　(6)　すでにみたように，或る国の憲法理念が，たとえば宗教的専制と抑圧からの離脱を求めたピューリタン等大陸移民者による建国（アメリカ合衆国の建設）

---

[24]　もりき和美『国籍のありか――ボーダレス時代の人権とは――』1995年，明石書店，177～179頁。近藤敦『外国人参政権と国籍』1996年，明石書店，15，100頁。佐野寛「日本国籍の取得をめぐる諸問題」ジュリスト1101号，13頁。奥田安弘「国際結婚と国籍」法学教室164号，1994年，5頁。
　因みに，人口減少に悩むフランス（1973年の国籍法）と外国人労働者が多数居住しているドイツ（1974年の西ドイツ国籍法）では，従来の血統主義に加え出生地主義を加味し，重国籍の解消について従来ほど積極的ではなくなっているという見解があった（田中康久「最近における諸外国の国籍法改正の動向（上）」民事月報35巻2号，1980年，18～23頁，26～28頁）。
　但し20世紀末，フランスではアルジェリア，モロッコ等旧仏植民地からの密入国者が激増したため，取締りを強化するトブレ法が立法化され（1996年），外国人宿泊者に宿泊申告を義務づけた。またイスラム寺院の建築や路上での祈り，或いは公立学校における女子の宗教的ベールの着用など，他者への迷惑が増加し信仰の自由の濫用による公序の破壊がめだつようになったため，それらを禁止する措置がとられるようになった（21世紀始め）。

の場合にみられるように，自由と平等が掲げられた場合，民族や人種のアイデンティティは2次的従属的位置に退けられ，国籍など市民権の取得は開かれたもの（国籍付与条件としての血統主義の否定と出生地主義の採用。そして19世紀後半以後の黒人解放闘争の中で育まれた開放的市民権の思想）となる必然性があるのである。すなわち国籍離脱と変更の自由を憲法上の原則とし，帰化による重国籍もさして気にならない体制が成立するのである(25)。

日本の国籍法が国籍唯一原則を明示している（11条，14条）のに対し，米国籍法が重国籍の解消に消極的な建前を維持していることに注意する必要があるのである。わけても米国憲法が「国籍」と同義用語として'citizenship'を使用し，'nationality'を用いていないことは，国籍に帰属する権利すなわち「米国民」としての権利が，国家の主権機能を前提とした個人の権利というよりは人権としての観念を強調した結果であり，そこに米国建国の精神的基盤をみることができよう。

なお市民権の任意取得すなわち「帰化」（naturalization）の性格については各国に政策的相違があるが，類型的に2つに分類できる。英，仏，ドイツ，スウェーデン等の西欧諸国は公権力の裁量行為としての性格を強くもつ（但しスウェーデンは，居住年数要件と手続費用の納入だけが条件とされ，実際上は市民権申請権が最大限尊重されている。また米国と同様に，国籍（nationality）の用語でなく市民権（citizenship）の表現を公文書で用いている）が，米国，カナダは住民の権利としての市民権申請の性格が強い。つまり国家は申請要件さえ満たせば付与義務を課せられるものと考えられている(26)。ここにも国籍，市民権の観念が，国家の成立史や憲法国是と深く結びついていることをうかがわせる事実がある。

わが国が国家理念を開かれた平和主義と国際協調主義（現憲法制定時における閉ざされた一国平和主義ではなく，不侵略・非武装の一国平和主義の普遍化，国際化という平和的地球社会の実現をめざす国是）とするのであれば，地方政治だけではなく国政についても責任を負う「国民(ピープル)」概念の成立を検討する必要があり，それは国籍観にも影響を及ぼさざるをえないであろう。換言すれば血統主義に基づく「（大和）民族的国籍」者のみではなく，定住を基礎とした労働や社会的生活関係

---

(25) 芹田健太郎『永住者の権利』1991年，信山社，80〜82頁，87頁。
　　米国籍の日系人が，第2次大戦中に日本国籍を取得し日本軍の一員として従軍し，また日本国内で選挙権も行使したため，敵国人として取扱われ，戦後しばらく米国籍の復活ができなかった事例があるが，それでも新たに米国籍を取得したさい既存の日本国籍の保持を禁じられることはなかった。
(26) W. R. Brubaker (ed.), Immigration and the Politics of Citizenship in Europe and North America, 1989, Chap. 5, 1.

（国際婚姻を含む）という実質的存在関係をも考慮した複重的，多元的アイデンティティを「国民」（むしろ市民）概念として定着させる立場が，憲法上で要請されることになるであろう。

米国で外国籍の保持を是認する「二重市民権」が「国民国家」モデルの中でも違和感なく肯定されているように[27]，わが国においても「在日」の韓国，朝鮮人および台湾系人（1992年の「平和条約日本国籍離脱者等出入国管理特例法」による永住権者）と一般入管法で永住権を得ている外国人に対しては，「重国籍」による日本国籍の保持を可能とする法的処理が要求されているように思われる。それによって国際社会に開かれた理念国家としての体裁もわが国は整えられるといえるであろう[28]。

もとより重国籍の承認は無条件であってはならない。前述のノッテボーム事件に関する国際司法裁判所の判決にもみられるように，国際法上の義務や原国籍国に対する特別の義務の履行を故意に回避するとか受忍すべき不利益や処罰を免れる目的をもつ，いわば恣意的で悪意の国籍取得は認められるべきではないであろう[29]。実質的な生活関係のない国籍選択者は，当該国での政治参加を無責任にする危険があるからである。

(Ⅲ)　**外国人の参政権**

(1)　次に憲法原理つまり日本の国家的条件としての平和主義，国際協調主義の見地から，「定住」外国人のわが国政治（公務）への参加問題を検討してみたい。参政権と狭義の公務参加権（公務就任権）のそれである。結論的にいえば，平和・国際協調主義の国是を基盤として考える限り，わが国に定住する非日本国籍者（外国人）に対しては，地方政治（地方公務）にとどまらず一定の国政（国務）への参加についても一般的に拒否する立場は妥当ではないといえるであろう。そしてこのようにみる立場は，外国人参政権や公務就任権を人権論の見地からのみならず，主権（国家）論の立場からみる場合にも，十分な説得力をもつと言えるだろう[30]。しかもそれは対象や事項に限定性はあっても，関係国家にとっては

---

(27)　W. R. Brubaker (ed.), Ibid., Chap. 4.
(28)　加藤節「国を開くということ」——「外国人」参政権は我々をも解放する——（朝日新聞1996・5・15）。
(29)　溜池良夫「帰化条件としての原国籍の喪失—国籍法第4条第5号にたいする疑問—」法学論叢65巻4号，1959年，21頁。
(30)　姜尚中，辻村みよ子「沖縄・外国人からみた国民主権〔主権論の焦点〕」法律時報69巻10号，1997年9月号，52～60頁。

単なる恩恵的許容にとどまらず，義務的付与を考慮すべき（外国人居住者にとっては権利として保障さるべき）段階に既に入っているといえよう。このことは，「定住」外国人のうち，特別の歴史的沿革上の関係をもつ韓国，朝鮮及び台湾系の「在日」外国人に対して，とりわけそうすべきが合理的理解であり取扱いだ（明治期における強制的な日本への併合措置の結果，「国民的ないし社会的出身」による差別をうけた旧植民地出身の被害者に対する特別の復活措置）といえよう（もっとも大阪府岸和田市は，2005年6月，全国で始めて韓国・朝鮮系の「永住」外国人のみならず，日本滞在が3年超の「定住」外国人にも投票権を与える条例を制定した）。――かつて終戦直後の1945年12月に成立した改正衆議院議員選挙法で，「戸籍法の適用を受けない者（旧植民地出身者）の選挙権及び被選挙権は当分の間停止する」の規定が設けられ，当時まだ日本国籍を有していた「在日」朝鮮人らは参政権を喪失させられた。その政治的理由は，天皇制の廃絶を主張する勢力の国会進出を防ぐためであったという（朝日新聞1996・2・5。なお，水野正樹「在日朝鮮人・台湾人参政権『停止』条項の成立」世界人権問題研究センター，研究紀要1号，1996年，43頁以下。岡崎勝彦「外国人の公務就任権」ジュリスト1101号，1996・11・15，37頁，参照）。つまりこうした沿革は，参政権の付与，消滅が政治的処理にもっぱら委ねられ，「外国人」なるが故の「当然の法理」的根拠に必ずしも基づくものではないことを物語っているといえよう。なお，EU加盟国は国内に居住するEUの他国民にも相互に地方自治体選挙の参加を認めあっているが，イタリアは難民として入国し住民登録を取得した者も含むすべての外国人に，自治体の首長・議会選挙の投票権を与える法律を，ブロディ政権下で可決した（日経新聞1997・11・20）。――

(2)　さて在日の定住者であるイギリス人が1989年の参議院選挙で，外国人に選挙権を与えていない公職選挙法を違憲（憲法14条，15条1項等を根拠）として提訴した事件で，最高裁はわが国国会議員の選挙権は「権利の性質上，日本国民のみをその対象としている」として外国国籍者を公職選挙から排除する現行規定（公選法9条2項の「日本国民」という国籍条項）を合理的区別として認容する合憲の判決を下した（1993・2・26）。

また地方選挙権についても，最高裁（第3小法廷）は定住の在日韓国人の選挙権についてこれを否定する地方自治法（11条，18条）と公選法（9条2項）の規定を合憲と判決した（1995・2・28）。その理由として，憲法の「国民主権」の原理（前文，1条）における「国民」とは「日本国民」すなわち日本国籍保持者に限定しているとみるべきであるとして，憲法93条2項でいう「住民」も「地方公共団体の区域内に住所を有する『日本国民』を意味する」と解したのである[31]。

第2章　外国人参政権

　(3)　ところで現在,「地方」公共団体における定住在日外国人の「選挙権」の憲法上の位置づけに関する学説には3通りあるとされる。(1)憲法上で禁止従って選挙権の付与は違憲という説（禁止説）。(2)選挙権の付与が憲法上の要請ないし義務であり，したがって現行公選法等の関係規定（国籍条項）は違憲という説（要請説，違憲説）。(3)選挙権の付与は憲法上許容されているとの説（許容説）の3説である(32)。——因みに衆議院，参議院の「国政」選挙権についてはこれを否定する禁止説が一般。——

　ところでこの「地方」選挙権に関する1995年2月28日の最高裁判決は次のように判示して,(3)の「許容説」の立場をとったように一応はみえる。すなわち「民主主義社会における地方自治の重要性に鑑み，住民の日常生活に密接な関連を有する公共的事務は，その地方の住民の意思に基づきその区域の地方公共団体が処理するという政治形態を憲法上の制度として保障しようという趣旨に出たものと解されるから，……法律をもって，地方公共団体の長，その議会の議員等に対する選挙権を付与する措置を講ずることは，憲法上禁止されているものではない」との判決がそうした推定を導くからである。

　しかしながらいわゆる「許容説」についてはより深く検討さるべき問題がある。すなわち「許容説」に立つ学説は，憲法93条2項の「住民」概念を15条1項の「国民」概念から切り離し，右「住民」概念自体に外国人を含ませて解釈する立場であるとみる見方がある(33)からである。しかしそこまで「地方自治」の独立的性格を強調し，その独自の統治的重要性を憲法秩序で肯定し位置づけようとするのであれば，そこでいう一定の外国人を含む地方「住民」は，参政権（単に選挙権のみならず被選挙権を含めて）を，憲法上の独自（独立）の権利（人権）として保障さるべきが解釈の合理的帰結となろう。

　そしてこうした「住民」の権利とは，国（国会）による単なる恩恵的許与とか裁量的許容という立法範囲にとどまらない「住民」の「固有の権利」（憲法15条

---

(31)　判例時報1923号，1995・5・21，52頁。
(32)　同，判例時報50～51頁。宇都宮純一「地方自治と定住外国人の選挙権」ジュリスト1091号，1996・6・10，20～21頁。長尾一紘「外国人の地方議会選挙権」徐龍達編『定住外国人の地方参政権』81頁。(1)の禁止説に該当するものとして，宮沢俊義『憲法（新版）』241頁。佐藤功『憲法（上）（新版）』229頁。(2)の要請説・違憲説として，江橋崇「外国人の参政権」芦部古稀『現代立憲主義の展開(上)』。浦部法穂『「外国人の参政権」再論』憲法理論研究会編・人権理論の新展開。(3)の許容説として，佐藤幸治『憲法（3版）』420頁。芦部信喜『憲法学Ⅱ』132～133頁。長尾一紘「外国人の人権」芦部編『憲法の基本問題』。中村睦男「外国人の地方参政権」ジュリスト1036号，1993・12・15，95～97頁。
(33)　判例時報1923号，前掲51頁。長尾一紘「外国人の人権」別冊法学教室・憲法の基本問題（基本問題シリーズ），177頁。

1項の 'the inalienable right' と同様の自然権的権利）とみるべきであろう。つまり地方自治に関する限り，一定の外国人への参政権および公務参加権の付与は憲法上で義務的（要請）とみるべきが，右の「切り離し」論から帰結されるコロラリーとなるように思われるのである。そうでなければ地方「自治」は制度的に成り立たないからである。憲法93条2項の英文が，'…shall be elected by direct popular vote …'（イタリック体・筆者）というように，直接の住民投票を義務づける規定表現をしていることも，このさい注意しておくべきだろう。

　もとより右の見解をとる場合でも，国籍保持者の場合の「国民」と異なり，参政権や公務参加権を付与される地方居住の外国人の範囲，条件（たとえば居住期間等）の決定について，法律制定上の国会の裁量権が否定されるわけではない。したがってそこに政策決定上の「許容性」は残る。しかしその場合でも裁量権の恣意的行使（自由裁量）は許されず，「法規裁量」の範囲にとどまらざるをえないことである。「住民」概念から由来する憲法上の権利としての参政権であり，公務参加権だからである。したがってこうした見解からすれば，「永住権」者の存在を無視しわけても植民地統治の歴史に由来する法的地位をもつ「在日」韓国，朝鮮，台湾系の「永住権者」を疎外して，一般的に，「在日」外国人に地方選挙権を否定した公選法（9条2項）等の規定は，違憲と判断されざるをえないであろう。

　しかしながら問題は，この「切り離し」説の立場では，憲法上の「地方自治」があくまで日本という「主権国家」体制上の統治枠組の中でのものであることを捨象してしまう危険が生ずることである。従ってこの難点を避けるためには，「住民」もまた「国民」概念に包摂し，しかしこの場合の「国民」を日本国籍保持者に限定しない，いいかえれば 'nationals' ではなく 'the people' という広義の意味つまり 'citizen' として理解するのが憲法的整合性をもちうるための条件であるように思われるのである。

　しかしながら右の最高裁判決では，憲法93条2項の「住民」を15条1項などの解釈として従来理解されてきたと同様に，日本国籍保持者としての「国民」という概念の部分概念としてのみ理解した。従って外国人即ち外国国籍保持者は「国民」ではないから，彼らには参政権，公務参加権は日本国憲法上では全く保障されていないことになる。そうとすれば同判決が「選挙権を付与することは，憲法上禁止されていない」といっても，それは日本国民からの贈りものつまり単なる恩恵的付与にとどまらざるをえないことになるのである。

　しかし注意すべきは，同判決が地方自治の重要性に言及し，それとの関係で在

第2章　外国人参政権

日外国人のうちの「永住者等」の意思を当該地方公共事務の処理にさいしての住民意思形成上で重視した判示（「日常生活に密接な関係を有する」との判示）をしていることである。そうであるだけに当該「在日」外国人の公共的（憲法的）無権利を当然視する判決本旨とは矛盾する奇妙な理論組立てに陥っているように思われてならないのである。こうして判決が強調する「日常生活との密着性」とは，地方自治体政治の国政との異質性を意味するのではなく，地方政治も国政の一環を占め，国政との同質性（一体性）を意味することを容認することによって始めて，「住民」概念を「国民」概念の中に包摂しえて，矛盾のない憲法解釈が可能となるはずである。このようにみてくると，右の判決論旨のような理論的整合性を欠く単なるリップサービスは，不用意であり無責任でもあろう。

　従って今日において，在日外国人一般（永住権者を除く）の参政権についての最も合理的な憲法解釈としては，「地方」参政権に関する限り，「住民」的地位をもつ外国人——この場合の「住民」的地位の性格，条件については，「法規裁量」の範囲内で国会が法律をもって決められる——に対しては，日本国籍者と同様の権利を付与することができる（許容説）とすべきである。そしてこの「参政権」には選挙権のみならず被選挙権（地方議会議員）[34]及び公務就任権（地方公共団体の長を含む）が含まれる。

　しかし歴史的関係から，戦後，「永住権」（denizenship）[35]を付与され（取得し）た韓国，朝鮮，台湾系の外国人に対しては，「地方」参政権に関しては，その享受ないし付与が憲法的要請であるとみるべき条件が存在する（義務説）。このように理解すべきである。右最高裁判決が「永住者」をカテゴリカルに指定しながら，他の一般外国人と同様に単なる「地域への緊密な関係者」としてしか理解していないのは，戦前，戦後の歴史関係の中で特別の地位を占めてきた——前記したように，終戦直後の選挙法改正で，当時日本国籍者であった「在日」朝鮮人らは一方的に参政権を剥奪された経緯がある。——「在日」住民の人権としての生活権の意味並びに権利剥奪に対する原状回復（植民地的行為の清算＝クリーン・スレート＝原

---

[34]　横田耕一「外国人の『参政権』」，法律時報67巻7号，1995年6月号，5頁。大阪地裁は，在日韓国・朝鮮人が日本国の立法不作為によって地方参政権を与えられていないことを違憲と確認するよう求めた訴訟の判決（1997・5・28）で，定住外国人に参政権を付与するかどうかは立法機関の広範な裁量に委ねられているとして棄却したが，同時に「被」選挙権についても憲法15条が基本的人権の1つとして保障している選挙権と一体のものと理解すべきであると判示した。

[35]　"denizenship"をより明確にした"residential citizenship"即ち「居住市民権」の概念を提唱し，そこから国際人権自由権規約25条のcitizen概念を説明する見方として，佐藤潤一『日本国憲法における「国民」概念の限界と「市民」概念の可能性』—「外国人法制」の憲法的統制に向けて—，2004年，参照。

則の適用）の義務（国家責任）を軽視し捨象したものとして賛成し難い。

因みに「国政」への参加権については，原則的に「許容説」の立場が妥当であろう。ただし憲法上，国の統治作用の根本である立法，行政，司法の権限を直接行使する立場にある国会両議院の議員，内閣総理大臣とその他の国務大臣及び裁判官については，なお外国籍者に対しての就任権は憲法上で禁止されているとみるべき社会環境が存在するように思われる（但し絶対的とはいえない）。

(4) こうしてみると，今日の国際化時代におけるわが国憲法の平和主義，国際協調主義の立場では，前述したように，憲法規定上の「国民」の概念は，単に日本国籍者（nationals）の総体としてのみ理解するのではなく，むしろ一定の外国人居住者（その範囲，条件は国会の裁量上の法律的規定をうけるが）を含めた"the people"（憲法英文上の用語）と理解すべきがむしろ妥当であろう。

つまり国際人権自由権規約25条の「市民」（citizen）概念に相当する概念として理解すべきなのである。――もっとも前述したように右国際人権規約上の'citizen'を'national'と同義とみる見方も少なくない（米国の例）が，非国籍者つまり外国人に対する参政権等政治的権利の付与が増加しつつある国際社会の今日の傾向を，日本国憲法の解釈の上にも反映する姿勢が今後の日本社会の人権感覚には望まれよう。韓国でも2006年5月31日施行の統一地方選挙（道知事，市郡区長，地方議員選挙）から，定住外国人の投票権が認められた。――

従ってその限りで公選法等の国籍条項（公職選挙法，9条，10条）つまり「日本国民」の条件の解釈は，日本国籍者のみならず一定の定住外国人も含むものとすべきであり（憲法解釈の変更が必要），従って地方公共団体の選挙管理委員会の選挙人名簿に掲載すべき定住外国人の範囲を特定する「立法義務」を新たに国会に賦課するのが妥当というべきであろう[36]。

(Ⅳ) 外国人の公務就任権

(1) ところで右の最高裁判決を含めて，現在までのこの種訴訟の主題は「在

---

[36] 外国人住民の地方参政権を積極的に論じた著書として，金東勲『外国人住民の参政権』1994年，明石書店，参照，
なお，日本国憲法11条が「基本的人権は，……現在及び将来の国民に与へられる」（傍点・広瀬）と規定していることを根拠に，在日の永住権者に対しては参政権を付与する憲法上の義務があるとする見解がある（近藤敦『外国人参政権と国籍』1996年，明石書店，167～169頁。同「国籍条項と選挙権・被選挙権」ジュリスト1101号，24頁）。しかし永住権者が将来，当然に日本国籍を選択する意思をもつかどうかは未定であるし，何よりもこの見解は，自らの主張の本旨とは異なり「国籍」にこだわる結果を生むことになっていることである。問題は現状としての永住権者たる「住民」の地位そのものをどう考えるべきかなのである。

日」外国人の「選挙権」(投票権)に限定されており，被選挙権を含んでいないことである。そこで被選挙権を含め参政権一般及び公務員就任を含む公務参加権(国際人権自由権規約25条，参照)についても，もう少し検討する必要があろう。

　さて「在日」外国人の公務就任権につき，地方公共団体における公務員資格が問われた訴訟がある。「在日」韓国人で東京都の保健婦として働いていた原告が，都の「管理職」全国試験の要綱にある「国籍条項」によって受験資格を否認(原告の受験申込書の受取りを拒否)されたため，右の国籍条項の違憲性を主張して争った事案である。

　東京地裁は右試験要綱の「国籍条項」を合憲と判断した(1996・5・16。判例時報1566号，1996・7・21，23〜32頁)が，その根拠を「重要な権限を直接的に行使する公務員は，国民主権(憲法前文，1条)の原理からいって日本国民であることが必要」だといういわゆる「当然の法理」においたとみられる判決を行ったのである。

　より詳しく言えばこうである。判決は「国民主権の原理は，単に公務員の選定罷免を決定する場面のみに日本国民が関与することで足りるものではなく，我が国の統治作用が主権者と同質的な存在である国民によって行われることをも要請していると考えられる」(傍点・広瀬)と述べて，憲法15条1項の国民固有の権利としての公務員選定権に，選定対象上の制約(国籍条項)を憲法上の要請として付加したといえるのである[37]。

　しかしこの「同質性」(homogeneity)の観念には，日本国民が単一民族であるという，今日では既に神話に属する国民観に依拠する閉鎖的精神状況がかいまみえるだけでなく，外国人は国籍が異なるというだけで，その奉仕すべき或いは帰属している，そしてまた当然にそこから受益しうる社会や団体(企業も国も同じ)に対する「忠誠」心の欠如が推定され，「信頼」感もまた醸成しえないとの思い込みに支配されているようにみえることである。──たとえば昭和23年(1948年)8月17日の法務調査意見長官回答は，次のように述べている。「それらの者は国家に対

---

[37]　同様な主張は，高乗正臣「定住外国人の参政権」憲法学会28号，平成8年，19〜20頁にもみられる。即ち「国民の要件については，国籍法以前に日本国民の観念が歴史的に成立していると解され，国籍法は原則として，この歴史的に成立している日本国民の観念を宣言するものであり，……外国人の場合には，その居住・滞在が短期であると長期であるとにかかわりなく，領土内に滞在する関係の下で滞在国と結合されているにとどまり，滞在国と政治的運命を共同にするものではなく，国家構成員ではないと解せざるをえない。」と。しかし私見はこれと異なる。即ち長期に居住し，職業を有し生存を維持している以上，外国国籍者であっても居住国と一定の利害関係をもち，その国の国民と何ほどか，運命共同体の一員としての立場，地位および責任関係に置かれることは否定できないということである。

し単に経済的労務を給付するものではなく，国家から，その公権力の行使を委ねられる者であるから，国家が充分にこれを信頼し得るものであり，また，これらの者は国家に対し忠誠を誓い一身を捧げて無定量の義務に服し得るものであることを要する」(判例時報1566号，24頁) と。——

　今日，「複数民族」国家が国際社会では一般的な国家形態であり，価値や文化と信仰の多様性の尊重こそが重視さるべき「国民」国家である時代に，このような「同質性」論が国民の公務員選定権の制約として主張されることに異和感をいだかざるをえないのである。——ところで対日平和条約発効 (1952・4・28) 直前の1952年4月19日に，法務省民事局長「通達」により日本国籍を一方的に喪失せしめられた在日韓国・朝鮮人のうち，当時，国家公務員が83名，地方公務員が122名余が在職していた (なお，右の「通達」は「法律」ではないから，憲法10条 (「日本国民たる要件は，法律でこれを定める。」) に違反するとの見解もある (田中宏「最高裁判決はどう位置づけられるか」法律時報77巻5号，2005年6月号，88頁)。しかし対日平和条約は，「法律」と同格であるから，「通達」は同条約の発効と共に有効となりうるとの立場が通説である (昭和36年4月5日，最高裁大法廷判決))。また，当時の地方自治庁の公務員課長は，京都府知事あての「職員任用上の疑義について」の回答で，「外国の国籍を有する者を地方公務員に任用することについて，地方公務員法その他の国内法に何ら制限規定がないので，原則として差しつかえないものと解する」としていた (岡崎勝彦「外国人の公務就任権」ジュリスト1101号，37頁)。——

　もっとも右の東京地裁判決 (1996・5・16) は，憲法上の要請として公務参加に必要な「日本国籍」の要件は，「国の統治作用の根本とされる立法，行政，司法の権限のうち重要な権限を直接的に行使する公務員，たとえば国会議員，内閣総理大臣，裁判官等に限られる」(傍点・広瀬) とし，その他の間接的に或いは直接的であっても権限配分された下級の公権力の行使或いは公の意思形成 (国の統治作用) に参画する職務 (地方公務も国の機関委任事務があるから，国家公務員と地方公務員の区別は不要だという) については，「主権者たる日本国民の意思の発動として，法律をもって明示的に，日本国民でない者にもこうした権限を授与することは，憲法上禁止されていない」，わけても「永住者等で居住区域の地方公共団体と緊密な関係を持つに至った者については，特段の考慮を払う余地がある」と述べて，「同質性」や「忠誠」論議への批判に若干の配慮を示している。その点ではいわゆる「当然の法理」が，「公権力の行使または公の意思形成に参画する職員が公務員である以上，公務員には国民主権の原理に照らして当然に日本国籍が必要」という国民 (或いは住民) 概念の一義的理解とは若干の相違があると

いえよう。

　そしてこの立場は，同事案の上告審である最高裁大法廷判決（2005・1・26）で，控訴審（東京高裁）判決（1997・11・26）——公務員を，① 国の統治作用である立法，行政，司法の権限を直接行使する公務員（国会議員，大臣，裁判官），② 公権力を行使し，または公の意思形成に参画するによって間接的に国の統治作用に関わる公務員，③国の統治作用に関わる蓋然性や程度が極めて低く，外国人が就任しても国民主権の原理に反するおそれがない補助的，補佐的な事務または専ら学術的，技術的な専門分野の事務に従事する公務員に分けて，①の種類の公務員には外国人は就任できないが，②の種類の公務員については，「その職務の内容，権限と統治作用との関わり方でその程度を個々，具体的に検討することによって，国民主権の原理に照らして，外国人に就任を認めることが許されないものと，外国人に就任を認めて差し支えないものとに区別する必要がある。そしてこの基準は地方公務員についても準用されるとした上で，東京都がその区別を行うことなく一律に管理職選考試験の受験資格を外国人に否認したことは違憲であるとして，一審を覆して40万円の慰謝料の支払いを命じた（判例時報1639号，平成10・7・21, 32～35頁。山内敏弘「外国人の公務就任権と国民主権概念の濫用」法律時報77巻5号，2005年6月号，76頁）。——を破棄し，「外国人が公権力行使等地方公務員に就任することは，本来，我が国の法体系の想定するところではない」（傍点・広瀬）と判示して，原告の請求を退ける東京都側勝訴の逆転判決を言い渡した（13対2）考え方にも通じているといえよう。つまり最高裁判決でも，公務員管理職への外国人就任をア・プリオリに絶対的禁止の対象とは考えていないように思われるからである。——因みに「わが国の法体系の想定するところではない」という最高裁判決の判示は，「戦後補償」訴訟の判決でも「わが国の憲法の想定するところではない」という文言で，しばしば使用されるステレオタイプの判示と同様である。しかし後者の裁判判決は，決して国会や地方議会の立法権の行使による事案の解決（救済）を禁止したものではないから，同様に外国人参政権や公務就任権の立法による解決を右の最高裁判決が禁じたものでないことも明らかである。「許容説」の立場はこれを意味しよう。——

　こうしてみると，この判決の立場は，前述した伝統的な「禁止説」ではなく，地方自治体における居住外国人の選挙権を例外的恩恵としてのみ認める「許容」説と同様の立場といってよいだろう。

　(2)　また次のような見方もできよう。すなわち直接的な公権力行使にかかわる職務についても，——単に地方自治体におけるそれにとどまらず国家機関（国家公務員）についても同様の思考が可能だが，——，居住地国日本の（地方）公権力作用に

従事しているという自覚の下での——心理的には，外国人であるにも拘わらず日本の重要な公務に参画を認められたことへの積極的貢献心すら生まれよう，——職能「能力」を従来の業務実績などから，職場の周囲によって評価される外国人である以上，——逆に外国人が公務員に採用された後の勤務状況上で，日本国の利益を棄損して本国の利益をはかる行為があれば，それを理由として免職も法的に可能，——これを単に「外国籍」なる理由だけで排除することは，わが国自体の（公権力行使上の）利益を棄損する（低下させる）ことにもなりかねない。それでは米国で一般化しているアファーマティブ・アクションのゆきすぎ（逆差別）と同様な，職務能力上の非効率すらもたらす不平等を制度化することになりかねないだろう。

そうではなく外国人にも管理的公務職の道を保障した開かれた公権力行使形態の存在こそ，今日の主権国家間における「相互依存」的利益共同体の構造状況にふさわしく，且つ平和と国際協調主義を掲げるわが国憲法上の原理的要請にも応える道ではないかと思うのである。

今日，真に検討さるべきは，外国人を公務員に採用すればどのような弊害が生ずるのか，かりに弊害があるとしてそれを防ぐ有効な手段はないか，むしろ利益の方が多くはないか，ということであって，「公権力行使や公の意思形成に参画する」職務について，外国人はその外国籍なる理由だけで一律に排除すべきだ（絶対的欠格事由）という思考は，もはやわが国憲法の根幹である人権尊重上で許されないし，国益上ですら望ましくないと考えるべきではないか，ということである。

(3) 外国人を公権力行使公務員に採用する場合のわが国内閣法制局のいわゆる「当然の法理」という見解（朝鮮戦争が休戦となった1953年に示された）は，もし外国人をそうした職務に就けると「外国人本国の主権（自国民に対する支配権）を侵害する」ということのようである[38][39]（1996年5月23日の参議院地方行政委員会

---

(38) こうした外国主権（外国の自国民に対する対人主権）との抵触を根拠とする外国人の公務任用に対する反論は，国家法の「域外適用」問題に関して実際に行われている解決方法からも，今日の国際法秩序では克服できない難点ではない。すなわち「域外適用」問題で国際法上広く主張されているように，外国人の居住する国の領域主権（属地管轄権）の優位性が肯定され，相手国の人的管轄権の域外適用効果を阻止する立場が一般に認められているからである（広瀬善男「国家法の域外適用と国際法」高野雄一編『横田先生鳩寿祝賀記念・国際関係法の課題』1987年，有斐閣，291頁）。

また単なる外国人の登用だけでその外国人の本国に被害が発生するわけではなく，——むしろ両関係国に友好と相互利益をもたらすことの方が多いだろう。——右の外国国家法の「域外適用」問題でも，実際の抵触が，相手国の領域内での「履行」によって生じた場合にのみ，はじめて問題とされうる（1988年のウッドパルプ事件に関するEC裁判所判決にみられる客観的属地主義の考え方）にすぎないし，更に両当事国間に「真の抵触」が生じた場合でも，被害を主張する国のcomityによる譲歩と抑制が一般であって，属地管轄権をもつ行為地国の利益を優先させるのが原則である（1993年のバー

での内閣法制局・秋山收第1部長の答弁も同様。朝日新聞，1996・5・24）。

しかし外国では，発展途上国で重要な公権力の直接行使の職務に，外国人が就任する事例は決して珍しくない（「能力」評価が中心）が，先進国でも外国人の絶対的排除の立場は減少しつつある。たとえば米国では，連邦公務員（立法，行政，司法の各機関）には若干の例外を除き外国人は任用できないとされるが，州公務員については「高度に公的な官職（high public office）」について，外国人の任用を認めないことはあるとしても，――ただしそうした官職への外国人締出しの州法を立法しても無効ではない，との意味にすぎず，任用を認めても違憲，違法の問題は生じない，―― 1973年のSugarman v. Dougall事件の米連邦最高裁の判決で示されたように，競争試験によって選任する公務員の職に外国人の雇用を禁じたニューヨーク州法を，あまりにも広汎な禁止であり外国人に対する疑わしい差別立法であるとした例があるのである(40)。

また最近ではEU加盟国間で「EU市民」観念の下，外国人に自国公務への門戸を開く動きが広がりつつあるし(41)，たとえばスウェーデンでは，地方公務員について，市長担当職を含み，外国人に公務就任権が認められている。イギリスでも英連邦出身者や特別な歴史的関係をもつアイルランド国民には，イギリスの公務員への就任が以前から認められている。そして最近，ブレア首相の指導で行われた上院（貴族院）における世襲議員制度の廃止決定（2000年）に伴い，新たに公募による「市民議員」制を導入したが，応募資格を英国籍者だけでなく，アイルランド，英連邦加盟国の国籍保持者まで広げた。しかも採用委員会での審査基準として，「政治的中立性」，「社会への貢献度」，「人格の高潔性」があげられていることも，ロイヤルティを考える場合に考慮すべき事例である（朝日新聞，2000・10・19）。更にニュージーランドでは外国人の運輸次官まで存在した例もあ

フォード火災保険会社事件に関する米最高裁判決）。つまり対人主権よりも対領土主権が優越するのが原則である。但し相手国（対人主権国）に「対抗立法」がある場合には別の考慮が必要である。
(39) なおわが国が，一方的に外国人に選挙権を与えたり公務への任用を認めるのは，国際法上のレシプロシティ（相互主義）の原則に反するという主張がある（鹿児島重治「外国人の公務員任用と法秩序」朝日新聞・論壇，1996・6・4）。しかし国際人権規約のように，人権として外国人の政治的権利を理解するのであれば，レシプロシティの適用は本来妥当でないし，適用があるとしても自国民に対する相手国の同様措置を将来に期待し利益の先行供与をはかることの方が前向きの姿勢である。そしてこれは，経済関係で通常みられる「相互主義」の形態でもある。開放的拡大社会を国際社会に求めるわが国の憲法原理がめざす道はすなわちこれであろう。
(40) 萩野芳夫『国籍・出入国と憲法』1982年，勁草書房，299頁，314頁。
(41) 近藤敦「諸外国における公務員の就任権」ジュリスト77巻5号，2005年6月，68～71頁。
　欧州司法裁判所は，1996年，EU内の労働者の自由な移動原則を認めているEEC条約を根拠に，ギリシャ，ルクセンブルグ，ベルギー3国に対して，国益に密接に関係する場合は別として，自国民以外のEU国民の公職への採用を増やすよう判決した（毎日新聞1996・7・6）。

る（日経新聞1996・5・27）。

こうしてみるとかりに，外国人本国に徴兵制上の義務やそれに代る奉仕義務など対人主権行使上の問題があるならば，当該外国人に対しては，日本で公務就任中の免除措置をとる協定を結んで解決できるはずである。但し当該外国人本国が，自国籍者に対して在住地での在住地国の公務参加や参政権の行使を禁止している場合には，在住地国はそれを尊重すべきであろう（国家法の域外適用に対する「対抗立法」の有効性承認）。

また当該外国人自身に管理職公務就任時に，外国国籍の放棄と日本国籍選択の機会もありうる（もっとも重国籍制が導入されれば問題は解決されるが）。この場合，かりに日本国籍を選択せず帰化の意思がない場合でも，それだけで公務「管理職」としての能力，意欲の欠如を推定するのは適当でなく，公務「管理職」としての適格性があるかどうかは，過去の勤務内容と将来の見込から総合的，客観的に判断さるべきもので，そのさい国籍が材料の1つになるだけである。国籍を絶対的欠格事由とすべきではないであろう。地方公務員法15条が「職員の任用は，受験成績，勤務成績その他の能力の実証に基いて行われなければならない」の規定の趣旨が，こうして初めて生きてくるはずである。憲法15条2項が「すべて公務員は，全体の奉仕者であって，一部の奉仕者ではない」と規定しているのは，外国人公務就任への拒否よりもむしろ，外国人公務参加を前提として，日本国への奉仕への専念を要求しているとみる方が今日の理解としては合理的と思われる。民間企業では，同様の問題があっても不都合なく解決している。更に公務上の守秘義務の問題についても，その義務違反が生ずるかどうかは，保持する国籍の問題ではなく，個人の資質の問題である。こうしてみると，上述の1996年の内閣法制局見解は理論的説得力に乏しくあまりにも閉鎖的な（民族）感情論にとらわれすぎているように思われるのである。今日と将来をみすえる国際国家日本の位置づけに関する見識に乏しいといわざるをえないであろう。

(4) このようにみてくると，わが国憲法原則の平和・国際協調主義の立場をふまえ，かつ国際社会全体の国家間の「相互依存」状況の深化を考慮すると，次のような結論を導くことが妥当のように思われる。わけても歴史的沿革上で特別の関係をもって「定住権」を取得した「在日」韓国，朝鮮人及び台湾系人については特別な配慮が憲法実践上で必要だということである。すなわち，

(i) 憲法93条2項の特別の要請により，右の「定住」外国人に「地方」選挙権（投票権）と被選挙権の付与および地方公務への就任権は「義務的」であるべきこと（但し一般の外国人定住者については「許容的」）。一般的禁止や恣意的自由裁

量は許されないこと。

　(ii)　国会（衆議院，参議院）の選挙権（投票権）については，地方行政と密接に連動する国政も少なくないし，国会議員の選出基盤が各地方に存在し，「住民」意思の反映も重要な要素となっていることを考慮する必要があろう。したがって「定住」性の故に地方選挙権を付与する以上，国政への意見表明権の付与も決して不合理とはいえない。「許容説」の妥当する範囲とみてよいだろう。但しこの国政に関する選挙権（投票権）資格は，単なる定住者だけではなく特別の歴史的関係をもつことも考慮に入れた「在日」韓国，朝鮮人および台湾系人に限定することも，政策的選択としてはそう不合理ではないであろう(42)。

　(iii)　国家公務への参加権（国家公務員への就任権）については(43)，直接の公権力行使を伴う管理職への昇任を含め一般職への任用は憲法上で可能と解さるべきであろう。すなわち「許容説」の範囲内に入るとみるべきである。しかし憲法上で外国人の任用を禁止しているとみるのが合理的な公務も存在する。それは国会議員，内閣および各行政府の長（内閣総理大臣と各省大臣）並びに裁判官のそれであろう。三権分立上で国権の中核としての権限象徴とされているのがこの職務だからである。現状での主権国家制度の対外的維持形態の1つと言ってよいだろう(44)(45)。

――――――――――

(42)　国会議員の選挙権，被選挙権を一定の外国人に与えている例として，たとえばニュージーランドでは永住権をもてば選挙権が与えられ，被選挙権については1975年8月22日の時点で選挙人名簿に登録された外国人に与えられている（日経新聞1992・7・9）。またイギリスはアイルランド共和国および英連邦諸国の国籍者で，イギリスに定住している者について，選挙権，被選挙権を共に与えており（Representation of the People Act 1983, S. 1 (1)(6)(ii)），オーストラリアも同様である。そしてオランダも定住の旧植民地出身者で外国籍の者に選挙権を与えている。K. Partsch, Freedom of Conscience and Expression, and Political Freedoms, in "L. Henkin (ed.), The Bill of Rights, 1981", p. 239.; D. Harris and S. Joseph (eds.), The International Convenant on Civil and Political Rights and United Kingdom Law, 1995, p. 536.

(43)　国家および地方公務員への就任権の性格としては，選挙（被選挙）権と異なり，民間企業への就職等代替選択肢（対象）があることから，憲法22条1項で保障された職業選択の自由権のカテゴリーで把握することが妥当であろう。東京都管理職選考要綱に関する韓国人訴訟についての東京高裁判決でも，違憲の理由として，職業選択の自由と平等原則（憲法14条1項）の違反をあげている。もっとも国際人権自由規約25条は両者を一応別々（(a)項と(b)項）に分類しながらも，「公務の参加」としてひとくくりにしている。いずれにせよ雇用主は国（地方）ないし国民（住民）であり，雇用関係を通じての職務へのロイヤリティは「国籍」とは無関係に存在し「国籍」とは無関係に評価対象となりうる。

(44)　但しこうした主権国家として基本的な国政権限を外国国籍者に委任しなければ国家運営が不可能ないし困難だという場合には，状況によっては国家的自立性・独立性を欠くものとして外国からの外交的承認を受けない場合も生じよう（かつての満州国のように）。

(45)　お断りしておくが，本書での私の立場は，在日外国人がその外国籍を保持したまま，一定の条件の下で日本での公務参加権が保障さるべき（されうる）ことを法理的に主張しようとしたにすぎない。従って「在日」韓国，朝鮮人に，そのまま現在の韓国，朝鮮国籍を保持しつづけることが望ましく日

最後に，外国人の公務就任権のわが国憲法上での性格について述べておこう。定住の要件すら不必要な行政府閣僚への外国人の就任すら途上国ではみられるように，「公務への就任」に関しては住民（市民）の政治参加権（被選挙権）とは，異質の要件，性格があることを示している。即ち地方のみならず国家機関を含めて公務就任権（就任の機会）は，「国籍」条件には本末なじまず，職務に関する「知識」「能力」並びに「公共の利益」（福祉や安全を含めて）に対するloyaltyの存在のみを個々人について採用上の判断基準とすれば充分（することが基本）であることである。したがって日本国憲法上での権利義務の問題として考える場合に，外国人の公務就任に関しては，参政権とは異質の考察が必要であり，少なくとも一定のcitizenship（たとえば定住市民権）をもつ限り——それを前提条件とするが——外国人に対しても管理職を含め，一般的な公務就任権（就任の機会）の不許与（剥奪）は，「法の下の平等」（憲法14条1項）の違反の他，別に「職業選択の自由」（憲法22条1項）の違反としての性格をももつと考えるべきであろう。このことは国際人権自由権規約25条の解釈としてもそうあるべきだろう(46)。

本国籍への変更をすべきではない，などと主張しているのではないことである。むしろ「在日」の多くが本国で参政権を行使できない状態にあるだけに，彼らの日常生活に実質的な関係をもつ日本の「国籍取得」（「帰化」の用語は帰順を連想させるだけに「国籍取得」に変更した方がよい）が，むしろ人権保障上も望ましいと考える立場の1人である。韓国，朝鮮人としての民族的アイデンティティは，日本国籍取得後も，言語，文化，宗教のあらゆる側面において保障されるはずだからである。国際人権自由権規約27条はその保障文書・規定の1つである。

(46)　渋谷秀樹「定住外国人の公務就任・昇任をめぐる憲法問題」ジュリスト1288号，2005年，4頁。近藤敦『外国人の人権と市民権』，2001年，203〜208頁，参照。なお注（43）も参照。

第3章

九条と集団的自衛権

第1節　憲法九条と自衛力・国際貢献力
　　　1　憲法原意と交戦権および平和的生存権
　　　2　「一国平和主義」の存立条件と国際社会の変動に伴う自衛力と日米安保の導入
　　　3　「認識方法」としての憲法変遷論と自衛力・国際貢献（国連協力）力
　　　4　九条と集団的自衛権（非武力的手段を含む）
　　　5　北東アジアの安全保障環境の変容と日米安保体制

第2節　自衛隊と国際協力そして集団的自衛権
　　　1　軍事力による「国際貢献力」概念の両義性
　　　2　日本の安全保障に占める日米安保条約の体制的意義

第3節　集団的自衛権成立の沿革と性格
　　　1　集団的自衛権と集団的防衛（援助）権
　　　2　集団的自衛権の法理的性格

第 1 節　憲法九条と自衛力・国際貢献力

1　憲法原意と交戦権および平和的生存権

　(1)　憲法九条は，日本国憲法制定時において，その趣旨，内容につき全く争う余地のない「一義的」な理解をもつ規定として定立されていたわけではない。見解や立場が複数成立しうるラティチュードの広い規定であったのである。たとえば憲法草案として提示されたマッカーサー・ノートでは，九条 1 項で放棄した戦争権の中には自衛権も含まれるとしていたのに対し，日本政府は自衛権は含まれていないとし，後者が日本の憲法解釈上の立場とされたのである[(1)]。このことは九条 1 項で放棄した「国権の発動たる戦争」や「武力の行使」の定義について，もともと解釈の余地が生じうることを意味していたし，従って当然のことながら同条 2 項で否認した「交戦権」(the right of belligerency) の概念についても，解釈の余地のない文字通りの一義的理解ははじめからありえなかったことを示していたといえよう。

　もとより九条 1 項は憲法制定当時，既に国際社会でユス・コーゲンス（強行法規）となっていた「不戦条約」の規範趣旨を導入したものだから，同条 2 項とは違い，日本独自の理解や解釈が許されるわけではない（「確立された国際法規の遵守」をうたった憲法98条 2 項，参照）。もっとも，1928年に「不戦条約」が締結されたときには，米国等により自衛権留保の解釈宣言等があり，不戦条約の理解そのものも必ずしも一義的なものとは言えなかったが，その後の国際社会の実践過程のなかで，自衛権と国際機構（国際連盟や国際連合）の決議による強制軍事行動の場合を除き「武力不行使」を宣明したユス・コーゲンスとして確立した。国連憲章の 2 条 3 , 4 項はその表明である。この点で九条 1 項に関するかぎり，日本国民だけの意思による理解の変更は許されないし，「解釈改憲」の余地もない。

　こうして憲法九条 1 項に導入された「不戦条約」は，条約そのものとしては国際連盟（今の国際連合）による強制軍事行動を否定していないし，また国連憲章51条に規定された個別的，集団的自衛権（の「保持」と「行使」）も禁じていない。従ってこれをほぼそのまま導入した憲法九条 1 項も，明示的な留保がない限り，

---

(1)　この経緯につき，佐藤功「第九条の政府解釈の軌跡と論点(上)」ジュリスト1001号，1992・6・1，73～74頁。

第3章　九条と集団的自衛権

同趣旨と解するのが合理的な理解である。しかし日本国憲法制定時の一般的理解（憲法原意）では、九条2項の「戦力不保持」の規定によって軍事力による日本の自衛権の「行使」は不可能とされたのである。──1946年（昭和21年）の新憲法制定時において、わが国が「軍事力をいっさい保持しない」（憲法九条2項）と決意した時点では、確かに旧軍隊の解体をうけて、「非武装」を憲法上の「統治」（国家機構）原則（政治的には「国是」の1つ）としたことは、ほとんど異論がない。自衛権が主権をもつ国家の固有の権利であることを主張し、九条2項の問題点を指摘した新憲法制定議会（貴族院本会議、1946・8・27）での議員（南原繁議員）質問に対する政府答弁をみても、当時における国民の絶対多数意思（憲法典の立法趣旨ないし原意を形成）が、連合国占領下という制約はあったとしても、天皇の位置づけに関する論議とは比較にならないくらい、軍備（戦争）放棄については異論が少なかったことは否定しえないところである。その意味では、将来、再軍備が行われるためには少なくとも九条2項の「改正」（憲法96条の改正手続による）が必要であるとの推論を、当時においては一応導きえたと言ってよいだろう。──

但し憲法九条2項末段の「交戦権の否認」の意味は、否認した「交戦権」が何であるかについて当初から疑義を残していた。なぜなら憲法制定時に既に法理的な意味での（軍事力を含む実際上の手段、方法の意味ではなく）自衛権の保持と行使が肯定されていた以上、正当な自衛を根拠とし原因とする一般国際法上の「交戦権」の行使を否認することは、九条の建前上、1、2項間に矛盾を来たすことになるからである。のみならず、攻撃国（侵略国）の意思だけで成立する被侵略国の交戦者としての地位、およびそれに基づく交戦者の権利と義務の自動的な発生は、法律上当然（ipso jure）に、被侵略国にも「交戦権」を成立させるから、その点でも九条2項の「交戦権の否認」には、一義的な解釈が困難な状況が存在したのである。

たしかに伝統的（主として19世紀）国際法で認められていた「国際紛争解決の手段としての」「国権（主権的権利）の発動たる戦争」──但しこの意味での戦争権は1928年の不戦条約でとうに禁止されているが──や、連盟規約や国連憲章等を通じて否定されたとみるべき（国際法学者の一部にはなお容認されているとの議論もあるが）武力「復仇」等、いわゆるユス・アド・ベルーム（jus ad bellum）上の戦争権は、自衛権の場合を除き憲法九条2項後段の「国の交戦権（the right of belligerency of the state）は、これを認めない」の規定によって、わが国憲法上でも明確に否定されたとみるべきであろう。マッカーサー・ノート（1946・2・3）では九条1項で放棄された戦争権の中には自衛権そのものも含まれるとしていたが、

第1節　憲法九条と自衛力・国際貢献力

1946年の新憲法制定議会では日本政府によって明確に否定された。但し2項によって行使手段がないとされたのである（1946年2月26日の衆議院本会議における原夫治郎議員に対する吉田茂首相の答弁）。

　しかし侵略に対抗して軍事力を行使した場合の，つまり他国から武力攻撃をうけたあと，自衛隊の武力によって対応措置をとっている最中の，いわゆるユス・イン・ベロ（jus in bello）の段階での交戦法規の尊重，順守（自衛隊法88条2項）と，それから結果する交戦者としての権利（たとえばジュネーヴ人道法条約の捕虜条約上の権利）の享有が当然，自衛隊（員）に認められることまで，右の憲法九条2項の「交戦権の否認」条項が妨げるわけではない。その他にも，武力紛争時の文民保護条約の適用も，事実上の交戦状態ないし武力紛争状況下にある国すべてに一般市民を保護すべき義務として，またそれに対応する市民の権利を発生させるものとして，ジュネーヴ人道法条約は明確に要求している。当事国（者）の一方が武装抵抗を行わない場合でも，「占領」に伴う「交戦」法規の適用は両当事者間に自動的に生ずるのである（因みに，日本は対日平和条約・付属宣言2(9)によってジュネーヴ人道法条約への加入を確約し，1953年に右諸条約に加入している）。憲法上の「交戦権の否認」規定が，こうした国際法上の武力紛争時の人道規範の適用まで奪うとは到底考えられない。つまりここで記憶されるべきことは，自衛隊が武力紛争時における交戦法上の権利を認められる軍事力（軍隊）である（捕虜条約4条は捕虜の有資格条件として「軍隊の構成員」を掲げる）ことは疑いがないということである。なおまた自衛隊の創設以来，歴代政府は自衛隊を憲法九条2項で禁ずる「戦力」には該当しないと説明してきた。しかし自衛隊が国際法上でもまたわが国国内法上でも「軍隊」であることは否定しようがない。なぜなら，平時において自衛隊は海外での取扱い儀礼で「軍隊」としての特権や待遇が与えられている他，日本が侵略をうけた場合，自衛隊が軍事力で対抗することを目的，任務とした集団であることが明記されているからである。たとえば自衛隊法88条1項は「必要な武力を行使することができる」と規定しているのである（その他に自衛隊法3条，76条，88条2項参照）。

　ところで，憲法前文が「国際社会の公正と信義に日本の安全と生存を委ねる」と規定していることは，かりに敵の侵略に対して日本自身の武力抵抗は行わないとしても，国連その他（日米安保条約上の米国）の協力援助はこれを否定していないと解すべきだろう。そうであるとすれば，侵略をうけた場合，民衆蜂起を含む不服従抵抗の他，かりに占領軍の支配下におかれても，戦時国際法（国際人道法）の適用は当然肯定されなければならないだろう（住民の保護中心）。「交戦権」

第3章　九条と集団的自衛権

観念もその範囲で機能するのである。「交戦権」を認めないとの九条2項末段の規定は，日本という主権国家の法的存在まで否定するものとは考えられないから，右の意味での「交戦権」は否定されていないとみるのが合理的理解といえよう。侵略による法的効果即ち侵略国もユス・イン・ベロには拘束されるという効果は，イプソ・ファクトに発生するのである。わかり易く言えば，憲法九条で放棄されたのは，「戦争」であって「戦闘」ではないということである。

更に九条2項の冒頭に「前項の目的を達するため」という文言が挿入されたこと（いわゆる芦田修正）により，1項で禁じていない自衛目的ならば「個別的」自衛権の行使の手段として，日本が軍事力を保持しうるという目的論的解釈（本来の趣旨としての絶対非武装を導く目的論的解釈とは異なるが）が成立しうる法理的可能性が生まれ，憲法制定後いわゆる芦田理論（芦田説）として提起されたこと[2]も，九条2項の理解が決して一義的ではなく変動し得るものであることを示していたといえよう。

在日米軍の違憲問題を論じた（したがって自衛隊の違憲問題を直接論じたわけではないが）1959年（昭和34年）の砂川事件に関する最高裁判決が「憲法九条2項により，……いわゆる戦力は保持しないけれども」（傍点・広瀬）として，放棄した「戦力」に「いわゆる」の形容詞をつけて概念上の特殊性を間接的に認めると共に，戦力不保持規定が「侵略戦争を引き起こすがごときことのないようにするためであると解するを相当とする[3]」と述べて，侵略戦争を可能とし目的とす

（2）　1946年2月のマッカーサー・ノート（九条1項で放棄した「戦争」には「自衛」戦争も含まれるとの趣旨）を修正し，自衛権による場合を留保する意味をもつとされる芦田提案（九条2項冒頭に「前項の目的を達成するため」の文言の挿入）の真意につき，当時，憲法制定にたずさわった「衆議院・帝国憲法改正案委員会小委員会」（通称「芦田小委員会」）の秘密会速記録と「貴族院・帝国憲法改正案特別委員会小委員会」の筆記要旨が公開された（前者について，1995年9月30日の朝日新聞及び日経新聞，後者について，1996年1月22日の同じく両紙，参照）。

　右の記録によると，1つは，将来，日本が国連に加入した場合，国連の集団安全保障上の行動に協力するために必要な軍事力の保持が芦田修正によって可能となったとみる見解があったこと（金森国務相の見方），2つには芦田修正を提案した芦田氏自身が提案時（1946年7月）において，自衛力の将来における保持を意識してそうしたのかどうか（芦田氏は1951年になって，その意図のあったことを公表しているが）は判然としないこと（この芦田氏の真意については憲法学者の意見も二分している），がこれである。

　しかし，右芦田修正によって，将来日本が再軍備する可能性がでてきたことの懸念が，極東委員会に広がった事実はある。そのため主として中国（中華民国）代表が主張し，日本の将来起こりうべき再軍備の歯止めとして，憲法の66条に2項を新設し「大臣は文民でなければならない」とのいわゆる文民条項を挿入することが提案され，GHQもそれをうけ入れ（わけてもソ連と英国が同調），日本側に提案したと理解するのが正確な見方のように思われる（66条2項の追加規定は，軍képpen保持の絶対的禁止という九条精神の単なる「確認」ないし「だめ押し」とみる見方には無理がある）。なお同旨の極東委員会の論議について，「チャールズ・L・ケーディス（竹前栄治・岡部史信訳），日本国憲法制定におけるアメリカの役割(下) 法律時報65巻7号，1993年6月，14頁，参照。

第1節　憲法九条と自衛力・国際貢献力

る軍事力のみを「戦力」として否認したにすぎず，純粋に自衛を目的としその実態をもつ軍事力は九条2項でも排除していない——右最高裁判決は，「いわゆる戦力」と「防衛力」とを用語的にも区別している。——と理解しうる判決を示したのもこれを意味するといえよう。右判決が，「わが国防衛力の不足（を）……補（う）」軍事力として日米安保条約による米軍の駐留を憲法上肯定したことは，「補」われる日本の防衛力（自衛隊）自体もまた憲法九条に違反しないことを前提にしない限り，論理的整合性が得られないことになろう。こうして最高裁は自衛隊の合憲性を間接的に示したといえよう。そしてまた「米軍事力を補う」ものではない以上，自衛隊が米国（軍）が攻撃された場合の援助機能として，日本の「集団的」自衛権の行使主体としての役割を果たすことも認められていないと言わなければならない。

　こうした憲法九条自体に内在する規範的要因により，同条の規定，わけても日本独特の規定としての性格をもつ2項は，もともと社会的条件の変化に伴い条文理解上での変動をうけうる規定であったといわざるをえないであろう[(4)]。

　しかしながら，日本国憲法が「硬性」の憲法である以上，各憲法規定はそれが明文的に改正されない限り，一定の法的拘束力（常にかならず裁判規範としての効力をもつ訳ではないが）を及ぼし続けることもまた承認しなければならない。恣意的ないし無限定の解釈変更（憲法変遷論を含む）や「硬性」憲法たる性格を否定して，完全なポリティカル・マニフェスト的取扱いを含む法文の死文化（désuétude）的理解は，国民投票等の明示的な国民意思の表示によらない限り，「革命的変更」の場合を除いては，法認識作業上では許されない。九条わけてもその2項が原則的に「人権」規範ではなく「統治」規範である点で，行政府及び立法府による裁量の余地の十分認められる規範であることを肯定しながらも，一定の法的拘束力を国家機関と国民に対して及ぼしていることも承認しなければならないことである。つまり，いわゆる「立憲主義」憲法（本書，はじめに，1，参照）として日本国憲法をみる限り，国会の通常の立法手続を基礎とした憲法変遷論は成り立ちうるとしても，そこには限界があるということである。

　(2)　ところで周知のように，自衛軍事力の存在（保持）自体を，司法権による違憲判断の対象とする法理が「平和的生存権」の観念によって提起されている。

（3）　祖川武夫・小田滋編著『わが国裁判所の国際法判例』1978年，有斐閣，194頁。
（4）　この点につき，憲法原意論の理解として，土井真一「憲法解釈における憲法制定者意思の意義㈠」法学論叢（京都大学）131巻1号，1992年，3〜27頁。同，㈡，131巻3号，1992年，11〜14頁。同，㈢，131巻5号，1992年，6〜8頁，参照。

侵略に対抗する手段の問題を国家の「統治行為」上の問題としてではなく，「個人が平和的に生存できる」人権（生存権）的権利の問題として理解しようとする立場である。しかし主権国家体制の中での一国の国民の平和や安全保障の問題或いは経済的生存の問題は，かりに「人権」の枠組の中で理解できた（或いは理解すべきだ）としても，国民全体の「集団的」人権のそれとして把握しなければならない。わが国憲法前文も「全世界の国民が，ひとしく恐怖と欠乏から免かれ，平和のうちに生存する権利を有する」（傍点・広瀬）と規定し，権利主体を「国民（people）」として理解していることも見落としてはならないことである（国際法上の「集団的」人権の典型とされる「自決権」も人民や民族の独立権のような団体的権利である）。

　たしかに「平和的生存権」の観念は，従来の「自衛権」概念が軍事力を背景とした伝統的「国家主権」ないし「国益」観念と結合していたことから脱却し，個人の人権保障と結びつく「集団的生存の権利」を目指す法理として提起されたものと理解さるべきであろう。しかし，ここでの問題はこの権利が人権概念の範疇に属しながら，本質的に集団的性格をもっていることである。憲法前文にも「われらの安全と生存」（傍点・広瀬）と規定しており，13条でいう個人の幸福追求権も，その積極的実現の形態としては，国民全体の福祉と平和を充実し追求する国民的努力過程のなかのものである。こうしてみると，「平和的生存権」という権利の棄損が個別人権上の法益侵害として直接的に把握できるかどうかは簡単ではない。いいかえれば，右生存権の前提となる「平和」価値の具体内容が，どのような制度的手続によって判断され決定さるべきか（経済政策や環境政策の問題と同様に）を解明することなしに，justiciability（訴訟適格性）を安易に肯定しえないことである。

　従ってこうした種類の人権の棄損があるとしても，裁判所を通して求めうる救済上の訴権は，actio popularis（民衆訴訟）として，そのための手続が特別に認められない限り，一般的に個人にそれを肯定することは困難である。この点で「平和的生存権」を基本的人権の枠組の中に持ちこみ，広範な論証を背景に問題を包括的に考究した深瀬忠一『戦争放棄と平和的生存権』（1987年，岩波書店，とくに3章2節3項）は，平和的生存権の「裁判規範性」や個人の「訴訟適格性」を憲法前文や九条のみでなく他の基本的人権保障条項との組み合わせから，憲法全体の総合的，統一的解釈の中で肯定しようとする。

　しかし問題は，基本的人権の類別として，「国家からの自由」を基礎観念としてもつ自由権的基本権と，「国家による」保障のシステムを前提とする生存権，

第1節　憲法九条と自衛力・国際貢献力

社会権との性格的弁別が平和的生存権を論ずる場合も必要だということであろう。そして個人の「自由権」的基本人権に抵触する内容をもつ，たとえば徴兵制度のような体制を導入していない自衛隊法について，自由権的基本人権の侵害を論ずることは無理があることは明らかであるし，いわんや「軍事力の保持」そのものを自由権的基本人権の侵害と捉えることは論理の飛躍とみられてもやむをえないであろう。

　むしろこうした「集団的」人権としての平和的生存権は，現今の「主権国家」を構成要素とする国際社会においては，平和と防衛，安全保障というような「国益」観念によって律するのが妥当と考えられる。組織や機能を含めて国家の「統治」規範の範域に属すべき権利概念である。そこに自衛隊や米軍基地の存在する「地域」の利害だけで「国民」の平和と安全の利益を代替できない性格上の特質があるのである。幾つかの訴訟で裁判所が，「平和的生存権」につき，「原告らに固有の権利，利益とはいえない」，「抽象的概念で，権利としての具体的内容をもたない」と判決している（たとえば，湾岸戦争終了直後の1991年4月に，機雷除去のため海上自衛隊の掃海艇がペルシャ湾に派遣された問題で，憲法九条の違反を理由に決定の無効確認を求めた訴訟で大阪地裁が下した95年10月25日の判決，また沖縄米軍基地強制使用のための知事の代理署名を命ずる96年3月25日の福岡高裁那覇支部判決，更にカンボジアPKO派遣違憲訴訟に関する96年5月20日の大阪地裁判決がある）のも，不明確ではあるが，こうした見方に立つものであろう[5]。或いは人権観念として理解する場合でも経済生活上の「公共福祉」のような国家の政策プログラムとして，政治過程の中で原則として解決され保障される以外にはないとみるべきが妥当であろう。――但し後述するように，自衛権の「行使」については，具体的事案に関して，国民個人に訴権があると考える。なぜならば自衛権の「行使」上の違憲，違法の問題が生じうるからである。この点は「集団的」自衛権の「行使」についても同様である。従ってたとえば，沖縄の米軍基地からのアジア大陸地域への米軍の「直接戦闘作

（5）　しかしこれらの判決が示した趣旨は，「平和的生存権」が個人的権利としては成立していないの意味にすぎず，「集団的人権」即ち「国益」として存在することを否定したものではないであろう。因みに日本国憲法でも，権利主体を「個人」に特定する場合は，「何人も」（every person）の用語を用い（16，17，22条等），また国籍者としての個人を指定する場合は，a Japanese national（10条）を用いている。"people" は用いていないのである。たしかに個人も（平和的）生存権をもっていることは疑いえない（国際人権自由権規約6条）。しかしこれは国民全体の安全保障上の（平和的）生存権とは権利の性質と保障の仕方で次元の異なる権利である。また自由権規約20条1項でいう「戦争宣伝の禁止」についても，それぞれの国の「法律」によって構成要件――良心的兵役拒否等，個人が自己の政府に対して要求できる差止請求権を含む――が定められなければならないことになっている（R. Bilder, The Individual and Right to Peace, Bulletin of Peace Proposals, Vol. 11, No. 4, p. 389.; 岡田信弘「国際社会における平和的生存権と日本国憲法」明学・法学研究47号，1991年，243頁）。

戦行動」が行われ，日本政府がこれを許容した場合（日米安保条約附属交換公文），国民個人に右行為の差止め請求や駐留米軍への協力費の一部支出禁止訴訟が可能とさるべきであろう。──

　このようにみてくると，かつて社会党のとった平和政策が従来，憲法への過剰なよりかかりに頼り（「護憲の党」の一枚看板），「憲法で許されないからダメ」というだけで，軍事自衛力の不要性を国際政治の文脈の中での政策主張として説得的に展開しえなかったことが，この党の掲げる「平和」政策を一般市民に浸透させえない拒否政党的色彩を濃厚にしたといえよう。より踏みこんで戦後史分析の文脈でいえば，1960年の安保（旧日米安保条約）改訂後に，社会党は自衛隊を合憲とする明確な政策転換をはかるべきであった（1959年の西独社民党のバートゴーデスベルク綱領の採択のように）。その新政策の中で自衛隊の規模，内容のチェックと提言を行うべきであった。要するに自衛隊の規模，内容の検討は，自衛力の「保持」の問題として国際情勢の対応に責任をもつ立法府（政党），行政府の憲法上の権能であって，基本的に国の政策判断の範囲に属するものである。つまり司法府に委ねられる性格のものではない。しかしかつて，自衛隊をその「実態」からみて違憲状態にあるとして司法府の判断をえ，司法府にその適否の判断を委ねようとする有力なジャーナリズムの見解もあった。たとえば「必要最小限の自衛力を超えれば違憲」という見解を示す朝日新聞・社説「国際協力と憲法」（1995・5・3）がそうであった。自衛力が「必要最小限」かどうかは，立法府，行政府が判断し，国民がチェックするものであって，justiciable な問題ではない。こうしてみると，安全保障論議を観念論的憲法観の呪縛から解放することが，喫緊の国民的要請だと言っても過言ではないであろう。

　しかし同時に前記のように自衛権（自衛力）の「行使」については，その憲法適合性について司法権の判断管轄の可能な（justiciable）問題もありうる。たとえば今日で言えば，湾岸戦争（1990〜91年）やアフガニスタン戦争（2001年），或いはイラク戦争（2003年）では，自衛隊の派遣について，国民の訴訟適格性はあるだろう。そこでの自衛隊の派遣目的や活動態様によっては憲法（九条，前文）の違反を構成することがありうるからである。いいかえれば，憲法の「運用違憲」が成立する可能性があるのである。

第1節　憲法九条と自衛力・国際貢献力

2　「一国平和主義」の存立条件と国際社会の変動に伴う自衛力と日米安保の導入

(1)　次に自衛隊の憲法上の位置づけを正確に認識するために，自衛隊成立をめぐる史的背景を検証してみよう。1950年の警察予備隊の結成から始まり1954年の自衛隊法の国会採択（自衛隊の成立）までに至る経緯は，1946年における憲法の採択後の国際情勢わけても極東における政治的，軍事的状況の変化と密接な関係をもつ。すなわち米ソ冷戦の激化とそれに伴う国連の平和維持機能の極端な低下，極東での中国内戦の進展に伴う台湾海峡の緊張の激化と，1950年における朝鮮戦争の発生は，日本周辺地域の政治的不安定をもたらし，日本の安全保障問題に憲法制定時に予想しなかったインパクトを与えた。

のみならずサンフランシスコ（対日）平和条約締結時までの米国主導による占領体制の継続は，日本政府の外交的自主性を奪い，右の極東情勢の不安定化に対応する米国の対日政策を選択の余地のない所与の条件として日本に受け入れるよう迫った。こうして日本自体による自衛軍事力の保持（自衛隊の前身としての警察予備隊，保安隊の結成）を要求する米国の対日政策を拒否し難い日本の選択肢としたのである。日米安保体制の確立も同様の政治的背景をもっていた。——朝鮮戦争の進行中，対日平和条約（サンフランシスコ平和条約）の起草に当ったダレス米国務長官は，日本の再軍備を吉田首相に強く要請した。しかし，一方において日本の侵略政策の復活を恐れるオーストラリア等の懸念に応えるためにも，国連憲章51条上の集団的自衛権に基づく安保体制の構想（NATOをモデルとした"Pacific Islands Security Pact"）を考え，その枠組の中で日本の再軍備を強く要望した。この構想はその後，日米安保条約とANZUS（オーストラリア，ニュージーランド，米国）条約という米国を基軸とする2つの個別安保条約として実現した。こうして日本の再軍備と日米安保条約の締結は，日本が占領体制からの早期の脱却と主権の回復をはかるために拒否の困難な代償であったといえる（NHK，プライム10「現代史スクープ・ダレス外交秘録」，証言テープが語る米国の日本再軍備計画，1992年11月9日放映，参照）。——

しかもこのさい，憲法九条わけても2項の存続は，アジア諸国の日本軍国主義再起への懸念を押さえるためにも絶対的に必要な条件であった。そこに不戦の誓いとしての九条2項が示す受身の「一国平和主義」という体制的立場と思想的基盤のゆるぎのない維持が対外的にも重要な意味をもっていた歴史的背景がある。安易な憲法九条の改訂とそれによる軍事力の明示的保持がかりに行われていたならば，当時，非武装・不戦の国是（一国平和主義）によって「国際社会に名誉あ

123

る地位を占める」ことを決意したはずの日本国民の意図への警戒感を周辺諸国民に急速に広めたに違いない。こうして日本は憲法九条（わけても2項）をそのまま保持しながら，自衛隊を結成し日米安保条約を締結したのである。日米安保という条約体制はその後，60年安保後の経済成長重視政策への転換をも可能とし，日本の政治，経済上の基本構造を規定することとなった。

　その意味では，本来，日本国憲法の枠組の中でのみ締結と作動が可能となるはずの日米安保条約上の「体制」が憲法の規定した日本国の基本「構造」を変革するといういわば従が主を乗っ取る（庇を貸して母屋を取られる）異常事態を発生させたとみる論者の認識も理由がないわけではないであろう。しかしながら後述もするように，国民の生活や生存を国際社会の客観的条件（とその変化）に対応して保護することを要求しているのが，統治規範（人権規範と共に，日本国憲法の2つの規範構成原理）としての憲法の意義と機能である以上，国際規範（条約）による新たな体制の構築が必要と国民が決定する限り（立憲主義憲法として，政党的多数の支配が統治規範の適用上のデシジョン・メーキング・プロセスである），そうした国民的安全保障の「体制」を拒否する憲法の「構造」は原理的にありえないし，かくして新たな「体制」の導入による憲法制定時の特定の「構造」（絶対的非武装主義）の変革が必要な変動状況が存在するとみなして，これを憲法の全体的コンテキストの中で吸収する作業を要請しているとみるべきが日本国憲法の妥当な理解であろう。(西)ドイツのように比較的容易に改正の可能な手続きを用意している憲法と異なり，「硬性」憲法の性格的枠組の中で，しかも将来の国際社会（のあるべき姿）をみすえ，その実現のための努力を（少なくとも将来における日本の責務として）誓った，即ち非武装国際社会の実現のための国是的方針だけは絶対堅持すべきことを九条が求めていると国民が考えている限り，一定の自衛（そして一定の国際貢献）のための武装力の保持と日米安保による同盟体制の維持は，現行憲法（前文と九条）の下でも可能とされるとみるのが妥当で的確な理解というべきであろう。むしろ安易な九条（と前文）の改正（廃止）論は，21世紀の国際社会における日本人の理想と展望のなさを露呈するだけであろう。

　しかしともかく日米安保条約の締結とその作動は，それによって日本を西側陣営に組み込むことによって，市場システムの下での日本の早期の戦後疲弊からの脱却と経済復興をもたらし，70年代以降の驚異的な経済繁栄の社会的基盤を作る原動力となったと言って，誤りでないであろう。しかし他方において，それが沖縄を始めとして日本における米軍基地問題の激化を招き，日本政治の米国政治への従属という現象をも生じさせて，一部政党と国民の間に今日なお超克できない

第 1 節　憲法九条と自衛力・国際貢献力

断層を生むこととなったことも見落とすことのできない事実であろう。

(2)　しかし重要なことはそうした日本再軍備のさいに，憲法九条 2 項の存在が日本の外交防衛政策上での「防衛力の限界」主張を根拠づける政策プログラム（憲法政策）規定として作動したことを見落としてはならないということである。すなわち極東情勢の不安定から来る日本の安全保障を日米安保条約の締結で対応する一方，憲法九条 2 項を盾にした同安保条約の「双務性」を除去することにも成功したことである。つまり九条 1 項でも否定されていない日本の「集団的自衛権」の活用によって（サンフランシスコ平和条約 5 条(c)でも日本の集団的自衛権の保持が確認されている），——因みに集団的自衛権の「保持」を肯定することは，侵略防止上の「抑止力」観念を肯定することであり，米軍の日本駐留は，その意味で日本の「集団的」自衛権の「保持」の具体的表現である。——日本領土の「専守防衛」のための補完力としてのみ（昭和34年の砂川事件最高裁判決，参照）米軍の日本駐留を認める(6)と共に，一方，九条 2 項の「交戦権の否認」条項をフルに活用して，米国領域への攻撃に対する日本の軍事支援（日本の米国に対する軍事同盟的集団的自衛権の「行使」）の拒否という立場を貫くことにも成功したのである。

　ここには日本が「保持」している集団的自衛権の目的機能の限界が明確に示されている。憲法九条 2 項の存在意義がここにあるのである。日米安保条約 6 条及び附属交換公文に，いわゆる「極東条項」がありながら，ベトナム戦争への捲き込まれを避けえたのも，こうした日本の「集団的」自衛権への制約を指し示す憲法九条 2 項の効用であったといってよい。——その意味で，「集団的自衛権はあっても行使はできないという類の議論は詭弁」以外の何ものでもなく「それは行動する世界の人々の言葉とほとんどなんの関係もない」と批判する高坂正堯，「21世紀の国際政治と安全保障の基本問題」，外交フォーラム，緊急増刊，1996年 6 月，22頁の見方は，戦後の日本の安全保障史における日米安保条約体制の評価に関する限り，大きな認識不足であろう。なお「行使」のできない「権利」は保持の意味がないという議論もあるが，妥当ではない。国連安保理事会常任理事国数の増加という憲章改正論議が提起された2005年，日本を含め若干国は，拒否権をもつ常任理事国に新たに選任されても，拒否権は行使しない（自主的不行使）と説明した経緯がある。——

---

(6)　ニカラグア事件に関する国際司法裁判所の判決は，「個別的自衛権の行使のみならず集団的自衛権の行使（exercise）についても，その権限の行使は直接の武力攻撃の被害国に属する」（ICJ Reports, 1986, para. 195）と述べて，日本が被害をうけていない段階で，勝手に即ち日本の同意なしに在日米軍基地の戦闘使用が可能でないことと，また日本の同意があった場合には，日本が直接の攻撃をうけていない場合であるから，これは完全に日本の集団的自衛権の「行使」に該当することになる，という含意を示したとみられよう。

こうしてみると当時の軽武装政策による軍事費負担の抑制が、日本経済の復興を促進した事実は説明の必要のない明白な事実と言えよう。ここにも憲法九条２項が積極的評価を与えらるべき史的経過がある。

以上にみたような憲法の成立過程とその後の国際社会の客観条件の変化を背景に、自衛隊の存在が憲法九条上でも法規範的に否定しえない状況が形成されたとみて、決して不合理とはいえないように思われる。旧日米安保条約（1951年）の前文は次のように規定している。「日本国が、攻撃的な脅威となり又は国際連合憲章の目的及び原則に従って平和と安全を増進すること以外に用いられうべき軍備をもつことを常に避けつつ、直接及び間接の侵略に対する自国の防衛のため漸増的に自ら責任を負う」と。これは歴史上、講和条約で通常見られる敗戦国に対する明確な再軍備制限条項の形態をとってはいないが、しかし武装が自衛を名としながら、しばしば侵略政策の手段に転化しうる事実を考慮して、日本の保持しうる軍事力の目的、数量、形態等の制限を要求したものといえよう。

しかし他方また、憲法九条とくにその２項の存在にも拘わらず、自衛（専守防衛）のための軍備を漸増させるべき政策プログラムの作定と実行を、米国は期待し日本は約束したものであることも間違いない。そして注意すべきことは、その後、米軍の日本駐留に関する憲法争訟は提起された（砂川事件）が、旧日米安保条約前文で約束した右の日本の「再軍備政策」に関する違憲訴訟（旧日米安保条約上の日本再軍備規定の違憲性を問う訴訟）は提起されたことがないことである。こうして今日では国民の多数が自衛（専守防衛）目的のための軍事力（自衛力）の存在を肯定し、また砂川事件最高裁判決にも示されたように、自衛力の補完としての日米安保条約上の米軍の存在も肯定していることは明白な事実といえよう。そしてこの国民的意思は既に長期にわたって定着したものとみてよい。

3　「認識方法」としての憲法変遷論と自衛力・国際貢献（国連協力）力

(1)　こうしてみると今日の国際及び国内の社会的、政治的条件下で、日本国民の意識状況に最も合致する憲法の理解としては、自衛力の「保持」については、その実態すなわち規模、内容を含め、これを立法府と行政府の政策的判断に委ね（最終的には国民意識に基礎を置くが）、自衛軍事力の「行使」についてのみ司法的判断の対象となしうるという見方が、最も無理のない合理的な理解であると考える。

それを完全非武装，絶対不戦という憲法原意（立法趣旨）からみて，憲法の「変遷」というのであればその通りであるが，しかしそれは憲法（九条）の「認識方法の変遷」であっても，硬直的な「規範変遷」のそれではない。九条2項はそのものとしてなお原初的意義（かりにすべて裁判規範としてではなく，政策プログラムとしての意義にとどまる場合があるとしても）を日本の安全保障上の規制枠組（国是）として持ち続け，効力を保持しているのである。

　つまりこう言えよう。自衛軍事力の「保持」に関する政策的判断の中身は，憲法原意である「完全不保持」への方向的回帰をも含み（目指し）ながらも，或る時点における軍事力の規模や態様はすべて政策的当否の問題として理解すべきだということである。従って保持する軍事力それ自体（防衛力の実態自体）の違憲，合憲の議論は無意味だということである。

　自衛の軍事力とは，対象国の侵略を防止する「抑止力」(deterrent) として理解されるのが国際通念であるから，自衛力の規模，態様は，仮想敵国の軍事力や友好国による安全保障体制上の協力能力，更には国連の平和維持能力等から総合的且つ相対的に決定する以外になく，これは裁判所による司法的判断にもともとなじまない性格のものである。もとより自衛隊が軍事力であることは否定しようがないから，それが「抑止力」として意味ある存在である以上，歴代の日本政府が違憲，合憲の判断基準とした「戦力」か「戦力ではない自衛力」かの区別の論議は，裁判規範に関する論議としては全く不毛であるといわざるをえない。有効な「抑止力」であるためには，圧倒的な「戦力」であることこそが軍事戦略的には最も望ましい「自衛力」の内容を構成するからである。しかしそれは政治，外交上の国是としての九条2項が要求している方向ではない。但しあくまでもそれは政策的当否の問題であって，立法府，行政府（そして最終的に国民）が判断すべき問題であり，裁判所の判断すべき問題ではない。——但し生物，化学兵器のように，条約や国際慣習法で「保有」が禁じられているものについては（生物，化学兵器については，使用のみならず製造，保有を含めて包括的禁止条約がすでに成立している），それに違反して同兵器を日本が保持したならば，違法（条約ないし国際慣習法の違反）となるが，その判断権は司法府にもある。但し違憲判断ではない。——

　従って砂川判決が「防衛力」と区別してわが国が保持しないとした「いわゆる戦力」とは，侵略目的の武装力を意味し「戦力一般」を意味するものではないといえよう。かりに「侵略能力」として「戦力」を理解するのであれば，「侵略」は国家の政策意思に基づくものであって，軍事的能力そのものから帰結さるべきものではないことを知るだけで十分であろう。国家の政治形態や外交原則などの

国の体制的あり方（これは裁判所の判断すべき問題ではない）を別にして，「戦力」の実体だけからでは「侵略」の意図も目的も推定できないからである。こうして自衛隊は「戦力」ではなく「自衛力」だという政府見解が，「戦力」と「自衛力」の概念論争を通じて自衛隊をめぐる長期に亘る不毛な憲法論争の原因を作ったと言って決して過言ではないであろう（但し，違憲，合憲の法律論争ではなく憲法政策上の当，不当の政策論争は絶対に必要である。かつて述べた（広瀬善男『主権国家と新世界秩序』1997年，信山社，二章，2，(c)）ように，「軍事が政治を規定する」という逆マキシムの作用を否定できないからである）。自衛隊は「戦力」ではあるが「自衛目的」の軍事力は憲法九条2項が「禁止した戦力」ではないという見解を，政府は初期の段階で提起すべきであったし，それにより「自衛力」の規模，内容に関する「憲法政策」上の論議に入るべきであったのである（但し社会党の早期の政策転換も必要であった）。

(2) ところで「憲法変遷」とは憲法機関上，国家政策の実施に権限と責任をもつ立法府と行政府によって憲法実践が行われ——その政策の妥当性は最終的には国民が判断するが——，憲法制定時の立法趣旨を「変更」する（憲法立法時の「解釈」ないし「理解」が変更されるといってもよい）ことを意味する。

しかしこの場合注意すべきことがある。それは「変更」の対象は憲法の特定条項の具体的「解釈」ではなく，すなわち立法時の理解では違憲とされた措置（自衛力の保持）を今度は合憲とする（逆の場合もありうる）という規定「解釈」上の変更（たとえば刑法上の猥せつ罪上の「猥せつ」の概念は時代と共に一般民衆の常識の変化と共に変化した顕著な例だが）ではなく，そうした本来司法府によって担保されるべき具体的な違憲，合憲の判断とは異なり，もっぱら国家政策上の妥当性の問題として国民自身の判断，つまり具体的には立法，行政の両機関に判断を委ねるという，憲法の「構造的理解」の「変更」が必要とされるということである。つまり，憲法九条の規制枠組の中にある（べき）自衛権や自衛力及び国際貢献（国連協力）力の保持の問題は，日本の国家的安全保障や国民の享受すべき平和の問題として，国際社会の状況変化に柔軟に対応して，その規範的価値内容を条文理解の方法的変更で対応すべきことを，憲法はもともと予定しているという考え方を導入することが重要だということである。こうした「変遷」論が重要ではないかということである。

換言すれば自衛（軍事）力や国連協力のための軍事力を「保持」するかどうかという国家（統治上の機構設定）問題については，国政のチェック機関である司法府の判断権が本質的に及ばない（司法権の行使になじまない）事項ということを

前提に，憲法「構造」上で，国民的承認を前提にしながらも立法，行政機構による国家政策の実践の結果を，そのまま憲法条項の実践（実効憲法の成立）として理解し受容さるべきことが予め憲法体制に組み込まれているとみるべきではないかということである。

すなわち九条2項という憲法規範は，「規範」としては，その許容包容力の大きさからみて，形式的にも実質的にも何らの変遷もせず同一規定としての法源効力を有しながら，自衛力及び国際貢献（国連協力）力の「保持」に関する政策だけが変更されたにすぎないとみることはできないか，ということである。もとよりそうした憲法九条2項に関する構造的理解は憲法制定時にはなかったけれども，その後の憲法実践を通じて国民の中に合目的的に形成されたというとらえ方が自然な国民意識の理解の仕方であるとすれば，それはたしかに規範認識（規範価値観）上の「変遷」があったといえるであろう。しかしそれは学説的に通常主張される「憲法変遷」論として理解される必要はないであろう。具体的行為について違憲が合憲または合憲が違憲になったわけではないからである。

要するにこの見方では，自衛力の「保持」（その態様を含めて）など防衛力の「有無」は，すべて政策問題で，違憲，合憲の対象となりえないとするが，しかし九条2項の法的拘束力は，「自衛を目的とする」という政策策定上の目的，方針の限定規範としては作動するし，更に九条1項が国際連盟規約（前文，1919年）や不戦条約（1条，1928年）及び国連憲章（2条，3及び4項）と同一の意義，性格をもつにすぎない（即ち自らの国際紛争解決のための武力行使＝戦争はしないが，侵略をうけた他国を軍事力で支援できる集団的援助＝集団的自衛権は行使できる）に反し，2項の存在によって今日でも（日米安保条約が示すように），集団的自衛権の行使（保持ではなく）についてだけはこれを違憲，無効となしうる実効憲法（憲法原意と同一内容）としての効力をもつ（その点で不戦条約や国連憲章等より制限的厳格性をもつ）とするものであるが，こうした思考方法が今日，わが国の憲法論議上でぜひ必要な見方ではないのか，ということである。

更に付言しよう。国連の平和維持活動（PKO）への自衛隊の参加は，そのPKO活動の中に武力の行使（任務の妨害排除のための軍事力の使用）があっても，本来，現行憲法（憲法原意）が前提としている国際社会における「平和を愛する諸国民の公正と信義に信頼して，われらの安全と生存を保持しようと決意した」「われらは，いづれの国家も，自国のことのみに専念して他国を無視してはならない」の精神（憲法前文）を積極的に活用し（一国平和主義の積極的国際化への発展），そしてこれは憲法の平和主義原則からの逸脱ではなく，むしろ貢献だと理解する

第3章　九条と集団的自衛権

立場に立脚する行動だと考えるべきなのである。そしてこの国連平和活動への参加は，国連憲章第7章上の軍事行動への参加も憲法上は禁止してはいないとみる立場を導こう。もっとも憲章第7章上の安保理事会の決定は，国連の平和活動（PKOを含む）への各国の参加を義務づけるものでは通常なく，「勧告」的決議が一般であるから，わが国がそうした国連活動に参加するかどうかは政策的に（政治的当，不当の判断に基づき）決めればよいことである。——たとえば憲章違反の性格の強い2003年のイラク戦争については，参加の要請をわが国憲法の精神上，拒否すべきであったであろう（この点につき，広瀬善男『国家・政府の承認と内戦・上』緒言—「構造的」テロ論—，2005年，信山社，参照）。——しかし問題は，「国連平和（維持）活動」については，日本の参加は原理的に現行憲法上で否定されていないということを認識することが重要だということである。そうした実効憲法が今日，成立しているということである。

　もとより，かりに九条2項の具体的政策展開として自衛力或いは国連協力（国際貢献）力を「保持」したとしても，かくして保持したわが国軍事力の「行使」（運用）問題は単なる「政策」問題にとどまらず，合憲，違憲の判断を必要とし可能とする司法的統制の対象とさるべき（justiciability）問題であることを見落としてはならない（たとえば国連決議を経ない武力行使，戦争への参加の問題。かりに直接の被害国にとっては国際法上許容された個別的自衛権の行使であっても，それが安保理で確認されない以上，その武力行使に第三国である日本が参加することは，憲法上で許されないわが国の集団的自衛権の「行使」となろう。）。その意味では憲法九条を単なる"political manifesto"とみる見方（たとえば高柳賢三氏の理論）は妥当ではない。

　(3)　さてここで，認識方法として再構築を試みた「憲法変遷」論の中で果している九条2項の存在意義は何かを改めて問い直してみよう。それは第1に，わが国憲法が硬性憲法である以上，その性格の中で実定の条項文言は有効に機能しなければならないはずである。このことだけは確認しておかなければならない。ところがその規定が全く作動せずいわゆる死文化状況に陥れば改正手続によって改訂しない限り，新しい国際社会の時代状況に対応することは不可能である。従って，九条2項が「非武装化」という本来の立法趣旨を保持しつつ（この趣旨を消去することは，九条と前文がもつ憲法の基本精神，即ち「人類の平和的生存権」の確立というプリンシプルを放棄する可能性を生ぜしめる），時代状況の変化に対応させて（暫定的であるにせよ，また暫定的ならしめるための努力を誓いつつ），一定の武装力を保持するために，条項文言としての「前項の目的を達するため」の規定を新た

第1節　憲法九条と自衛力・国際貢献力

に活用して（立憲時においても既に芦田修正としての議論はあったが），国際社会の状況変化に応じた「憲法変遷」観念の再構築を試みることは，決して不当なこととは思われない。むしろ必要不可欠な理論構築と言えるのではなかろうか。

　こうして，九条の1項で規定した国際連盟期以来定着してきた「武力不行使原則」の遵守という枠組の中で，一定の自衛力（と，その後，国際貢献力）の保持，行使を可能ならしめる規定として九条の2項全文が活用され機能を発揮しうることを注意しなければならない。即ち過剰な軍事力に至らない抑制的性格の自衛隊の設置を認めること。そして冷戦時においては，自衛補助力として日米安保体制に基づいて米軍を受け入れること。しかしそれに伴う米軍の海外活動への捲き込まれリスクへの防波堤として九条2項の積極的活用を試みることが，これである。ここには憲法原意を強固に保持しつつ，北東アジアの軍事的緊張への有効な対応策を可能ならしめる憲法条項の再活性化の試みがある。憲法変遷論を認識方法として再構築する立場が即ちこれなのである。

　第2は，連盟規約や不戦条約では許容されていた（そして国連憲章の51条で新たに構成し直されて導入された）集団防衛ないし集団的自衛の権利を日本もその保持については容認しながらも（九条1項では否定していない），戦前の集団防衛や今日での集団的自衛権がその権利行使を確実にするための事前の条約化によって軍事同盟化し，対抗同盟間の対立を招いて軍事緊張を高めたことへの反省（戦間期における日独伊の軍事同盟がひき起こした戦争の世界的拡大による惨禍への反省が，戦後日本の憲法九条の採択への動因ともなった）は，九条2項の「非軍事化」条項の作動を通じて，日米安保条約を日本の専守防衛に限定し（砂川事件に関する1959年の最高裁大法廷判決は，日本駐留の米軍は，日本の自衛力の不足を充たすための補完力としてのみ認めた），米軍支援のための日本の集団的自衛権の「行使」を禁じたことも，九条2項原意の発展的で且つ有効な作動を示したものとみなければならないであろう。

　更にもう1つ。九条2項の意義（原意であると共に今日でも有効な外交的国是を示す）は，国際社会の「非武装化」（軍備縮小と撤廃）に向けての日本の努力を国家的責務として実行するよう要求していることである。憲法原意としての「一国平和主義」の国際化への規範的誓約がこれである。憲法前文が「われらは，全世界の国民がひとしく……平和のうちに生存する権利を有することを確認する」と宣言した「平和的生存権」の主張は，こうした九条2項の存在なしには十分には担保されえないことを忘れないことである。

　以上みたように，かりに「憲法変遷」論が成り立つとしても，そうした方法論

的思考の転換を伴った理論の構築が，少なくとも「硬性」の憲法解釈学としては必要ではないか。こうした検討が今日，九条をめぐる憲法論議上で不可欠のように思われるのである。

　(4)　ところでわが国の憲法学界でもいわゆる「憲法変遷」に関する議論が，肯定，否定のいずれを問わず少なくない。しかし今日までに論じられているところでは，いずれについても必ずしも十分に説得的でなく，自衛隊の存在自体に関する国民意識との乖離は甚だしい。

　各種の世論調査では，災害救助目的での自衛隊の存在を肯定する意見を別にしても，侵略からの日本の防衛を目的とするいわゆる専守防衛用の自衛隊の存在について，1990年代において既に肯定的意見が6〜7割に達している。たとえば，総理府が1995年（12月9日）に発表した世論調査によると，自衛隊が存在する目的（複数回答）では，当該年1月の阪神大震災を反映し「災害派遣」が66.0％と「国の安全確保」の57.2％を抜いてトップになったが，海外派遣についてもPKOへの自衛隊参加に賛成（どちらかといえば賛成を含む）が75.1％に上り，自衛力の保持と自衛隊のPKO参加への賛成意見の定着ぶりが明瞭になっている。しかし注意すべきは，この自衛力肯定論の場合でも憲法九条の改定が必要だと主張する意見は過半数に達していないことである。すなわち93年（8月15日）の日経新聞の世論調査発表によると，九条改正につき賛成が41.6％，反対が42.3％であったし，93年（3月）のNHK調査では，憲法改正が「必要」38.4％，「不要」34.1％のうち，前者の回答者について更に九条に絞った質問をした結果は，九条改正の「必要なし」が「必要あり」を上回っている状況があった。しかし97年の調査では，九条改正の世論が上昇傾向にあることが確認されている。これは日本の集団的自衛権の「行使」の問題と関連しているとみられ，注意すべき現象と言えるであろう。

　21世紀に入り，北朝鮮の核兵器開発の状況が広く知られるようになり（更に日本人拉致問題もからみ），小泉純一郎政権の下で，日米同盟における日本の米国に対する軍事的協力強化の傾向が進んだ。たとえば神奈川県座間基地への米陸軍第1軍団司令部の移転を中核とする在日米軍再編の進行はその象徴といえよう。このことは，本来，専守防衛用の自衛隊の補助力としてのみ駐留を許されたはずの在日米軍が，今後は米国のアジア・中東という不安定の弧と呼ばれる広大な地域に対する軍事戦略の一環として活動し，そうした米軍活動の補助力として日本自衛隊が位置づけられるという，従来の立場からの逆転が生ずることを意味しよう。こうした日米両政府間の話し合いに呼応するかのように，自民党の憲法改正案の

第1節　憲法九条と自衛力・国際貢献力

発表があり（2005年10月），九条1項は維持するが，2項を削除して，自衛軍の保持を明記し，国際の平和と安全確保のための国際協調活動を自衛軍の役割とすると共に，保持する自衛権には個別的自衛権の他に当然「集団的自衛権」も含まれる（具体的には「法律」で定める）とするものであった。こうした社会的趨勢の中で，国民的世論はどのような状況にあるのだろうか。2004年5月の朝日新聞調査では，2001年4月調査と比較しながら次のように報告している。九条については「変える方がよい」が前回（2001年）の17％から31％に増加し，「変えない方がよい」は前回の74％からは減ったが，なお60％を維持した。また集団的自衛権については，「保持するが行使しない」という従来からの政府の立場を支持する立場が44％を占め，「憲法を改正して使えるようにする」が28％，「憲法は改正せず，政府解釈を変えて使えるようにする」が20％であった。更に自衛隊の海外活動については，ほぼ8割が容認したが，そのうち「PKOまで認める」が45％を占め，「イラクのような戦闘の続いている国での復興支援も認める」が25％，「必要なら武力行使も認める」が13％，「自衛隊の海外活動は一切すべきでない」は12％にとどまった。ただ自衛隊の海外活動については国連安保理事会の決議が「必要」という意見が70％にのぼった。また日米安保条約の維持については，賛成が73％で反対が15％だった。但し，日米安保条約の「強化」は7％にとどまり，今後の日本の安全保障は，「米国だけでなくアジアの国々とも安定的な安全保障枠組みを作るべきだ」が51％の賛成を得ている。更に，2006年の朝日新聞調査（5月3日）によると，九条をめぐり，「1項，2項とも変えない」という「改正反対」が42％「改正賛成」は，「1項だけ変える」9％，「2項だけ変える」16％，「1項，2項とも変える」18％を合わせて43％だった。またPKOについては，「カンボジア型まで認める」が46％で最も多かった。なお自衛隊の存在を憲法を改正して明記すべきかについては，「必要」が62％で「不必要」の28％を上回った。集団的自衛権については，「使えない」という現行の政府の立場の維持が53％，「使えるようにする」が36％であった。

　(5)　こうした世論状況をふまえて，わが国憲法学界における「憲法変遷」の論議について，いま少し検討してみよう。

　たしかに樋口陽一氏が言うように，憲法九条2項の立法者意思とは完全非武装のそれであり，そうした立法者意思すなわち憲法原意が「所与の客観的な存在であり，解釈者自身の価値判断……によって動かすことができない」「硬性憲法典上の憲法法源とされている[7]」ことは事実であろう。またたしかに「所与の客観的存在」を不存在化したり否定したりすることは，憲法の「解釈論」上でもも

第3章　九条と集団的自衛権

ちろん許されない。

　しかしながら，憲法「法源」が憲法の「動態性」を肯定するかぎり，憲法慣行（習律）として変遷をうけうることもまた否定することができないだろう⁽⁸⁾。なぜなら硬性憲法であっても，「改正」のための手続規定の拘束をうけずに，一定の枠内で（この枠組をどう構成するかは重要な問題だが，成文憲法の特性として，この枠組拘束をすべて否定するわけにはいかない），客観的に（解釈者の主観的価値判断ではなく，三権分立制度の憲法構造上の手続の行使と運用を通じて）変遷し，新たな法的価値基準，つまり新たな憲法法源（実効憲法）として成立しうることまで否定するわけにはいかないように思われるからである。

　たしかに（西）ドイツ基本法のように，「改正」が特別多数を要するとはいえ国会の議決（連邦議会の2／3の議決）のみで可能で，国民投票を必要としない簡易な「構造」をもっている硬性憲法の場合は，運用解釈上の重大な変更は改正手続の援用が一般的に要求されているといえる。しかしそうしたドイツでも「安全保障」問題で，司法府による憲法解釈を通じて，憲法条項の理解の変更が行われたことがある。すなわち1994年（7月12日），ドイツ連邦憲法裁判所は，国連（安保理事会）の承認を条件にドイツ連邦軍の海外派兵を，従来NATO地域に限定していた理解を改め，NATO域外にも可能となるよう適用地域の拡大を認める判決を行ったのである。

　ところで右にみたわが国憲法九条の（自衛力保持に関する）法源変更は，前述した私の「憲法変遷」理論に基づく限り，具体的な規範解釈の変更ではなく，法源の方法論的認識の変更である。つまり具体的には憲法の基本原則に関連した政策的価値基準の変更にすぎない。従って小林直樹教授が「憲法変遷」の条件として，通常の憲法慣行（習律）の成立よりも加重された慣習法形成の厳格条件（opinio jurisと一般的慣行の証拠）を要求したとみられる次の見解には賛同できないように思われる。すなわち小林教授は右の慣習法的「憲法変遷」の条件として，国民の「社会的同意」をあげ「この種の同意が圧倒的になり，制定規範のもとの意味を固執する反対意見がほとんどなくなるといった状態にまで達し，しかもそれが長期にわたる安定を示すときには，……法源の変更を来たす変遷の成就……が生じたとみるほかない⁽⁹⁾」と述べているのである。

（7）　樋口陽一「『憲法変遷』の観念」和田英夫編『法学文献選集4・法と国家』1972年，三省堂，所収，262頁。
（8）　芦部信喜「憲法改正と変遷」法学教室6号，87頁以下。
（9）　小林直樹『憲法秩序の理論』1986年，東京大学出版会，254～255頁。

134

第 1 節　憲法九条と自衛力・国際貢献力

　しかし通常の憲法慣行の形成を可能とする国家の行為（社会的事実）は，常に裁判所による司法的統制をうける（たとえば選挙区定員については法の下の平等という人権原則から，具体的選挙について仮りに無効の対象となりえなくても違憲ないし違憲状態の判断はこれをうけ，下位法規による右定員が憲法慣行上の定員枠として形成されることはない）が，国の安全保障に関する国家の統治機構の問題については，日米安保条約と米軍の日本領域駐留違憲問題を判断した砂川事件に関する最高裁判決がそうであったように(10)，Political Question（政治問題）ないし Act of State Doctrine（統治行為）論の適用をうけ，司法的統制になじまない行為として理解さるべき性格をもっているという立場がむしろ一般なのである。
　このことは次のような憲法慣習法の形成過程を，認識上で導入すべき必要性をわれわれに迫っている。すなわち自衛隊関連法規の憲法慣習法化を認定する場合でも，通常の慣習法化の条件（「法的信念」と「確立した慣行」）を前提するのではなく，憲法前文と九条に掲げられた日本の平和と安全に関する既存の法原理を，国家機構システムの意思決定手続に従って展開する「制度的・機構的慣習法」(institutional customary law）の形成(11)の過程としてとらえるべきだということである。
　こうした見方では，「民衆意思」を法源変遷の最終根拠とはするが，民衆意思の測定方法としては，レフェレンダム（国民投票）制度を政治的（法制度的でなくてもよいが）選択の手段として設定すべき余地は残しながらも，立法府活動とそれを支える国会議員選挙結果を法源変遷の認識基盤に置くほかないように思われる。従って1946年の旧憲法下の最後の帝国議会で制定した（このさい国民投票による承認手続きはなかった）さいの軍事力完全否定の理解（九条 2 項の原意）は，その後の新憲法下の立法府（国会）の議決（この議決を可能にする多数党の形成は，総選挙を通じての民衆の多数意思を基盤とする）によって，その段階で，その都度（議決の変更があればそれはそのまま），憲法法源の新たな成立（法源の再変遷を通じて逆に憲法原意にたちもどることも当然ありうる。因みに制定時の解釈への復帰は常に可能であるとの主張に関し，芦部信喜説の分析として，粕谷友介「わが国における憲法変遷論の批判的考察㈡」上智法学20巻 1 号，1976年，90頁，参照）によってとって替わられるべきことを，日本国憲法は（硬性憲法ではあるが，比較的簡易な改正手続

---

(10)　S・坂田ら〔砂川事件〕，最高裁大法廷，昭和34年12月16日，祖川武夫・小田滋編著『わが国裁判所の国際法判例』1978年，有斐閣，195頁。
(11)　制度・機構慣習法の理解については，広瀬善男「国際慣習法に関する新たな視座——国益，自生慣習法と人道，制度慣習法——」明学・法学研究61号，1996年，参照のこと。

を設けたドイツ基本法よりも重視し）予定し容認したものとみるべき余地が，十分にあると思われるのである。

　従ってこの変遷を可とする民衆の同意は「圧倒的」である必要もないし，憲法原意に「固執する反対意見がほとんどなくなる」状況の出現が必要でもない。かりにそうした状態が出現するならば憲法改正も困難ではないし，憲法変遷論の学理的必要性もなく，硬性憲法での法源変更は「改正」手続だけで十分であろう。問題はむしろ多数の国民意識が九条の改正を望まず，しかも自衛力の存在を肯定していることにある。こうした国民的理解を憲法理論上でどう構成するかが学界に課された任務なのである。そしてこのことは，今日の自衛隊の存在に関する定着した国民意識を後智恵的に説明するためではなく，本来，憲法制定時に十分展開さるべき性格のものであり，それがあったならばその後の長期に亘る非生産的な自衛隊に関する憲法論議のかなりの部分を防ぎえ，自衛隊と日本の安全保障を裁判規範としての憲法論ではなく（但し前述したように，九条１項に関係する場合は憲法・裁判規範論の作用が必要だが），憲法政策論として充実した論議が展開されえたと思われる。

　因みに自衛隊に対する今日での多数の国民の法意識は，要するに「自衛隊は現憲法上で違憲とはいえない」というだけのもので，それを「法解釈学」の枠内での規範的価値の変更としてみているのか，或いは「法解釈学」の枠組から出た「方法論的認識」の変更としてそのようにみる（憲法九条を一定の限界内ではあるが，政策科学的要請規範とみる）のかは問うところではない。それは専門学者の学問的分析にまかされればよいことなのである。たとえば法「実証主義」の方法論的立場からみれば適切な引喩ではないかもしれないが，法哲学の分野でよく知られているシュタムラー（R. Stammler）の「内容の変化する自然法（Naturrecht mit wechselndem Inhalt）」の観念を考察方法の中にとり入れることである。それによって憲法九条が表現する「憲法法源」を「自然法」的価値規範として理解し，その具体化はそれぞれの時期に制定される実定法すなわち「実効憲法」に委ねられるという見方をとることが，最も合理的で無理のない国民意思の法理的構成のように思われるのである。

　そして重要なことは，かりに法解釈学の枠組の中で，「憲法変遷」論を容認する立場をとったとしても，「完成された法源変更」つまり憲法慣習法の成立（憲法変遷）があったかどうか，或いはその過程での「憲法習律」の成立にすぎないかは，「実効憲法」の形成という点では相違がないことである。ただ時間的過程とオピニオ・ユリスの数量に差があるだけである。わけても「法的安定性」とい

うことでは,「軍事力の保持」がすぐれて国際社会の条件に左右されるという性格的特徴をもつだけに,慣習法的変遷か単なる習律の成立にすぎないかを問うこと自体,無意味なことである。のみならず「軍事力の保持」に関する限り,憲法九条上で一定の限界はあるが,"justiciability"がないという立場に立つ限り,一定時点における法的効力は両者で全く異ならないことを承知しなければならないだろう。

　そうした観点からみると,自衛隊(自衛力の保持)が国民にどれほど受け入れられようと(したがってたぶん最高裁の合憲判決があったとしても),「憲法改正が行われるまでは違憲の実例が積み重なるだけで,憲法学としてはその事実を記述するだけで十分で,それを解釈論上の『憲法変遷』と言うだけの実益はない」という議論(高橋和之,「憲法変遷論にみられる混乱の若干の整理(下)」,ジュリスト974号,1991・3・1,55頁;傍点・広瀬)は,Wissenschaft というよりは,憲法論議に自己の信奉する神学ないしイデオロギーを導入し,国民的多数意思の無視を生じかねない危険があるように思われる。

　小林直樹教授が「憲法の規範力といっても,憲法自体に何らかの自律的な発条や働きがあるわけではなく,主として,それを作り且つ働かせる国民の主体的なあり方が,規範の作用力の有無,強弱を決定するのである(12)」と述べているのは,その意味で警鐘的意義をもつ発言といえよう。たしかに国民の多数意思がそのまま J. J. Rousseau の言う Volonté Générale とはいえないとしても,究極的な法源意思として,国民意思をどのように「統治規範」の法認識上で構成しうるかの検討を行う場合の重要な素因として評価すべきことが法学者の責務であろう。

　ところで右にみてきたように,憲法九条の「構造的理解」すなわち一定の枠組の中で,自衛軍事力の「保持」を政策的裁量行為として肯定する理論は,当然のことながら,軍事力保持の目的枠組としての「自衛」(九条1項が自衛権の存在を否定していないことについては異論がない)概念には拘束されるから,逆に言ってこの自衛権をも明文上で否認したり,自衛権の存在を認めていても,その行使手段としての軍事力を文章上で明示的に否定する規定が置かれる(現九条2項のように「前項の目的を達するため」というのではなく,「いかなる目的と意味においても」ないし「自衛の目的といえども」という文言を置く)ならば,自衛軍事力の「保持」についても,これを政治的裁量行為として是認する立場は全く成り立ちえない。

　同様に,自衛力の「保持」を政策問題としてではなく,裁判規範としての憲法

---

(12)　小林直樹『憲法の構成原理』1971年,東京大学出版会,20頁。

判断を必要とする九条2項上の覇束行為として理解しながら，なおかつ「憲法変遷」論の導入によって自衛軍事力の「保持」の合憲性を肯定する理論も，九条2項に「前項の目的を達するため」という規定がおかれたため，それによって憲法制定後まもなく軍事力保持の容認と結びつける九条2項の解釈を生んだ（いわゆる芦田理論）九条（わけても2項）の条文形式の書き方と無関係には成り立ちえなかったと思われる。そうでなければ九条2項は完全に死文化（désuétude）したとみる以外にはないであろう。しかしそうした九条2項を死文化したとみる意識は，自衛隊を憲法違反とする立場にも，また自衛隊を九条2項の容認するところと主張する立場にも，全くみられないことに注意しておかなければならない。

つまりこう言えよう。数字や固有名詞等，条理や文理上で他に解釈の余地の全くない内容明白な規定や，文言上でも文脈的に他に異なる解釈の入る余地のない規定，たとえば「自衛の目的といえども」いっさいの軍事力を保持しないという明白な制限文言が置かれた場合は，当該憲法規定の政策裁量行為としての性格が否定されるのみならず，自衛軍事力の保持に関する限り「憲法変遷」論の適用の余地のない「硬性」的性格の規定として取扱わざるをえないであろう。

更にもう1つ。国際連盟規約や不戦条約更には国連憲章でも強行規範（Jus Cogens）とされ，国際慣習法としても確立している「侵略禁止原則」のような国際社会で確立した法原則で，これを成文の憲法法規で受容し，従ってこれに一国家一国民の意思のみでは変更することのできない規範的効力を与えた場合（憲法98条2項，参照）の法条項，たとえば憲法九条1項の「国際紛争解決の手段としての武力行使禁止」の原則については，「憲法変遷」理論の及びえない，且つまた「改正」手続の対象としてもなじまない硬性憲法規範としての性格が与えられているといえよう。

すなわちこの原則（憲法九条1項）に違反して，保持した自衛の軍事力（「保持」自体は憲法変遷の可能な枠組内の措置であっても）を侵略目的に使用する「国家行為」があった場合，それが立法や行政の国民的同意の下で行われても，「憲法変遷」を可能とする構造的枠組の中に在るというわけにはいかない。政策裁量行為として容認することもできない。現行憲法の「革命」的変更としては可能であっても，現行憲法の枠組内の行為としては許容されることはない。人権規範と同様に，裁判所による違憲立法審査権の対象となりうるのである。──或る国の武力（または準武力）の「行使」が，国連憲章や国際慣習法上の自衛権等により合法性をもちえたか否かの判断は，安保理事会等，国連の政治機関の独占的権限に委ねられるわけではなく，国際司法裁判所の司法的判断の対象となりうる（justiciability がある）

第1節　憲法九条と自衛力・国際貢献力

との見解が，1986年のニカラグア事件に関する国際司法裁判所の判決でも示されている。広瀬善男『力の行使と国際法』1989年，信山社，361～366頁，参照。——その意味では「枠」そのものの変遷による無原則ないし野放しの憲法法源の変遷は認められないといえる[13]。

(6)　こうしてみると，憲法九条2項の存在意義は今日でも大きく，それは2つの機能をもっている。

1つは，政策プログラム（憲法政策）としての機能である。その内容として，①日本の「安全保障」に関する政策枠組(パラダイム)を提供する。②今日と将来の国際社会の「平和」秩序確立のための日本の外交国是としての意義をもつ。これである。

すなわち①についてみれば，「低」軍事費と「軽」武装方式の堅持と，極東地域における安全環境の状況を考慮しながら，軍事同盟的「個別安全保障」方式から漸次，国連憲章が本来予定する「集団的（或いは地域的）安全保障」方式への転換をめざす防衛政策の採用が要求されることである。欧州安全保障協力機構（OSCE）は一つの参考となろう。そしてそうした方向への積極的な外交政策の展開が必要とされることである。②についていえば，不戦と非武装を基礎とした「一国平和主義」の国際化・普遍化（軍縮の徹底化）をめざす積極的な外交方針の採用が要求されることである。——因みに，日本国憲法が採用した不戦と非武装の「一国平和主義」を世界各国が同時且つ普遍的に採択することが，国連が理想的な人類進化の世界秩序を構築しうる前提だという願望を，マッカーサーは1946年4月の対日理事会で述べている。しかし当時においては，日本自体にそのための積極的な外交国是をとるよう要求する条件はなかった。あくまで日本だけの受身の「一国平和主義」で十分であり，それが周辺アジア諸国による日本の軍国主義復活に対する懸念に応える道であった。——

しかし右の2つの政策プログラムのいずれの場合も，自衛隊の保持と日米安保条約の維持という戦後の歴史的環境がもたらした状況での政策展開と矛盾するものではない。注意しておくべきことは，こうした機能を持つ規定としての憲法九条2項は，裁判規範としてのそれではないことである。

さて憲法九条2項の2つめの機能は，裁判規範としてのそれである。たとえばそれは日本の集団的自衛権の「行使」に関して要求される規範的役割である。日米安保条約の枠組の中に，米国本土が武力攻撃を受けた場合の日本の軍事支援条項が将来かりに入った場合，或いはまた現行の日米安保条約6条（附属交換公文

---

[13] 「枠変遷」による「憲法変遷」論の批判的分析として，高橋和之「憲法変遷論にみられる混乱の若干の整理(下)」ジュリスト974号，1991・3・1, 55頁。

を含む）の具体的適用として，日本駐留米軍によるアジア大陸への「直接戦闘作戦行動」の基地としての沖縄等の利用があった場合（たとえば日本の安全とは無関係な中国と台湾間の武力紛争の場合），具体的訴訟事案を通じて（たとえば前者についていえば，米軍支援のため出動を命じられた自衛隊員が出動を拒否し解雇された場合の身分保全及び損害賠償の請求の形で，また後者についていえば，基地周辺住民の騒音やその他被害の救済訴訟の形で），条約の特定条項（米軍支援条項）或いは条約の具体的適用行為の「(運用)違憲」性が主張できるであろう。こうした趣旨での憲法九条２項の援用は裁判規範としての意味をもつのである。

　(7)　さて日米安保条約の締結は，日本の「個別的」自衛権と「集団的」自衛権の「保持」という，保持を認められている２つの権利の複合的利用の結果として成立したといえる。つまり前者の権利の性格をもつ条約内容として，自衛隊の補完力としての米軍の日本駐留とその武力行使は，日本への直接侵略の場合に限られるという目的的限定性に表われており，後者については，「極東」の不安全が日本に波及したり日本への直接侵略を事前に防止するためには，西側防衛力（抑止力）の一環として，自衛隊と在日米軍が共に機能することが予定されているという両面性がこれである。換言すれば「日本領域」防衛を連結点として「個別的」「集団的」の両自衛権概念の「一体化」ないし「リンケージ」現象が存在するといってよいのである。より法律的に言えばこうなろう。日米安保条約前文上の日本の集団的自衛権の「保持」規定により，米軍の集団的自衛権の「行使」（但し目的は日本の防衛に限定）に日本は事前「同意」したことを意味し，且つ５条でその「行使」を義務化し適用範囲を日本領域に限定した，とみてよいのである。

　たしかに日本の「集団的」自衛権（の保持）を利用しての日米安保条約の締結と（それによる米軍の駐留）は，日本の「専守防衛（力)」の補完としてのみ認められる（砂川事件に関する最高裁判決）だけで，日本領域外での武力紛争で，米国が集団的自衛権を行使して介入する場合の米軍の補完力として機能することを目的としているのではない。しかし冷戦時においては，在日米軍はアジア地域全般における西側防衛力の中核として実際上機能していたから，むしろわが国自衛隊はその米軍の補完力としての機能を後方支援的位置で期待されていたのが実態であったといってよいだろう（6条およびその附属交換公文のいわゆる「極東条項」効果）。日本の「集団的」自衛権の「保持」と米国の「集団的」自衛権の「行使」のリンケージがそこにあったと言っても過言ではないのである。

　因みに「集団的」自衛権は，それを行使する国家の自国国益保全という個別的

判断で，他国における武力紛争への介入根拠として発動できるから，──ニカラグア事件に関する国際司法裁判所の判決（ICJ Reports, 1986, Paras., 199～200）では，被侵略国の要請（request）が他国の集団的自衛権発動の前提とされている。しかし明示的な特定外国への要請がなくても，安保理事会への自国の個別的自衛権行使の「報告」があれば，要請の存在を推定できよう。したがって，日本が外国の「武力攻撃」の直接の被害国であれば，当然，安保理への「報告」を行い，在日米軍の支援を期待できる（日米安保条約5条）が，米国が日本領域外の「極東」地域での武力紛争の当事者（巻き込まれ被害者）となった場合は，それが同時に「日本の安全」への重大な脅威（「武力攻撃」と同視できる態様の脅威）と考えられる場合にのみ，日本は在日米軍による日本基地の使用を許可できる（条約6条と交換公文）といえよう。──国連（安保理事会）という組織的権限の決議という客観的認定に基づく国際公序維持のための制裁行動（「集団＝国際＝安全保障」上の行動）とは，その点で両者は異質であることを忘れてはならない。

　右にみたように集団的自衛権の概念を媒体に，そして日本の個別的自衛権との「一体化」ないし「リンケージ」という観念的枠組の中で，日米安保条約は締結され作動してきたのである。

　1996年4月，日（橋本首相）米（クリントン大統領）間に「安保共同宣言」が締結された。いわゆる安保「再定義」である。骨子は1978年の「日米防衛協力のための指針（ガイドライン）」を見直し，従来，日本防衛を中心に組立てられてきた防衛構想──日本への直接武力侵攻に対して，限定的小規模の攻撃の場合は日本が独力対処するが，困難な場合は米国との協力で排除──を転換し，「日本周辺地域で発生しうる事態で，日本の平和と安全に重要な影響を与える場合の日米間の協力」に軸足を移したことである。その後，小泉純一郎政権の下で，在日米軍再編が日米間で合意され，米陸軍第一軍団司令部の日本・座間基地への移転が決定し，日本（自衛隊）の米の軍事的世界戦略への組み込まれが加速する可能性が強くなったといえよう。同時に沖縄普天間米軍基地の日本返還への代償として，新たに日本本土の沖縄化（米軍の本土移転）が進行しつつあるといえよう。

4　九条と集団的自衛権（非武力的手段を含む）

　(1)　集団的自衛権の生い立ちと性格については後に詳述するが，ここでは国連憲章上のこの権利の観念を一応理解しておく必要がある。集団的自衛権の概念，性格について，学説上で2説に分れる。第1説は，直接の武力攻撃をうけた被害

第3章　九条と集団的自衛権

国を第三国が武力その他の方法で援助することができる権利であるとするもので，多数説であり慣行的にもほぼ定着した見方である[14]。国内法上での「他人のための正当防衛（権）」と同趣旨の権利（違法性阻却事由）である。ニカラグア事件に関する国際司法裁判所の判決も，「被害国の要請（request）を条件として」第三国の集団的自衛権の行使が可能とされるとしている（ICJ Reports, 1986, Para. 199.）点からみて，この見方に立っているといえよう。

しかし注意しなければならないことは，この被害国の「要請」条件を過大視して，第三国による集団的自衛権行使上の「保護法益」は専ら直接の被害国のそれであって，集団的自衛権行使国「自身」の利益ではないと結論する見方（S. A. Alexandrov, Self-Defense Against the Use of Force in International Law, 1996, pp. 228, 230）は，判決の誤読だということである。判決は，集団的自衛権の行使が，第三国によって（わけても軍事的強国によって）安易に行使されることを防止する憲章上の「制限的」自衛権観念の立場から，「集団的自衛権を行使しようとする国自身の事態に対する評価（its own assessment）だけで権利を行使できるとする慣習国際法は存在しないのであって，この権利の行使によって裨益する国が武力攻撃の被害国であることを自ら宣言することが期待される」（ICJ Reports, op. cit., Para. 195.）と述べるにとどまっているからである。つまり，第三国が集団的自衛権を行使する場合は，直接被害国の被害の実態や意思を無視して自国の都合（政治的理由）だけで実力を行使してはならないということであって，第三国自身の（重大）国益の棄損から自国を防衛する目的（自国の法益保護）を捨象すべきだとは，全く言っていないことである。

だから既存の地域的安全保障条約は，ほとんどが「いずれの締約国に対する武力攻撃も，全締約国に対する攻撃とみなす」（傍点・広瀬）と規定し（例えば北大西洋条約5条，全米相互援助条約3条1項），集団的自衛権行使国の保護法益を直接被害国のそれと事前に一体化しているのである。また武力攻撃の直接被害国の第三国に対する「要請」条件も，安保理事会への報告等によって実質的に確保されればよく，形式的な特定第三国への支援要請は必要ではないとみるべきであろう。

---

[14]　B. Simma, The Charter of The United Nations : A Commentary, 1994, p. 675.; J. -P. Cot et A. Pellet, La Charte des Nations Unies, 1985, p. 784.（中原喜一郎，斉藤恵彦監訳，コマンテール国際連合憲章，1993年，955頁）.; L. M. Goodrich, E. Hambro and A. P. Simons, Charter of The United Nations : Commentary and Documents, 1969, p. 348.; A. Verdross, B. Simma, Universelles Völkerrecht, 1984, Para. 474.; M. Akehurst, A Modern Introduction to International Law, 1984, pp. 224〜225.; J. Delivanis, La Légitime Défense en Droit International Public Moderne, 1971, p. 156.; J. Delbrück, Collective Self-Defence, Encyclopedia, No. 3, 1982, pp. 114〜115.; H. Kelsen, The Law of The United Nations, 1951, p. 792.

なぜならば，右判決でも「要請」条件は，被害の宣言（報告）に追加的（additional）であれば足りる，としているからである（ICJ Reports, op. cit., Para. 199.; Judge Jennigs's dissenting opinion, ibid., pp. 544〜546.; B. Simma (ed.), The Charter of the United Nations : A Commentary, 1994, p. 675）。

　この集団的自衛権の観念を前提とする限り，わが国憲法九条の立脚精神からは日本の集団的自衛権の「行使」を容認しうる余地はないとみるべきであろう。外国間の武力紛争にはいかなる状況でも日本の軍事介入は禁止されているとみる以外にないからである（但し「国連の許可」を条件とした介入に関しては別。これは集団的自衛権とは別だからである。）。

　第2説は，集団的自衛（collective self-defense）も「自衛」（self-defense）の1つに他ならず，第三国のための防衛協力すなわち他国への軍事援助が主たる目的ではないとする立場である。すなわち第2次大戦前の集団防衛（collective defense）や相互援助（mutual assistance）とは観念を異にする法理である，とする立場である(15)。たとえば集団的自衛権とは，個別的自衛権を集団（合）的に或いは共同で行使する各国の権利であるとみる見方はその1つといえよう(16)。

　この立場からすると次のことが重要となる。すなわち自衛権の行使によって守らるべき保護法益とは，外国の武力攻撃によって危険に陥った「自国の重大国益」であって，その重大国益とは，「領土保全と政治的独立」に限定される。この点は個別的自衛権の行使の場合も集団的自衛権の行使の場合も異ならない。問題は，集団的自衛権の場合は，個別的自衛権の場合と違い，右の自国の重大法益の棄損が外国の武力によって直接的に発生するのではなく，第三国をはさんで間接的に生ずる場合であることである。

　侵害が間接的でありながら，自国の領土保全や政治的独立という重大法益の侵害とみなし（同視し）うるためには，右の外国の第三国に対する武力侵害の意図（主観的目的）や侵害の範囲，態様（客観的状況）が，ケースに応じて具体的に検討され判断されなければならない。

　しかし国連憲章51条に根拠を置くいわゆる多国間，2国間の安全保障条約は，そうした自国法益の侵害発生を他国のそれと事前に一般的形式で一体化し，かりに「憲法上の手続を経る」ことを条件にしていても，集団的自衛権の発動を自動化，義務化している点で，日本の場合は，憲法九条1項の「国際紛争を解決する

---

(15) この沿革的意義につき，J. Delbrück, Collective Self-Defence, Encyclopedia, op. cit., pp. 115〜116.
(16) 　D. W. Bowett, Self-Defence in International Law, 1958, pp. 216, 245, 248.; R. Higgins, The Development of International Law Through the Political Organs of The United Nations, 1963, pp. 208〜209.

手段としての武力行使の禁止」条項の精神にはなじまない点があるのである。なぜならそうした安保条約体制は歴史的にみて，バランス・オブ・パワー的対抗性が強く（その意味では日米安保体制が，冷戦時代に共産圏に対抗して構築された西側の共通利益の共同防衛に役立ったことは確かだが），自国（日本）の重大国益の侵害の防止，排除より，自国の一般的国益の拡張，増大（場合により威迫）の手段として利用される傾向が濃厚な沿革があったからである。軍事同盟の歴史がそれであり，戦前の日独伊三国同盟はその典型例であった。

　そうした意味から，日米安保条約が憲法の成立時の趣旨と歴史的国際条件を考慮に入れて，日本の集団的自衛権の「保持」は肯定しながらも，日本の個別的自衛権（力）の不足を米国の集団的自衛権の「行使」で補完するにとどめ，反面，米国の個別的自衛権の行使への軍事協力は否定する立場を維持し続けたのは，憲法上で適正かつ妥当な施策であったといえよう。

　しかし問題は，そうした軍事同盟的機能をしばしば発揮する安保条約上の集団的自衛権の義務的，一般的行使ではなく，日本周辺地域に発生した軍事侵略行為を，特定の具体的事件に即してその目的，態様から判断して，日本自体に対する「武力攻撃」と同視しうる場合には，右の集団的自衛権概念に関する第2説をとる限り，日本の集団的自衛権の「行使」も憲法上可能としうる理論的余地はあると思われる。

　但しこの場合の日本の集団的自衛権の行使を可能とする前提条件は極めて限定的（制約的）であって，違法な攻撃国の意図，目的や規模，態様が明確にわが国の安全を脅かしていることが証明される場合に限られるのであって，単なる直接被害国との政治体制上の共通性や友好関係の存在だけでの政治的裁量の大きい集団的自衛権の行使は，わが国の場合は許されないと言わなければならない。そこに日本の憲法上の特色があるのである。したがってわが国の場合には，一般国際法上の集団的自衛権の概念（第2説による）と異なり，個別的自衛権と実質的に同一の行使条件が集団的自衛権の行使にも（かりに「集団的自衛権」の用語概念で説明しようとするならば）課されているとみるべきであろう。したがってわが国の憲法九条体制下では，誤解や疑義を避けるために自衛権の「行使」は「個別的」自衛権に限られるとの議論が定着してきたのである。

　こうしてたとえば，北朝鮮の韓国に対する武力侵攻や中国の台湾侵攻は，「それだけで当然に」（ipso facto or ipso jure）日本の集団的自衛権の行使条件が成立するわけではない。少なくとも冷戦の崩壊後は，わが国と韓国や台湾との間の政治的，経済的，或いは安全保障上の利害関係は，それらの国，地域の重大利益とわ

が国の利益とを同視しうる条件基盤にはなく（同視することを義務づけた安保条約ないし同盟条約もない），また米国とそれらの国，地域との利害関係とも日本は異なるからである。なるほどたしかに，1960年の日米安保条約の改訂時に，日本政府の統一見解として，条約の機能すべき「極東」の範囲につき，「フィリピン以北及びその周辺地域であって，韓国及び台湾地域を含む」とした。しかし日本は1972年の日中共同声明で，「台湾が中華人民共和国の領土の不可分の一部であるとの中国政府の立場を理解し，尊重する」ことを約している（同声明3項）。従って台湾（領土）の主権帰属をめぐる中・台間の武力紛争は，中国の「内戦」として，日本は不干渉の立場を原則的に維持すべき義務がある。その点で台湾との間で防衛上の特別な関係をもつ（米国の「台湾関係法」の存在をみよ）米国とは立場が異なる。もっとも右の中・台間武力紛争が極東の平和と安全に重大な危険が生じ且つそれが日本の安全を危うくすると判断される場合（しかし中国は沖縄等の米軍基地の利用を日本が認めない限り，日本攻撃の意図はないと通告してくるだろう）には，日米安保条約（6条と附属交換公文）の作動（日本による在日米軍基地の使用許可）の可能性がでてこよう。

ただ注意すべきは，国連安保理事会による決定や措置に関しては，それが国際社会の共同利益（平和と安全）の確保という総合的（集団的）安全保障（平和強制）上の目的を有している点で，集団的自衛権（の行使）とは異質の行動として，日本も一定の協力義務（erga omnes の義務）を負うことはあろう。それは憲法九条の禁ずるところではない。その点での認識上の区別は明確にしておかなければならない（しかし中・台間の武力紛争で憲章第7章の適用がある場合には，中国の拒否権が予想されるので，安保理事会の決議の成立は想定し難い）。

(2) さて「集団的」自衛権は，過去の歴史的沿革からみても，イデオロギーや政治活動上の相剋から生じた「国際紛争の解決手段」としての軍事同盟的作用をしばしば営む行動態様をもっている。こうした「集団的」自衛権のもつ固有の性格とそれが果たしてきた歴史的沿革上の意味をふまえて，わが国憲法の九条2項は，1項の趣旨つまり「国際紛争の解決手段」としての武力行使否認の立場を強化し確実にするために，専守防衛上の「個別的」自衛権の場合とは区別して，日本の「集団的」自衛権の「行使」に重大な歯止めをかけたものなのである[17]。こうした理解の仕方は自衛隊の成立に関する激しい政治的対立にも変わらず，憲法制定時から一貫してゆらぐことのない国民の一般的意識であったといってよい。

---

(17) この点については，深瀬忠一「構造転換期の平和憲法とPKO協力法」ジュリスト1011号，1992・11・1，12頁最下段も同旨。

第3章　九条と集団的自衛権

　但し注意しておくべきことは，「集団的自衛権」の「行使」方法として，対象国への禁輸措置等の非軍事（非武力）的手段（たとえば経済的措置）の採用もある。すなわち第2次大戦時の「制限的中立」ないし「非交戦」の立場と行動にその沿革的原型を求めることができるだろう。——たとえば，第2次大戦勃発直後の1940年，米国は既にドイツと戦争状態にあったイギリスと艦艇貸与協定を結んで，非兵力的手段での軍事支援をした。これを集団的自衛権の先駆けとみる見方として L. Oppenheim － H. Lauterpacht, International Law, Vol. Ⅱ , 1963, pp. 637～642, 651. 参照——。
　この非軍事的手段による「集団的自衛権」の行使とはどのようなものか。例をあげて説明しよう。
　湾岸戦争のさい，国連安保理事会はイラクのクウェート侵攻を憲章第7章に基づき「平和の破壊」と認定し，イラク軍のクウェートからの即時無条件撤退を要求した（安保理決議660，1990・8・2，憲章39条と40条を根拠としたとみられる）。しかしイラクがこの決議に従わずクウェート全土への侵攻と占領措置の強行をはかったため，撤退決議の実効化のための措置として新たに経済制裁決議（決議661，1990・8・6）を採択した。この安保理決議660と661の間にとられた国際社会（第三国）のイラクに対する非武力的敵対措置（国内措置を含む），並びにイラクが侵攻を開始した時点から安保理事会が招集され最初の決議（決議660）が採択されるまでの期間における第三国の対抗措置（国内措置を含む）が，集団的自衛権の行使として法理上で説明される行動なのである。右の安保理決議661の前文に，「集団的自衛権」への言及がなされたのは，その意味に理解しなければならない[18]。米国はこの期間に，サウジアラビア領域への米軍派遣決定や在米イ

---

(18)　広瀬善男『国連の平和維持活動』1992，信山社，91頁。同旨として，A Chayes, International Law and Collective Security : Excerpts From the 1991 Friedmann Conference, Part 1 —— The U N, The Gulf and Regional Collective Security, Columbia Journal of Transnational Law, Vol. 29, No. 3, 1991, pp. 509～510. 更に安保理決議665（禁輸検証決議，1990・8・25）以前の米国等の個別国家による船舶の停船，臨検の措置についても集団的自衛権で説明する（但し決議665以後は全国連加盟国が拘束され，中立的立場は許されないし，したがってこれは制裁であり自衛権での説明は困難であるとみる）見解として，J. H. McNeill, Neutral Rights and Maritime Sanctions : The Effect of Two Gulf Wars, Virginia Journal of International Law, Vol. 31, No. 4, 1991, p. 641. および H. Meyrowitz, La Guerre du Golfe et Le Droit des Conflits Armes, Revue Générale de Droit International Public, Tome 96, 1992, p. 554. 参照。
　　しかし私見では，安保理事会の経済制裁決議（決議661，1990・8・6）以後の各国の経済制裁措置は，既に「集団的」自衛権の行使ではなく，国連による「制裁」の一部とみるべきである。そして安保理事会が制裁手段を採択し始めた以上，海上臨検等の強制執行はもはや各国が勝手に行うことは許されない。このように解すべきだと考える。
　　なお「武力攻撃」に対する自衛権行使の態様として，非武力措置をも含みうることについて，G. M. Badr, The Exculpatory Effect of Self-Defence in State Responsibility, Geogia Journal of Int'l and Comp. Law, Vol. 10, 1980, p. 23.; D. Alland, International Responsibility and Sanctions : Self-Defence and Countermeasures in the ILC Codification of Rules Govering International Responsibility, in "M. Spinedi and B.

ラク資産の凍結及び対イラク貿易の禁止等の一方的経済制裁の諸措置をとった。
　もっともこうした非武力的措置わけても国内の差別措置を，常に必ず「集団的自衛権」の法理で説明しなければならないわけではない。一国の「公序」（エルガ・オムネス義務）違反の行動に対して，第三国がとりうる非友誼的対抗措置は，外交関係の一方的縮小や断絶の他，輸出入の禁止や国内的利益供与の停止等，別に法的に可能だとする見方があるからである。たとえば1980年のテヘラン米国大使館人質事件にさいして，米国のとった米国内のイラン資産の凍結という対抗措置がそれに該当するとされる（広瀬善男『力の行使と国際法』1989年，298頁）。しかし「公序」違反行為のうち「侵略」行為（武力攻撃）が現存した場合は，安保理の決定（対抗ないし制裁措置の決定）がなされない段階では，直接の被害国とその国と利害関係を共通にする国は，個別的または集団的の自衛権の行使として，非武力的手段による対抗措置（差別措置）をとることができるのである。自衛権行使の手段として，武力的対抗措置をとるか，非武力的対抗措置をとるか，要は国家意思（animus）の問題である。
　こうして安保理決議660（1990・8・2）と661（1990・8・6）の期間においては，安保理事会は何らの対抗措置の決定もしておらず（冷戦時代はこの時期が長く，結局何らの決定もできない，いわゆる安保理の機能マヒの状態が一般であった），湾岸戦争では，イラク侵攻後の比較的早い段階で安保理事会によるイラクの侵攻責任を前提にした「平和の破壊」決定はあったが，しかし経済制裁も武力制裁もいずれの強制措置の決定（命令や勧告）も国際社会に対して出されていなかったのである。
　前述したように，集団的自衛権は，もともと一国による他国に対する「武力攻撃」が行われた（行われる）場合に，それを自国に対する攻撃とみなしうるほどの被害国との間に共通の利害関係をもつ第三国が，自主的一方的に対抗措置をとりうる権利として理解されてきた。しかしニカラグア事件に関する国際司法裁判所の判決は，そうした一方的行動に国際的な歯止めをかけようとする姿勢がはっきり出ている。つまり第三国が集団的自衛権を行使できる前提として，被害国の

Simma（eds.），U. N. Codification of State Responsibility, 1987", p. 177.; S. A. Alexandrov, Self-Defense Against the Use of Force in International Law, 1996, p. 235.
　なお一般（慣習）国際法上では，自衛権で対抗できる違法事実として「間接侵略」の概念が成立しているが，その内容として交戦当事国或いは内乱当事者の一方に対する実質的にその継戦能力を支える程度の武器等の供給行為を指すものとされている。その観点からみれば，個別的自衛権を行使している国に，一定の非武力的手段（たとえば武器の供給や基地の提供等）で協力援助する場合にも「自衛権」（「集団的」）で説明することに違和感はないはずである。

「要請」（request）を必要としたからである。ただしこの「要請」は，前述したように右判決を慎重に読む限り，安保理事会への自国のとった自衛権行使の「報告」からでも十分推定できるとしているように解せられる[19]（少なくとも第三国の支援措置への明示的な反対がない限り）。

　つまり或る武力紛争に関して，第三国が紛争当事国の一方に味方して，集団的自衛権を行使できるためには，その権利行使の正当性を確保する手続としての被害国による安保理事会への「報告」措置を重視したとみられる点が重要なのである（同時に集団的自衛権を行使する第三国も，とった措置の報告義務がある。ベトナム戦争時において米国はそうした報告義務を果していないし，ハンガリー事件（1956年）とチェコ事件（1968年）でのソ連とワルシャワ条約機構の軍事介入についてもそうであった）。

　ここには「集団的自衛権」の行使による武力紛争の国際的拡大が，軍事同盟対軍事同盟の対立による，19世紀的な無制限の戦争と同一化することを防止しようという，国際社会（国際司法裁判所）の意欲があるように思われる。「集団的自衛権」概念と「集団安全保障」観念との同調性確保の意味をそこから汲みとることができるように思われる。わが国が憲法九条の下でかりに（非武力的手段による）「集団的自衛権」を「行使」できるとしても，そうした限定的理解つまり少なくとも安保理事会による「平和の脅威」等の決定が行われ，且つ停戦命令や平和的解決要請に応じない交戦行為が続く場合に限ってのみ可能とされるべきであろう。

　しかも冷戦後の今日では，明確な「平和の脅威や破壊」或いは「侵略」が発生した場合に，安保理事会が機能を果しえないことはもはや考えられない構造変化が生じている。かつての冷戦時代とは違う状況が成立しているのである。したがってそれにも拘わらず安保理事会が特定国の責任を問う意味での「平和の脅

---

[19]　ニカラグア判決と異なり，第三国の集団的自衛権の行使に被害国の要請は不要だとみる伝統的見方として，C. H. M. Waldock, The Regulation of the Use of Force by Individual States in International Law, Recueil des Cours., Tome 81, 1952-Ⅱ, p. 504.; H. Kelsen, Collective Security and Collective Self-Defense Under the Charter of The United Nations, A. J. I. L., Vol. 42, 1948, p. 792.
　グリーグ（D. W. Greig）は，ニカラグア判決を一定限度で容認しつつ，厳しく批判もする（D. W. Greig, Self-Defence and the Security Council : What does Art. 51 Require?, I. C. L. Q., Vol. 40, Pt. 2, 1991, pp. 374～376, 379～386.）。すなわち次のように述べる。全米相互援助条約（3条2項）やワルシャワ条約（3条）の建前からみて，要請，協議の手続等，被害国との間の some sort of nexus の存在が，集団的自衛権行使の前提条件となっている例のあることは認めなければならない。しかしそれは，米州のような特定の地域での約束という地域的限定性がたまたまあったからであり，ニカラグア判決でいうような一般国際法或いは国連憲章上での要件とみることはできない。したがって右の地域協定が"norm-creating character"（ICJ Reports, 1969, p. 42.）をもつとは考えられないという。また安保理事会への「報告」義務も，国連体制上（憲章51条）の特別な制度で，"mandatory"（義務的）なものとみるべきでなく，せいぜい"directory"（訓示的）な効力しかないという。

威」等の決定ができないのであれば，そうした状況の存在に関する責任関係の不明確さがあるためであるから，第三国は集団的自衛権の行使には慎重でなければならない。そうすることが「武力」手段による紛争が展開中の事態に対処する国家のエルガ・オムネス（erga omnes）の責任意識なのである。したがってこの点が，平時における非友誼的行動（たとえば漁船の不法拿捕や領有権に争いのある島の一方的自国編入措置など）に対する非軍事的対抗措置（外交的，経済的措置）が，一定限度内で可能とされている純粋に2国間関係の問題とは相違するのである。

そして湾岸戦争で，安保理事会が経済制裁措置（決議661，1990・8・6）をとった以後については，その決定に加盟国は従わなければならないから，既に第三国がとっている自主的な集団的自衛権に基づく非武力的敵対措置についても，それは国連の制裁措置の一環としての加盟国の義務的行動に性格を変えざるをえないことになる。このようにみるべきなのである。

(3) こうしてみると，憲法九条1項の「国際紛争を解決する手段としての」武力行使（戦争）の放棄は，2項の「交戦権」の否認と相俟って，日本自体が攻撃を受けた場合の防衛上の権利（jus ad bellum と jus in bello の両者を含む）とは異質のものとして，他国に対する軍事的支援の権利（集団的自衛権による交戦権の行使）を否定し，他国間の武力紛争へのわが国独自の判断による軍事的および非軍事的手段による介入を根本的に否定する不介入の立場を明らかにしたものといってよいのである。但し明確にしておきたいことは，安保理事会が，或る武力紛争に関して，紛争当事国の一方に対して明確に「平和に対する脅威，破壊或いは侵略」の責任を認定し，軍事的及び非軍事的手段（外交，経済的手段）による対抗措置をとるよう決議した場合（勧告の場合もある）は，それに参加することも憲法九条は禁止していない（参加が常に義務づけられるわけではないが）ということである。何となれば，右の一連の安保理事会の決議（認定と措置の決定）は，国際公序としての「平和」維持を目的としたものであって，憲法九条1項が禁じた「国際紛争の解決手段」としての行動ではないからである。

要するに，軍事的措置（武力行使）ではなく，非武力的手段（たとえば経済的手段）による敵対措置でも，「集団的自衛権」の「行使」の範疇に属する行動と理解すべき場合があり，それは平時の対抗措置ではないだけに，現に行われている「武力」紛争への介入を意味し，憲法九条の禁ずる「国際紛争の解決手段」として機能する性格が強いということである。従って右の非武力的手段による力の行使が憲法上可能とされうるためには，国連の一定の認定と許容を必要とする（それにより集団的自衛権の行使から国連の制裁行動への参加へと性格を転換する）とい

第3章　九条と集団的自衛権

うことである。

　(4)　さて国際的武力紛争のさいに，第三国が紛争当事国の一方に対して軍事協力を行うことを法理的にどう説明するか。他国間の武力紛争に直接参加し"兵力的"攻撃を他方当事国に加えることは，「集団的」自衛権によって説明する以外に正当化の根拠はない。今日では中立義務を放棄し任意に交戦の一方当事者に加担し参戦するという19世紀的「戦争の自由」は既に認められていない。

　しかし「集団的自衛権」は自国と密接な利害関係をもつ第三国に対して行われた他方当事国の「武力攻撃」が，自国に対する攻撃と同視され（みなされ）うる場合に限られる。従ってそのように「みなして」，換言すればそうした「目的」をもって集団的自衛権を行使していると客観的に推定される（軍事）協力行動があるかぎり，兵力的参加でなく他の手段たとえば武器援助や基地の提供等の方法による場合も，"集団"的自衛権上の行動と推定されることになろう。「自衛権」行使の手段は「武力」（兵力による反撃行動）に限定されていないのである。──北大西洋条約5条，ワルシャワ条約4条でも自衛権行使の手段内容として，自衛権行使国が「必要と認める行動」ないし「必要と認めるすべての手段」とし，更にカッコの中で「兵力の行使を含む」と規定して自衛権行使方法が「兵力」の使用に限定されるわけではないことを明らかにしている。D. W. Greig, Self-defence and the Security Council : What Does Art. 51 Require?, International and Comparative Law Quarterly, Vol. 40, Pt. 2, 1991, p. 372. ──

　第2次大戦勃発直後の1940年に米国が艦艇貸与協定を締結してイギリスに軍事支援を行ったことがある。この場合の米国の立場は，伝統的交戦法規上の中立義務からの逸脱であったが，──マリス（G. L. Maris）はこの米国の対英軍事協力を当時，米国が中立国であっただけに，violation of neutrality だとみている。G. L. Maris, International Law : An Introduction, 1984, p. 333. ──米国はこれを「非　交　戦」（ノン・ビリジャレンシー）の概念で説明し，1928年の不戦条約（前文の「戦争に訴えて国家の利益を増進せんとする署名国は，本条約の供与する利益を拒否せらるべきもの」という規定）に根拠をおく（右艦艇貸与協定で文言的にも明示）新たな法理を考えだした。「制限的中立」（qualified neutrality）制度の成立といえよう。

　この制度の意義について，オッペンハイム・ラウターパクト（L. Oppenheim － H. Lauterpacht）は次のように説明している。「絶対的中立の制度は，戦争自由の19世紀の産物で，国際連盟が誕生し不戦条約が締結された以後は，制限的中立（qualified neutrality）の観念に転換された。すなわち，侵略者に対する国際的制裁の制度が登場し，侵略者に対する差別が国際社会の通念として定着した。第2次

大戦時におけるナチス・ドイツと交戦する英国に対して米国が行った艦艇貸与行為はこれを示し，米国のこの貸与法（the Lend − Lease Act）には米国の「自衛権」が明記されている。つまり，この措置は自衛権と国際社会による侵略国への対抗措置という2つの法益を同時に満たすものであった」と[20]。こうした考え方が今日の「集団的」自衛権概念の先がけとなったことは否定しえないところである。更にオッペンハイム・ラウターパクトは次のように述べて，行使される集団的自衛権の態様には非武力的手段も含まれることを肯定している。即ち「近代戦争では軍事と経済が密接不可分の関係となっているので，厳格な伝統的中立法の維持は困難であり，憲章51条の「集団的自衛権」を援用して，通常の「戦争権」（the right to go to war）とは区別し，伝統的「中立」の利益を放棄して，侵略者に対する差別措置等，適当と考える行動をとることができる」と[21]。

1982年のフォークランド紛争のさいには，フォ諸島奪還のために派遣されたイギリス艦隊に燃料等の補給や軍事事情を提供して軍事協力を行った米国の立場を「集団的」自衛権で説明する見解もある[22]。また同じくフォークランド紛争でEC諸国がイギリスを支持し，対アルゼンチン禁輸を実行したことを「集団的」自衛権の行使だとみる[23]見解もあるのである。

後方支援や間接的援助（被害国への経済的，財政的援助や加害国との通商停止等）であっても，その目的意思（animus）や態様（corpus）の如何によっては，「集団的」自衛権の「行使」とならざるをえないであろう。今日の戦争形態における科学情報戦の重要性や兵站業務の占める位置から考えれば，軍事情報の特別提供や燃料，食糧等の継戦に不可欠な物資の供給更には特別の資金の提供や財政援助の行為は，武器弾薬の供給以上に重視される戦闘参加行為となろう。つまりこれも「集団的」自衛権の概念の中での行動と考えるべき内容をもっているというべきであろう。但し，平時において安保条約や駐留軍協定によって，こうした種類の軍事協力を日常的に行っている場合には，有事のさいのそうした協力内容の量的増大は，それだけでは必ずしもその国の「集団的」自衛権の「行使」とみることはできないだろう。しかし平時協力から質的に強化された協力が行われれば「集

---

(20) L. Oppenheim − H. Lauterpacht, International Law, Vol. Ⅱ, 5th ed., 1963, pp. 639〜641.
(21) L. Oppenheim − H. Lauterpacht, Ibid., pp. 642, 651.
(22) cf. D. E. Acevedo, The U. S. Measures Against Argentina Resulting from the Malvinas Conflict, A. J. I. L., Vol. 78, No. 2, 1984, pp. 340〜343.
(23) E. Zoller, Peacetime Unilateral Remedies : An Analysis of Countermeasures, 1984, p. 105. もっとも私見では，フォークランド紛争での英国のフォ諸島奪還作戦は，「自衛権」の範囲を超え，「武力復仇」に相当する行動とみざるをえないと考えている（広瀬善男『力の行使と国際法』1989，331頁以下）。

団的」自衛権の「行使」とみなされる行為「実体(コルプス)」を構成することがあろう。

(5) こうしてみると次のように言えよう。一定の国際的武力紛争における当事国の一方に対する第三国の軍事協力が常に「集団的」自衛権の「行使」として説明されなければならないわけではない。たとえば日米安保条約に基づく「日米物品役務相互援助協定」(ACSA)上の活動についてみれば、協力業務の内容や形態が、平時の日常的な範囲にとどまる限り、量的増大があり、米軍の武力行使と時間的空間的に接近していても、日本の「集団的」自衛権の「行使」とは当然にはいえない。しかしそうした平時、日常的業務の範囲を超え、たとえば特定作戦への支援という積極的目的意思（animus）の下で——それは明示でなく推定でも可能——、特別の情報収集や連絡活動、物品や役務の提供という態様（corpus）をとるに至れば、いわゆる後方（地域）支援であっても「集団的」自衛権の「行使」とみざるをえないだろう。

つまり一定の武力紛争に対して第三国が一方の当事国に加担して"積極的"ないし"能動的"な軍事協力を行う意思が客観的状況からみて明白である場合には、それを「集団的」自衛権の発動とみざるをえないということである。つまりそうした活動を通じて、一国による先行武力攻撃が第三国への「武力攻撃」をも構成すると右第三国がみなし、自国の「政治的独立」や「領土保全」という国家の基本法益を守る目的の下での対応措置として、直接の被侵略国を援助しているという意思を推定できるからである。

この点で、日米安保条約の運用についても検討を加えるべき問題がある。在日（たとえば沖縄）の米軍基地を戦闘作戦行動の基地として使用したり或いは後方兵站基地として交戦に直接利用するために、米国軍隊の配置や装備に質・量的な急激な変更が行われる場合には、日米間の「事前協議」の対象となるが（日米安保条約6条附属交換公文）、この場合は日本が右の米国の行動に"同意"を与える行為は、日本による"積極的"、"能動的"な右の国際武力紛争への米国側への加担（参加）を意味し、日本の「集団的」自衛権の「行使」とみなければならないということである。

しかし既存の安保条約を従来と変更のない日常的運用の範囲にとどめる限り、安保条約の一方当事国たる米国の交戦遂行上の利用が行われたとしても、それは日本の右武力紛争への積極的参加を意味するとは当然（ipso jure）にはいえず、日本の「集団的」自衛権行使の問題とは直接には結びつかないだろう。こうしてたとえばベトナム戦争時に、この戦争に参加するための米軍の通過や兵員の休息のための沖縄基地の使用、更には補給基地としての利用を安保条約の通常の適用

第1節　憲法九条と自衛力・国際貢献力

上のものとして許容した日本の立場を，日本の「集団的」自衛権の「行使」としてとらえるわけにはいかないであろう。

　しかしベトナム戦争時，日本からの「直接戦闘作戦行動」だという批判を回避するために，沖縄基地からの米空軍によるベトナム爆撃がフィリピンやグアムを経由する（上空通過）という形をとったり，1991年の湾岸戦争で横須賀基地等からの艦船の出動が頻繁に行われた際，日本政府はそうした米軍の行動を「日本基地からの直接出撃ではなく，部隊の移動中に作戦命令を受けた」という説明で切り抜けたことがある（朝日新聞1996・4・8）。このことは日米安保条約の運営上，在日米軍基地或いは自衛隊基地の戦時（有事）活動の態様如何によっては，禁止されている日本の「集団的」自衛権の「行使」に相当する（可能性がある）ことを日本政府は認識していたことを示すものといえよう。

　日本自衛隊のいわゆる「シーレーン」防衛問題についても同様の問題がある。日本周辺地域や中東地域で武力紛争が発生し米国がその当事国の1つとなった場合，公海上のシーレーンで，たまたま日本自衛隊が米軍と共同（訓練）行動（ACSA上の協力活動）をしていたさい，右武力紛争の他方当事国から日本攻撃の意図はないから戦列を離脱するよう要求されたにも拘わらず，それに応ぜず右の協力行動を継続した結果，派生的にせよ交戦から生ずる一定の被害をうければ，一次的には日本の「個別的」自衛権発動の条件が具備されるであろう。問題はむしろそうした事態に至る前の段階で，交戦区域における米軍との軍事協力からの離脱要求を日本が拒否した時点で，日本による「集団的」自衛権の「行使」の意思（animus）が明確にされたものとみてよいだろう。こうして「個別的」自衛権と「集団的」自衛権の「一体化」（リンケージ）現象が日本について成立するのである。日米安保条約5条のみならず4条の協議条項の適用にもこうした日本の「集団的」自衛権の行使を可能とし且つもたらす側面があるのである[24]。

　(6)　ここで留意しておくべきことは，国連安保理事会が武力紛争当事国の一方について，明確な「平和の脅威，破壊或いは侵略」上の責任認定（憲章第7章，39条）を行った場合，日本が右の武力紛争からの被害避止のため，緊急の貿易，金融その他の経済的「差別」措置をとることは許される（安保理介入前も同様）が，日本が被害国側に加担して積極的な差別措置を構ずることは憲法九条の禁ずるところとみるべきだということである。日本の集団的自衛権の行使となる可能性があるからである。更に安保理事会が経済制裁と武力制裁を決議した場合には，

---

[24]　広瀬善男「自衛隊と国際協力のあり方」平和研究10号，1985年，72～85頁．とくに76～80頁，参照．

第3章　九条と集団的自衛権

これに参加すること（すでに「集団的」自衛権行使の段階をこえている）は，憲法の禁ずるところではなく，政策判断の問題にすぎないとみるべきであろう。

　この点でドイツの例が参考になろう。1994年7月，ドイツ連邦憲法裁判所は，旧ユーゴなどNATOの域外にドイツ国防軍を派遣したのは違憲だという社民党などの提訴に対して，①国連安保理事会決議の枠内で，②連邦議会が過半数での同意を条件として，③NATOや西欧同盟（WEU）或いは国連の平和活動（PKOや平和執行活動を含めて）等国際組織の一員としてならば（ドイツ一国では不可），ドイツ国防軍を海外に出動させることは違憲ではないという判決を下した。——従来，NATO域内ならば国連決議がなくても，NATO軍の一員としてドイツ国防軍の出動は合憲とされてきた。——

　極東には，ヨーロッパのように共通で包括的な地域安全保障上の条約枠組——西欧には伝統的に「NATO」があり，冷戦後は東欧を含む「欧州安保協力機構」（OSCE）ができた——がないから，自衛隊の海外出動を日米合意の枠組だけで可能とすることはできない。日米安保条約の適用地域を「極東」と限定し，それは1960年の政府統一見解以来，フィリピン以北と台湾，韓国——米国を基軸とした防衛上のリンクができている地域——だけが対象地域であり，中国，北朝鮮，ソ連は含まれないと政府によって説明されてきた。しかし1996年4月の日米安保共同宣言では，「アジア・太平洋地域」に日米間の安全保障の関心地域が広げられ，それをうけて日本の「日米防衛協力のための指針（ガイドラン）」も「極東」の用語の代りに，「日本周辺」という言葉で地域的な拡大がはかられる方針が出されている。これがいわゆる安保「再定義」の問題の1つである。しかしそうした日米安保条約上の適用地域の拡大の方向には，中国，北朝鮮等からの強い反発がある。

　こうしてみるとドイツの場合と異なり，日本は日米安保条約の解釈，適用だけで，自衛隊をアジア地域に派遣しうる基盤は全くない。ただそれがあるとすれば，国連（安保理事会）が，公共利益＝アジアの地域平和＝のための自衛隊の派遣を可能とし必要とする決議を採択した場合だけである。

　以上にみてきた「集団的」自衛権わけてもその「行使」に関する見方は，今日，日本社会に定着しているわけではない。しかし冷戦後，国連の機能が回復しつつある現在，上述のようにみることが国際的観点からみた今後の憲法九条のあり方であり活かし方であると思われる。したがってそうした理解を国民的合意とするために，「平和・安全保障基本法」を制定し，際限のない解釈改憲を防ぐと共に，不毛な自衛隊否認の護憲論争にも幕を引くことによって，「新世界秩序」（冷戦後

第2期国連の時代）に責任を負いうる国際国家日本として改めて船出することが，われわれ日本国民に与えられた最大の課題といえよう。ここでは憲法の改正（前文と9条，わけても2項の削除）によって，集団的自衛権の行使を可能とする（2005年の自民党の憲法改正案がそうである）必要は全くないということである。

5 　北東アジアの安全保障環境の変容と日米安保体制

(1)　ここで，冷戦終了後における北東アジアの安全保障環境をみてみよう。そしてそれがどのように日本とかかわりあうかである。まず北朝鮮は，韓国との統一を武力で成就する方針をとうに放棄しているとみるのが，今日では合理的な理解であろう。核兵器製造疑惑から始まった米国と北朝鮮との交渉は，米国抜きで（韓国とは対立することがあっても，米国と対立してまで）北朝鮮の安全保障を維持することは困難であることを，北朝鮮当局は十分承知しているとみられるからである。現在（2006年）も続けられている核問題の解決に関する6カ国（米国，日本，韓国，北朝鮮，ロシア，中国）協議はこれを示そう。

　その意味では，日本は米国と安全保障上の利益を共通にしてはいても，かつての冷戦時代のように韓国と共通の安全利益を必ずしも持つわけではないことである。韓国の安全への脅威は即日本の安全への脅威ではなく，脅威の性格は米国や国連での「日本周辺地域の安全」に関する評価をも考慮しながら，総合的に検討されるべきことである。したがってこの点はわが国の集団的自衛権問題を検討する場合にも考慮さるべき要素である。——因みに1998年の新日米防衛協力指針（ガイドライン）は，「日本周辺地域での事態（周辺事態）」の地理的（正確には領域的）範囲を日米安保条約で定める「極東」と同じと考えているのかどうか疑問が出てきている。かつて1960年の日米安保条約改訂時の日本政府解釈では，条約でいう「極東」はフィリピン以北で中華人民共和国と北朝鮮を除くとされたことがある。そして条約6条でいう「極東」の平和と安全への脅威と「日本」の安全への脅威は別のことであり，6条が作動する（在日米軍基地から日本政府との協議に基づいて（条約附属交換公文）米軍が戦闘作戦行動ができる）のは，右の「極東」の安全への脅威が「日本」の安全への脅威へと直結し，一体化した場合に限られたはずである。しかし右の新日米防衛協力指針では，「周辺事態」という場合の周辺地域の範囲が明確でなく，中国と北朝鮮を含み更に従来の「極東」の範囲をも越えて広範囲の地域での紛争に，6条の発動が可能となる危険が大となったように思われる。のみならず周辺地域の紛争事態が，日本の安全への現実の脅威となっているかどうかとは無関係に条約6条が機能する可能性さえ出てきている

第3章　九条と集団的自衛権

(1998年4月23日の参院外務・防衛委員会での外務省，竹内行夫条約局長の答弁，参照)。新日米防衛協力指針がもつ日米安保体制の日米軍事同盟化への変身の可能性がこれである。日米安保条約6条でいう「極東」の概念的意義について，広瀬善男『国家・政府の承認と内戦，上』緒言，xxiii～xxiv頁，参照。──

　台湾をめぐる日本周辺の安全保障問題は，日本にとってのもう1つの現実的問題である。1996年3月の台湾住民による総統の直接選挙（李登輝氏が選出＝再選＝された）をめぐって生起した中国と台湾との軍事的緊張は，この具体例である。日本と安保条約を結ぶ米国が実際に軍事的手段（空母派遣）で介入し，中国の軍事的威嚇に対抗したからである。

　米国は，1972年のニクソン訪中のさい発表した米中共同声明（上海コミュニケ）で，中国の主権と台湾を含む領土の保全を尊重し，内政不干渉を表明した。その後，米中間の正式の国交回復（1979年）を経て，1982年には，台湾への武器売却を徐々に減らし一定期間後に完全消滅すると明言した「台湾コミュニケ」を発表した。しかしそう表明しながらも，一方において米国は1979年には米国内法である「台湾関係法」を制定して防御的性格の兵器の台湾への供給を明記し，「平和的手段以外の方法で台湾の将来を決定する試みは，ボイコット，封鎖を含むいかなるものであれ，西太平洋地域の平和と安全に対する脅威であり，合衆国の重大関心事である」（台湾関係法2条B項(5), (4)）としたのである。これは一般的には「内政不干渉」という国際法の原則には反する。そして兵器供給は今日でも続けられており，右の内政干渉条項（台湾関係法）と共に「上海コミュニケ」という国際条約にも違反する米国の国内法措置が現実には作動しているのである。

　こうした米国の中国に対する法的，政治的立場は，日中共同声明（1972年）と日中平和友好条約（1978年）をもつ日本とは全く異なる。右の1996年3月の台湾総統選挙に起因する中・台間の緊張に対して，空母を台湾海峡周辺に派遣して米国が介入したと同様の事態は，今後は起こりえないという保障は全くない。台湾政権が，国際的地位の向上（国連再加盟や独立国家形成の方向）の努力を続けた場合，その可能性は高い。

　クリントン政権下で米国は，内向きの政策をとり始め，外国での争乱には米国の基本的国益にかかわらない限りできるだけ介入しない，わけても武力介入はしない方針をとったことがある。東南アジア地域紛争についてはまさにその通りであって，この地域に武力紛争が生起しても，米国が紛争当事国の一方に加担して武力行使することは考えられない方針が確立されたのである。米国益は米・中国（台湾）関係のようなバイラテラルな歴史関係をもつ場合と異なり，この地域に

第1節　憲法九条と自衛力・国際貢献力

ついては全体としての安定だけを望んでいるからであり，それはこの地域に紛争があっても，ASEAN（或いは ARF）による地域的処理或いは国連の平和維持活動が最も効果的に機能する場だということを承知しているからである。従って日米安保体制の作動する余地はないといえよう。

しかし米国にとって台湾問題は別の意味と利害をもっている。すなわち，もし台湾住民の自由で民主的な意思に基づく行動であれば，かりにそれが「独立（新たな主権国家の形成）」行動であったとしても（但し，米国はそうした方向にゆかないよう台湾当局に強く望み，圧力もかけているが），それを武力で鎮圧する中国の行動に対しては，それが米中共同声明でいう中国の国内問題であることを理解していても座視しないであろう。そう一般に合意された（民主，共和両党にも共通の）政策理念があるからである。1996年3月の「台湾住民による民主選挙」のさいの米国の台湾防衛意図の明確な表明は，これを示そう。

台湾問題は，台湾関係法にみるまでもなく，第2次大戦中と大戦後深くかかわった中国政権の性格にかかわる米国の重要な関心事項なのである。従ってかりに将来，台湾をめぐって中・台間の軍事紛争が発生すれば，米国はそれを単なる対岸の火災視することはないだろう。もとより一国で対処することなく，「地域の平和と安全への脅威」として国連憲章第7章の援用が試みられ，国連の場での討議に事案がもちこまれようとするだろう。しかし中国はこれを国内問題として，かりに安保理事会で議題として提起されても拒否権を行使し，ここでの審議や決議の採択は結局不可能となろう。

この場合に，日米安保条約はどう機能するのか。安保理事会が機能しない以上，米国は，在日米軍の積極的活用によって対処しようとするだろう。この場合，日本も参加するとすれば，日本の「集団的自衛権」での対処以外に方法はない。しかし日本は事前協議条項（条約6条の附属交換公文）を活用し，米国の在日基地の使用を拒否することができるであろうか。こうした事態を考慮し，私見では日米安保条約6条（極東条項）の実施（附属交換公文上の日本の同意）については，武力紛争に関する限り，国連安保理事会の決議を前置させるべきことを望ましいと考えているのである。

もとより，米国の対台湾政策には従来とも慎重さがみられ，台湾独立への政策に傾斜しないよう台湾当局への外交圧力をかける方向をうち出してはいる。かりに台湾海峡に武力紛争が発生したとしても，米国の介入は海空軍による台湾防衛にとどまり，大陸への海兵隊の上陸作戦は考えられない。ベトナム戦争のくり返しはありえないからである。中国も，米国との軍事力の差を承知しており，米中

軍事対決は実際上の問題としてはかなり蓋然性は低いであろう。

(2) さて1996年3月の台湾をめぐる軍事緊張から，日本が日米安保条約の運用上の教訓を得ようとするのであれば，それは台湾防衛のための米空母の台湾周辺海域への到着が，日本領域外の遠隔地からも短時日で可能であった事実である（1隻は中東・ペルシャ湾からの回航であり，それでも2週間で到着している）。このことは極東（北東アジア）の安全のための米兵力の維持は必ずしも極東（北東アジア）の現地（たとえば日本領域）への「常駐」を要件としないということを意味する。紛争地からの遠隔基地たとえば，グアム，ハワイ等米領土の基地からでも，作戦上の機能的な欠陥はないということである。それだけ緊急兵力展開に関する技術的進歩は大きく，わけても大量輸送が可能となっていることである。また有事のさいの事前の情報の収集やそれに基づく警戒態勢の早期確立など，余裕をもって準備のできる客観的条件が今日の軍事戦略体系には存在する。のみならず在沖縄の米海兵隊もそれだけで重要作戦を展開できる能力はない。主力の来援を始めから前提にしているからである。

再言すれば，武力紛争や緊急事態に関する情報の収集や伝達手段が著しく改善されている（偵察衛星の活用等）以上，一定の軍事力が紛争の可能性の高い現地周辺に「常駐」することは，実際の戦闘効果上でもはや絶対的条件ではなく，従ってまた「抑止力」としての機能としても，米軍の常駐は極東の安全維持に不可欠な方法ではないということである。「抑止力」としての効果は，「明確な軍事的対応意思」の存否にむしろかかっているのである。

(3) 但しこうした軍事的対処の思考は，冷戦的バランス・オブ・パワーの観念から脱却していないことをも意味する。従って21世紀の「新世界秩序」のあるべき構図からすれば，次の外交的選択肢が併せて検討さるべきであろう。

第1は中台間の軍事紛争（内戦）では，核兵器は使えないことを認識し，中国が既に声明している「核先制不使用」に米国は積極的に対応することである。なぜなら米中間の極端な核戦力の差異からみても，中国が将来，台湾の軍事力による編入を試みることがあっても，先制的に核兵器を使用することはありえないし，他方また米国もかつて米ソ冷戦時に欧州大陸で採用した共産圏の圧倒的な通常兵力への対抗策としての核の先制防衛使用の戦略は，台湾地域の軍事紛争のような一種の限定「内戦」には不向きであり，国際社会で独立国家として承認されていない台湾について，その「『国家』的存亡にかかわる自衛の必要のため」の核使用の観念（1996年の国際司法裁判所の「核兵器使用の国際法適合性に関する」勧告的意見）は適用できない。まして台湾問題が米国の国家的存亡にかかわる問題でな

158

いことは明らかである。わけても，もし台湾海峡で米国が核兵器を先制使用したならば，人権唱導国としての米国の国際社会での政治的影響力は確実に低下するであろう（朝鮮戦争，ベトナム戦争での米国の核使用検討の経緯を含め，広瀬善男『力の行使と国際法』1989年，31～35頁，参照）ことも，視野に入れておくべきことである。こうした「核不行使」のような（核の相互標的はずしにとどまらず）米中の着実な軍事外交の歩みよりが，極東の緊張緩和には大いに役立つのである。

また北朝鮮（金正日政権）は，今日，対米関係で現政権の存続に最重点をおく政策をとっており，従って「核先制不使用」提案には積極的に対応するだろう。そうであれば日本こそ，北東アジア地域での「核先制不使用」協定の締結を強く呼びかけるべきである。それは北東アジアの「非核化地帯」化の第一歩ともなろう。

第2は，極東地域に共通の総合的安全保障のレジームを構築する前段として，「台湾」をめぐり米中間に次の3点からなる取極めが（台湾当局も同意して）作られるよう，日本から提言することである。①台湾は一方的な独立宣言や国連加盟の運動を放棄すること。但し経済等一定の機能的主体としての国際機関の加盟は容認されること。②中国は台湾を自国体制へ編入するための武力行使の意思を放棄すること。③台湾の将来の政治的地位は，中・台当局の交渉の中で平和的手段で解決すること。そのために中・台間の人的交流の阻害要因を可能な限り除去すること。実質的には香港の中国内での地位（一国二制度）の展開過程を経験化しながら，中国は共産党による一党制度を漸進的に改め，言論の自由の拡大に努めて人権保障の体制確立に前進すること。こうした方向での台湾問題解決の基盤整備をしながら，東アジアの「平和地域化」の構想を進めることが日米安保体制の再検討を含め（有事駐留の方向も視野に入れた），日本の安全保障の21世紀構想として必要な思考であると考える。

(4) さてもう1つ，日本の安全保障，具体的には日米安保条約の運用を検討する場合に考えなければならないことがある。それは日本への外からの「直接侵略」に対して，米軍の日本領土常駐が米国の軍事支援を確実にするための「人質」的作用として考えられた時代はとうに過ぎた，ということである。そうとすれば日米安保条約の将来の改訂或いは「再再定義」では積極的に，米軍の「有事利用（駐留）」方式が検討される必要があるように思われる。――日米安保条約を現行の常時米軍駐留方式から有時駐留方式に改訂すべきであるとの私の提言につき，広瀬善男『21世紀日本の安全保障』2000年，明石書店，第4章，Ⅱ，参照のこと。またそれにより，中国の懸念を緩和する効果もあることを指摘する，在ワシントン，民間シン

クタンク，経済戦略研究所，クライド・プレストウィッツ所長の報告書（朝日新聞，1998・6・17)，更に同旨提言として，「常時駐留なき安保」を主張する細川護熙論文, M, Hosokawa, Are U. S. Troops in Japan Needed?, Foreign Affeirs, 1998, Vol. 77, No. 4, July - August. pp. 2～5. ここでの細川元首相の主張はこうである。冷戦が終了したこと。日本の自衛力が向上したこと。沖縄の米海兵隊の主要任務は西太平洋，インド洋への展開要員であること。米軍の駐留経費の日本負担がドイツ，韓国に比しても過大（数倍）であり，これは日米同盟の将来を危くする可能性があること。従って日米安保条約上の米軍の日本常駐は20世紀中に終らせ，21世紀の日米同盟は「有時駐留」方式に切り換えるべきこと，であった。——

　1995年の沖縄における米軍兵士による少女暴行事件を契機として，日本社会に重大な注意を喚起した沖縄米軍基地の縮小と移転の問題は，冷戦終了後の今日，単に沖縄だけの問題ではなく，日本全土における米軍基地問題として再検討の必要な事態を生じさせたように思われる。2005年以降，「在日米軍の再編」問題が新たに登場し，米陸軍第1軍団司令部の座間（神奈川県）基地への移転計画に象徴されるように（この計画の日米間合意は，日米安保条約附属交換公文で規定する「合衆国軍隊の日本国への配置における重要な変更」として，他の基地問題とは異質の重要性をもつ)，従来，専守日本防衛用に特化されていたはずの日米安保条約が大きく変質し，米国の世界戦略の一環として日本が，米国の軍事体制に組み込まれる可能性が明瞭にでてきているように思われるのである。この米国の日本重視の軍事戦略の実施に伴って同時に行われた沖縄地域内の米軍基地のタライ廻し（普天間から辺野古崎への移転計画の合意)，岩国その他の在日米軍基地の玉突き的利用転換も，北東アジアにおける日本の安全保障体制の根本的再検討を日本政府が長期に亘って怠ってきたこと（惰性的米国追随）から生じた悪循環という他はない。こうした政治状況の中では，基地周辺の住民の意思を無視した基地の存続は恒久的には困難だというしかないだろう。地域的な経済利益の導入だけでは解決困難な問題がそこにはあるからである。——こうした分析から，「在アジア米軍は『抑止力』でなく『地域安定力』へ」の転換を遂げるべきであり，従ってこの観念から地勢学的にみて，在沖縄米軍を在韓米軍と共に済州島（韓国）へと総体的に移転させる計画を関係国間で合意し，いわば欧州安保協力機構（OSCE）のような「北東アジア安保協力機構」を樹立すべきだとの私の提言として，広瀬善男『21世紀日本の安全保障』2000年，第4章，参照のこと。——

　国家の安全保障問題は，たしかに一地方の住民の利害だけに左右されるわけにはいかないだろう。極東（北東アジア）のみならず西太平洋地域全般或いは更に

第1節　憲法九条と自衛力・国際貢献力

広域的にインド洋や中東地域を含めて，その地域の政治的，軍事的安定が日本の石油ルートをはじめ通商貿易を中心とした経済的利益の安定的確保の条件として不可欠であるとみることは，そう誤りではないであろう。従って日米安保条約体制の継続的維持には，やはり肯定的立場をとることが合理的と思われる。しかしその場合でも米軍の日本への支援態勢や極東での緊張への対処方法については，より緻密な考察を加えるべき時代が来つつあるように思われるのである。──1996年5月の朝日新聞の調査によると，日米安保条約の維持に賛成する回答は70％もありながら，在日米軍基地は縮小すべきだとの回答が67％と高い（朝日新聞1996・5・15）。──

こうしてたとえば横須賀，佐世保等の主要海軍基地は従来通りの米軍の「常時使用」を認めるとしても，空軍と海兵隊基地については原則返還を検討することである。それによって在日米軍経費の75％を負担している世界に例のない現在の支出のあり方（思いやり予算）を絶対額で大幅に削減できよう。そして返還された基地の一部（たとえば沖縄基地の一部）を中国を含むアジア諸国全体のPKO訓練基地として，各国から派遣された要員の共同生活の場とすることである。こうした共同訓練が極東，アジアの緊張の緩和にいっそう貢献するであろうことは疑う余地がない。

問題は要するに，日本周辺地域での有事（武力紛争）で，日米安保体制が機能しうる場は客観的にみる限り，ほぼ台湾をめぐる米・中間の軍事緊張だけだということである。それすらも米・中の政治的知恵によって回避される可能性の方が高い。21世紀に入り，北朝鮮の核保有問題や日本人拉致問題の露呈などで興奮気味の日本世論にも拘わらず，世間で言われるほど，朝鮮半島での武力紛争や北朝鮮による日本への核ミサイル発射という高度危険が現実化する可能性は高くない（広瀬善男『国家・政府の承認と内戦，上』2005年，緒言，xxii～xxiii頁，参照）。

前述したように，朝鮮半島においては，今後予想される北朝鮮の米国への高度の「依存」状況からみて，日米安保条約の作動する場と可能性は極めて低いことである。かりに朝鮮半島での有事を想定し在日米軍の出動まで構想するのであれば，むしろ在沖縄米軍の韓国への移動と，そこでの「常駐」（在韓米軍の大幅補強）こそが望ましいはずであり，今日，経済力の飛躍的拡大をみた韓国が自国防衛のための「思いやり」予算を組むことすら，そう不都合ではあるまい。盧武鉉（ノムヒョン）政権下の韓国では金大中政権下で始まった南北間の政治的和解（太陽政策）の方向が維持されており，北朝鮮による韓国への武力侵攻はほとんど考えられない安定的状況にある。のみならずかつてベトナム戦争で示した，そして2003年のイラ

第3章　九条と集団的自衛権

ク戦争でもみられた韓国の対米協力（韓国軍の現地派遣）の姿勢からみても，日本と異なり，東アジアと東南アジアへの在韓米軍の出動は，韓国にとって国民意識の上でも国家体制上でもそれほど違和感なく受け入れられるように思われる。米国にとって東アジアにおける有事のさいの政治・軍事的な利用価値は，日本よりも韓国の方が大きいはずである。ところで2006年1月，米（ライス国務長官）韓（潘基文・外交通商相）は，韓国外への在韓米軍の円滑な派遣を可能にする「戦略的柔軟性」で基本合意する共同声明を発表した。これによると，韓国は米軍の世界的再編（トランスフォーメーション）の考え方を「完全に理解する」とし，在韓米軍の「戦時的柔軟性の必要性を尊重する」とした。一方，米国は「韓国民の意思に反する形で北東アジアの地域衝突に巻き込まれない」という韓国の立場を尊重することを明言した。米韓相互防衛条約では，日米安保条約とほぼ同様に，韓国は米国に「韓国の領土内とその周辺」に軍を配置する権利を認めている。しかし韓国は従来，在韓米軍は北朝鮮の脅威に対処するものとの考えが強く，台湾海峡をはさんで中・台の軍事衝突が起きた場合に，在韓米軍が使用されれば韓国が巻き込まれるとの懸念も少なくなかった。しかしベトナム戦争やイラク戦争への韓国軍の派遣という経験をふまえ，且つ北朝鮮との関係融和が進み，北朝鮮の核問題が解決されれば朝鮮半島の恒久平和の道が開けるとの観測が強くなり，在韓米軍の韓国外派遣に対する違和感は薄れているのが現状である。のみならず在韓米軍航空基地が中・台武力紛争のさいの直接の攻撃発進基地となることは，日本の沖縄基地とは異なり，ほとんど予想されていない。こうして今日では，在韓米軍の利用価値は，むしろ北朝鮮の急激な内部崩壊（その場合には難民の流出も予想される）の防止のためのものへと性格を変えつつあると言ってもよいであろう。こうした朝鮮半島の政治事情の変化は，現行の38度線休戦協定を本格的な国連主体の管理協定（米軍の駐留継続を前提）に締結し直す機会を作り出していると言って過言でないだろう。

　そしてまた極東ロシアには今日と今後，日本との軍事緊張の発生は考えられないこともまたほとんど確実である。たしかに北方四島や竹島（独島），尖閣諸島（釣魚島）の領有権をめぐる紛争や，漁業や石油・ガス田の開発をめぐる資源紛争は，今後とも続くであろう。しかし軍事力によって決着をつけうる国際的条件は，紛争当事者のいずれにもない。竹島や尖閣諸島に対する韓国や中国（台湾）の領土権主張は，19世紀的な武力を背景とした領土拡張政策からのものではなく，非植民地化運動という歴史的沿革を背景にした「ナショナリズム」からのものである。また北方四島の帰属は第2次大戦の戦後処理上の問題で，日本の武力行使

第1節　憲法九条と自衛力・国際貢献力

による占有奪還行為がありえない以上，日ロ間に軍事衝突はありえないのである。

　漁業や石油等の資源紛争は，国際社会に広く存在するが，平和的手段（交渉，調停，国際裁判等）での解決以外に解決の方法はない。武力による解決は全くないし，またありえないのが今日の国際秩序の実態なのである。

　このようにしてみてくると，かりに一歩をゆずり，右にみたような朝鮮半島や中・台間での予想される武力紛争のストーリーがありえたとしても，そこで日本が集団的自衛権を行使してまで守るべき日本自身の基本的利益（日本の安全保障利益）があるとは到底思えない。そうした日本の重大安全保障利益を紛争当事者としての「韓国」と「台湾」のそれと同一化することはありえないし，また同一化してはならないのである。

　1996年3月の総統の民主選挙をめぐり露わになった台湾をめぐる米・中緊張の例でも明白なように，米国の国益は日本のそれと，戦中，戦後史を通じて全く異質である。そしてそうした武力紛争に米国が軍事介入を決心したとしても，その軍事作戦を効果的に進めるための前提条件として，米軍の日本への「常時」駐留が絶対に必要だとする合理的根拠は，冷戦の崩壊後はほとんど失われている。かつての冷戦時代のように，中，ロ，北朝鮮の国益（軍事的利益）上の共通項は既に存在せず，従って米，日の即時共同対処の必要もないからである。むしろ日本の衝動的な米国追随の方が危険である。

　このようにしてみてくると，米国による日本基地の利用がかりに「有時」には必要であっても，平時におけるその整備は自衛隊による利用を基本として，新たな日米合意での計画立案で十分可能である。

　たしかに中東や南西アジア地域（いわゆる不安定の弧）において，今後の武力紛争発生の可能性は高い。そしてこの地域での原油資源の確保と輸送を中心とした国益の点では，日米間で共通項がある。しかしそうした紛争への軍事的介入基地としての日本領域の利用は，日米安保条約の対象では本来ない。日米安保条約ではあくまでも適用上の地域的限定があり，「周辺事態法」のように「極東」をどのように拡大解釈したとしても，インド洋や中東地域を包含することは無理である（広瀬善男『国家・政府の承認と内戦，上』2005年，緒言，xxiii～xxiv頁）。

　またそうした紛争への米軍の緊急派遣は，むしろその地域周辺での基地の常時確保によるのが，「抑止力」効果からも適切である。日本領域からの派遣はグアム，ハワイ等の米国領域からの派遣と距離的に大差はないのである。

　しかしながら，原油資源の安定的供給と日本への輸送路確保という日本の重大国益の保障のために，軍事的手段の保持，行使を米国に依存する以上は，象徴的

意味を含めて日本も何らかの貢献を米国に対して行わなければならないだろう。そのために横須賀をベースにした海軍基地の提供は、米国が必要と考える限り、考慮しなければならないだろう（それも「常時使用」が絶対的だとは考えないが）。冷戦後の米国の軍事戦略に占める空母機動部隊の重要性と合致する日本のぎりぎりの貢献となろう。この場合、海兵隊や空軍基地提供の必要性は、事の性質上全くない。

(5) ところで日本（の専守）防衛の場合は別として、極東有事のさいの有時利用（駐留）に日米安保条約の機能を体制的に転換した場合、日本による米軍利用の許可（同意）行為は、日本の「集団的」自衛権の「行使」を直ちに意味するか、の問題が生ずる。具体的に1，2の事例を考えてみよう。たとえば、①「有事」といっても武力紛争発生前の警戒状況においては、米軍の日本領域への緊急展開を「許容」しても、日本の「集団的」自衛権の行使とはならない。但しこの場合の緊急展開は、「日本の安全」を最終目的とすることが必要である（現行の日米安保条約4，5，6条と同様）。②武力紛争時において、かりに米軍による自衛隊基地或いは民間空港、港湾の利用頻度が高まっても、新（改訂）安保条約（利用協定）で特別に米国に対して認められる米軍の平時における通過や輸送業務と質的、形態的に異ならないならば、単なる量的拡大にすぎないものとして、日本の「集団的」自衛権の「行使」を当然に推定することはできない。但し、日本領域からの直接戦闘作戦行動が行われれば別である。③武力紛争時，「公海」においての自衛隊による機雷の掃海作業は、日本の「集団的」自衛権の「行使」とならないか。しかし掃海範囲が日本の領水（領海と接続水域）に隣接した公海域に限られ、且つ日本領水内航行の船舶の安全に必要な限度での無差別除去であれば、こうした掃海作業は日本の「集団的」自衛権の「行使」とはみなされないだろう。

第2節　自衛隊と国際協力そして集団的自衛権

1　軍事力による「国際貢献力」概念の両義性

(1) 自衛隊のもつ「自衛力」(self-defense forces)が日本国憲法九条2項上の「陸海空軍その他の戦力」(land, sea,and air forces, as well as other war potential)に該当するかどうかの議論は古くて新しい問題である。自衛隊は憲法九条で保持を禁じられている「戦力」即ち「軍隊」ではないという説明が、従来、日本政府の

公式見解であった。しかしその説明が日本社会で（そして国際社会でも）受け入れられていたかどうかは疑問であった。しかし今日では「自衛目的」であるかぎり，わが国が「軍事力」を保持することも違憲ではないとみる見解（憲法の立法主義的＝立憲主義＝解釈）が政府と国民の間に定着したとみてよいだろう。いずれにせよ自衛隊の自衛力が国際法上の（交戦法規の適用を含め，一般国際法上の特権や免除の取扱いをうける）軍事力（armed forces）であることは疑う余地がない。

(2) ところで主権国家がそのもつ軍事力によって，「国際協力」（international cooperation）を行う場合の形態に2種類がある。そしてそれは相互に性格を異にし，場合によって機能上の矛盾を生ずることが少なくないことである。

第1の形態は，主権国家間のナショナルな利益を相互に保障しあうための軍事的協力の行動である。歴史的にみれば，いわゆる「軍事同盟」（military alliance）のそれといってよい。そしてこの国際的軍事協力を集団防衛（collective defense）ないし（概念的な誤解があるが）"集団安全保障"（collective security）と呼ぶことが少なくない。たとえば国連憲章51条の集団的自衛権（the right of collective self-defense）を法的根拠とする集団防衛条約体制が，今日的性格でのそれである。

これに対し第2の形態は，国際社会の普遍的機構を基盤とした共通の安全保障体制（換言すれば世界的平和維持機能）への個別国家の軍事的協力のそれである。この方式は第1の形態の「軍事同盟」方式によるバランス・オブ・パワーが本来営むはずの戦争抑止のシステム（ウェストファリア条約後のヨーロッパにおける平和維持方式として導入された「勢力均衡」原理の原初的意義がそれ）が，結局，武力衝突の防止には役立たず，逆に軍事紛争の国際化（大規模戦争）をひき起した歴史的経緯[25]をふまえて考察された新しい平和維持のシステムである。すなわち新たに国際社会を組織化することによって普遍的な（敵対的軍事同盟を解消すると共に逆に潜在的紛争当事国を共同の平和維持の責任システムに組み込む）共通の「集団安全保障」（collective security）の制度を確立し，そうした体制へ加盟国として参加し，その機能目的の範囲で軍事的に協力することである（今日の規範体制では国連憲章42，43条上の行動がそれ）。20世紀における2つの大戦の経験をふまえ，新たに構想され，実際にも構築された集団安全保障の形態といってよいであろう。そしてこの「集団安全保障」のシステムは，集団的自衛権を基礎としたバランス・オブ・パワー上の主権国家の個別的安全保障のシステムとは異質であって，あくまでも国際社会（機構）全体の平和維持を目的原理としていることを見落と

---

[25] R. L. Buell, International Relations, 1925, pp. 484 ff.; C. Dupuis, Le Principe de L'Équilibre du Concert Européen 1909, pp. 7, 97.

してはならないであろう。従ってこの場合には2つの前提条件が必要である。1つは機構加盟国による紛争の平和的解決義務の受諾と武力行使の原則的禁止の承認であり、2つには国際社会の機構的構成に伴う機構の集団的軍事力による平和破壊国または侵略国に対する制裁行動への参加義務の承認（参加の程度と内容については裁量の余地があるが）のそれである（加盟国を法的に拘束する国際機構による決定を前提）。

こうしてみると、主権国家の軍事力による「国際協力」の意義と性格には2種類があり、しかも相互に相対立する側面があることに注意しておかなければならないのである。

2　日本の安全保障に占める日米安保条約の体制的意義

(I)　国連憲章と集団的自衛権の体制的関連

(1)　こうして、国際安全保障の概念上、"collective security" の用語は両義的に使用されており、しかも歴史的沿革からみれば相互に矛盾対立し、相互交替的であって原理的には補完性をもちえないことに注意しなければならない。つまり18世紀以来、欧州における近代"主権"国家並存社会（Nation-States System）——ウェストファリア体制——での平和維持方式として考案された Balance of Power としての軍事同盟体制（古典的な collective security の観念といってよい）と、それを超克し主権国家の主権の絶対性わけてもその軍事力行使の裁量性に対して、国際組織上の基本秩序維持の目的から制約を課し、国際機構の集権機能によって主権国家間の平和維持をはかろうとする新しい collective security の観念がこれである。後者が国際連盟と今日の国際連合の意図する平和維持の体制であり、新しい「共通の安全保障」の概念である。

(2)　もとより今日の国際組織といえども、主権国家並存の体制を基本的に維持しており——国連憲章2条1項は「この機構はそのすべての加盟国の主権平等の原則に基礎をおいている」と規定している。——決して超国家機構ではない。のみならず第1次大戦後の国際連盟が「主権」利益の絶対性に対する機構的制約（普遍人類的制約）を内実化できなかったために、第2次大戦を惹起し人類の惨禍を招来したこともまたそう遠くない出来事である。すなわち牢固とした「内政不干渉原則」に支えられて、たとえばナチス政権はユダヤ人に対する国内人権棄損政策に関し国際連盟規約上の「国際関心事項」（the matter of international concern）からの事実上の免責を与えられ、ここでは主要西欧諸国による制裁意欲の欠如が明白

にみられたのである。また「民族自決」観念が国際連盟の形成とは裏腹に全くの未成熟の域を脱しえず，それが植民地体制の存続を許して日本等の後発資本主義国家のそうした体制への新たな軍事的算入を抑止する法的環境を醸成しえなかった点も見落としてはならないであろう。ファシズムと軍国主義に対する国際連盟の抑止能力の不足が第2次大戦の誘発原因として作用した事実は否定しようがないのである。

(3)　更に第2次大戦後に設立された国連すら主権国家体制のエゴイズムから脱却しえていない現状を見逃すわけにはいかないだろう。即ち1945年段階の起草時に，国連憲章がその51条で個別的自衛権の他に「集団的」自衛権を設定したことがその端的な例といえよう。即ち当時既に始まっていた米ソの冷戦は，国連の予定していた組織的平和維持の体制に不安をいだかしめ，個別国家をして自らの軍事力による対応によって安全保障問題を解決する以外に方法がないとする伝統的観念から，結局脱却しえなかったことを意味しているのである。日米安保条約が前文で「両国が国連憲章に定める個別的又は集団的自衛の固有の権利を有していることを確認し」と規定して，日本が個別的自衛権の他に集団的自衛権を有していることを明示したのも，こうした発想を基本的に共有しているからである。──但し日本は，「集団的」自衛権は保持していけるけれども，憲法上で「行使」は認められていないとして，日米安保条約の運用に大きな制約を課した。──

こうして国連はそれ自体の機構の中に相矛盾する集団安全保障の2つのシステムを包含するヌエ的機構として発足したと言って決して過言ではないと言えよう。

バランス・オブ・パワー概念を基礎とした集団的自衛権の相互発動を事前に(平時において)条約上の義務として設定する軍事同盟体制は，第2次大戦後，国連憲章上の安全保障形態の中心を占めて定着し，今日まで続いてきたと言ってよい。それは逆に安保理事会を中心とする国連の平和維持機能の低下を伴い，古典的「勢力均衡」体制へのゆるぎない信仰に奉仕したといってよいだろう。「冷戦」とせいぜい冷戦の枠組の中での「デタント」という戦後50年にわたる米ソ両軍事圏の対立状況はまさにその政治的表現であったのである。──憲章第7章43条以下の国連軍事力の常設化のための条文が死文化した経緯もこの状況の表れであった。──

1980年代末の冷戦の崩壊後，集団的自衛権を根拠とする旧ソ連圏諸国間の軍事同盟即ちワルシャワ条約機構は消滅した。東アジアにおいても中ソ同盟やソ朝間の軍事的連帯は機能を失い名目化した。しかし北大西洋条約機構（NATO）は東欧の若干国に同盟国の範囲を拡げる一方，1999年の旧ユーゴ・コソボの紛争では地域機構（憲章第8章）として人道保護を名目に（集団的自衛権の行使ではなく），

国連をバイパスして軍事介入した。のみならず2001年の9・11同時多発テロをきっかけにした米国のアフガニスタン攻撃では，NATOは安保理の決議（決議1368）で言及された"集団的自衛権"の行使として軍事介入したのである（この安保理決議での"集団的自衛権"の援用勧奨ともみられる決定に対する批判的分析として，広瀬善男「地域機構の人道的介入と国連の統制」，大内和臣，西海真樹・編『国連の紛争予防・解決機能』2002年，中央大学・日本比較法研究所，63〜64頁．A. Cassese, Terrorism is also disrupting Some Legal Categories of International Law, E. J. I. L., Vol. 12, No. 5, 2001, pp. 994〜996, 998〜1000）。こうして冷戦終結後も，既存の軍事同盟（集団的自衛条約体制）は機能を失っていないといえるだろう。しかし冷戦後においては，憲章51条の「集団的自衛権」の行使態様は国連の平和維持機能の枠内にとどまることが強く要請されているといえよう。

　こうしてそのためには，第1に「集団的」自衛権が国連の機構的集団保障の仕組の"補完"的権利（制度）の範囲と限界の中で作動することが必要である。従ってそのためには，この種の個別国家の「自衛権」（集団的自衛権）は他国に対する侵略発生時における一時的権利としてのみ運用，行使される（ad hocの発動としてのみ肯定される）という制限的運用を規範的に確立することが原理的認識として重要だということを慣行化しなければならない。つまり集団的自衛権を平時における対抗的軍事同盟の規範的根拠として援用しない国際的意識を定着させることが必要なのである（事前の条約化の否定）。なぜなら平時における対抗軍事同盟の維持は，歴史的沿革からも明らかなように，あくまでも「勢力均衡」システム上の軍事力増強競争の一環として機能し，国家間敵対意識の醸成にのみ奉仕された沿革と実情があるからである。20世紀に入ってからの国際社会の組織化による機構的安全保障の観念の成長は，まさにそうした国家集団間の軍事的対抗状況を否定するところから生まれたものであることである。そうした機構的安全保障（普遍人類的平和維持）の観念の枠組の中でこれと調和する機能だけを（"集団的"自衛権が）営むことを予定しないかぎり（集団的自衛権の平和と安全に関する国連秩序内の最低の許容条件），逆に基本的な国連の集団安全保障システムの崩壊をひき起す原因となることを忘れてはならないであろう[26]。

　(4)　こうした観点からすれば，かりに一歩を譲って集団的自衛権上の軍事同盟条約の体制上の維持を是認するとしても，その機能を国連憲章上の機構的集団保障体制の枠組の中にとどめる配慮を常に行うことが必要であり，そのためには次

---

(26)　広瀬善男「現代国際法における自衛権の位置」明学・法学研究8号，1970年，105〜110頁。

第 2 節　自衛隊と国際協力そして集団的自衛権

の 2 つの条件のいずれかを満足させるよう運用上の工夫をすることがぜひ必要だといえるだろう。

　1 つは集団的軍事防衛体制の維持を憲章第 8 章の地域的取極めの形式で行うことである。こうして敵対国を「地域性の条件」(regional qualification) の枠の中で共通の安全保障体制の中に組みこみ，平時における対抗軍事同盟の性格（バランス・オブ・パワー機能）を可能なかぎり除去することである。また軍事行動に関するかぎり（或いは組織行動としての経済手段その他による制裁に関するかぎり），それを国連安保理事会の統制下におくこと（憲章53条）を初めから予定することである。2 つめは，かつての NATO におけるノルウェーや旧ワルシャワ条約機構におけるルーマニアにその例をみるごとく，加盟国の軍事的協力のあり方として，対抗軍事同盟に加入する場合でも，平時における外国軍の常駐を自国領域内には認めない体制をとることによって，軍事同盟が固有にもつ緊張の相互反応的増殖作用を弱める方式を選択することである（有時駐留方式もその 1 つ）。

　このようにして国連の共通の普遍的安全保障システムと有機的に一体化する体制を自国の安全保障方式に組み込む努力をしないかぎり，集団的自衛権上の軍事同盟は，国連の平和維持システムそのものを恒常的に浸蝕し次第に崩壊に導く作用を営むことはほとんど疑う余地がないのである。こうした基本認識に立って，今日の北東アジアの安保体制を検討し直してみることも 1 つの"軍縮"作業といえよう。その意味で1951年に日本が連合国と対日平和条約を締結し，実質的な主権国家としての活動を開始しようとしたとき，これとセットにして締結した旧日米安保条約の性格と交渉経過には，そうした国連の原理的な平和維持機能とのリンクが考慮されていたことを今日，もう一度想起してみる必要があるのである。——この点で1985年 3 月に公開されたわが国の外交文書（1951～1956）の中で，日米安保条約の締結の経緯にふれた部分を論評した五十嵐武士の次の見解を指摘しておこう。「憲法改正の指導理念として戦争放棄を提示したマッカーサーが，確かに沖縄を極東戦略上の拠点ととらえて永続的に領有する方針を早くから打ち出したのは事実であるが，日本本土については1950年 6 月に朝鮮戦争が勃発する直前まで軍事的に中立化する考えを堅持していた。この考えは初期には1947年 3 月の早期対日講和の提唱で明らかにされたように，占領軍撤退後無防備状態になる日本を国連の管理下に置いて安全保障の確保を図るという構想に結びついていた。しかもこの措置には，国連にとっても存在理由を示す第一歩になるという見通しが抱かれていたのである。これに対して日本側では，当の幣原をはじめ，片山，芦田，吉田と続く占領期の内閣のいずれもが，マッカーサーほど国連への期待をもっていたわけではない。むしろ日本が極東の戦略上の要衝を占めて

第3章　九条と集団的自衛権

いるという事実から推して，アメリカが日本の安全保障を配慮しないはずがないと判断し，アメリカによる保障を求める方針が重視された。しかしそれにもかかわらず，占領の継続という印象を与えかねない点は潔しと考えてはおらず，この印象を払拭するためにアメリカと対等な立場で協定を締結することを願う一方，国連の役割に対する期待も保持したのである。……従って，日米安保条約の締結を目指す方針を確定した後も，吉田首相は国連が極東及び日本の安全を有効に保障できるようになるまでの暫定的な措置と位置づけていた。1951年1月末にダレスと対日講和について交渉を行うための準備作業においても，日本側の安保条約の草案は1月始めの段階まで日本への侵略発生の認定を国連の役割にする方針を採っていたのである。これは日本の防衛を全面的にアメリカの軍事力に依拠させるのではなく，文字通り国際的な保障に結びつけようとする配慮に基づいていたといえよう(27)」(傍点・広瀬)。——

(II)　「個別的」自衛権と「集団的」自衛権の一体化現象
　　　　——日米安保条約の運用上の問題点——

(1)　歴代の日本政府は，日本国憲法上で保持が許される自衛権は「個別的」自衛権に限られ集団的自衛権は保持しないと説明してきた。もっとも前述したように，新旧の日米安保条約では，共に日本が個別的自衛権だけでなく集団的自衛権をも保有していることを確認しているから，右の政府の説明は，正確にいえば，「集団的」自衛権も日本国憲法上で保持は認められるが，日本の軍事力行使の形態では認められないという意味に理解する以外にないであろう。日米安保条約の締結行為自体は，条約内容が米国への外部からの攻撃に対する日本の軍事的支援の規定を置いていない以上，米国の集団的自衛権の行使を日本領域で認めるものであっても，日本自体の集団的自衛権の行使を法的に是認したものとはいえないであろう。但し日米安保体制のもつ政治的，軍事的機能が全体としてバランス・オブ・パワー上のもの（抑止力機能）であることは冷戦時に於ても今日に於ても疑いがないことである。

(2)　ところで日米安保条約はその第5条で「日本国の施政の下にある領域における，いずれか一方に対する武力攻撃が自国の平和及び安全を危うくするものであることを認め」て，共通の危険に対しての軍事的対処を義務づけている。この場合，日本領域内に米軍が常駐することによって日本の安全に寄与することが前提とされている（日米安保条約6条）ことに注意しなければならない。この体制

――――――――――――

(27)　朝日新聞1985・3・25。

170

第 2 節　自衛隊と国際協力そして集団的自衛権

は米国の安全保障の観点からいえば米国の「集団的」自衛権の行使ということになるが、しかし右の在日米軍に対する外部からの武力攻撃があれば、それは米国の「個別的」自衛権の発動条件が成立することになることも疑いない。ここでは日本の防衛のための米国の軍事的展開が即ち米国自体の個別的安全保障措置そのものであるという、米国の「個別的」自衛権と「集団的」自衛権の一体化状況が成立しているといってよいのである。安全保障に関する日米の運命共同体の論理の１つがここにある。こうした運命共同体性は、かつては（冷戦時）ソ連の対外軍事進出の意図（それが現実にあるかどうかは別にして）が日本に焦点（target）を置いている場合は、日本の安全保障への米国の軍事的援助を確実にする（条約上の形式的義務としてだけでなく、日本をめぐる武力紛争への米国の巻込みを不可避にし、日本への軍事援助を実体化する機能を営む、いわゆる米軍人質論である。こうした作用を果す）ことは疑いがない。しかしかつて（冷戦時）米ソ超大国間の敵対関係を軸として、米ソがそれぞれ自国の国家的利益を中心とした世界戦略を構築し、その目的の中で集団安保体制（軍事同盟）を組みたてている構造が定着していた図式では、在日米軍の存在理由とその主要機能は日本の防衛というよりは（日本の防衛は副次的なもの）、直接には米国自身の安全保障を基軸目的としながら、間接的に日本を含む西欧的な政治、経済及び社会体制上の価値の防衛に置いていたとみるのが素直な理解であったであろう[28]。日米安保条約 6 条が米国の陸・海・空軍に日本領域での施設、基地の使用を認め、その目的として「日本の安全への寄与」の他に「極東における国際の平和及び安全の維持」への貢献を掲げているのは、もっぱら後者での米軍の活動の可能性を予測させるものであったといえよう。——もっとも条約 6 条は「日本の安全並びに（and）極東の平和と安全」と規定して、又は（or）の用語で両者をつないでいないから、日本の安全と無関係な極東の不安全に駐留米軍が使用されることはない、とみるべきだろう。——ここに日本の「個別的」自衛権と、行使できないとされる「集団的」自衛権との関係で実質機能上の問題が提起されているのである。かりに（旧）ソ連（当時、日本および米国の政権担当者によって公然と仮装敵国とされていた）の日本領域に対する攻撃が、在日米軍（艦船を含む）のみに目的的に限定された場合（そうした通告がなされた場合）、それに対する軍事的対応措置としての日本自衛隊の行動はどのような法的根拠をもつといえるのであろうか。旧ソ連等外国軍隊による単なる日本の領域侵犯行為は

---

[28]　1985年 4 月 7 日、外務省が発表した米国民の対日世論調査でも、日米安保条約の機能に関し、「極東の平和と安全に貢献している」との見方が85％を占め、更に「米国は安全保障上の利益を得ているか」との問いに82％が肯定している（朝日新聞1985・4・8）。

第3章　九条と集団的自衛権

法律上当然に（ipso jure）国連憲章51条上の自衛権による軍事的対応措置を発動せしめる根拠とはならないのである。——領域侵犯という国際法上の違法行為に対する国内法上の対応措置は，自衛権発動上の行動とは異質且つ別次元のものとして存在している。たとえば自衛隊法は「自衛権」発動（「防衛出動」）の条件と手続を定めた76条とは別に，82条の海上の警備行動と84条の領空侵犯に対する措置を規定していることはこれを示している。——

　もとより在日米軍に対する(旧)ソ連の武力攻撃があれば，それが目的的に日本領土の保全と政治的独立に対する攻撃（国連憲章2条4項で禁止している武力行使の目的態様）を意図しない場合でも，日本領土への外国軍事勢力の組織的侵入（単なる偶発的な領域侵犯ではない）および日本国民の人命，財産の棄損を物理的且つ結果的に（意図無関係に）発生せしめることは疑いがない。攻撃国の意図とは無関係に日本への「武力攻撃」とみられる客観的構成要件（法的事実）が事実上当然に（ipso facto）に成立するとみてよいのである。従ってこうした状況は自動的に日本の「個別的」自衛権の発動条件の充足を意味しよう。つまりこの場合の日本の軍事的対応は米国への攻撃を契機とした日本の「集団的」自衛権の行使として説明する必要はないであろう。国際法上（国連憲章上）で「集団的」自衛権とは外国に対する武力攻撃を自国に対する攻撃とみなし自衛権を発動させうる権利をいうものとされることに注意しなければならない。——たとえばNATO条約5条は「締約国はヨーロッパ又は北アメリカにおける締約国の1又は2以上に対する武力攻撃を，全締約国に対する攻撃とみなすことに同意する」と規定している。従ってそこには1国に対する攻撃が他の国に対する攻撃とみなされるような国家相互間の一定の連帯関係の存在が必要であろう。それは地域的近接性のみならず歴史的共同体関係，政治的，経済的連帯性の存在等かなりに広義のものと理解してよいであろう(29)。——

　こうして日本領域内に米軍を駐留させるという集団安全保障条約体制を維持することは，(旧)ソ連による米国（在日米軍）への武力攻撃を，本来ならば日本の「集団的」自衛権の発動条件の充足として理解すべき法的状況を，日本への武力攻撃という事実状況の不可避的発生を通じて日本の「個別的」自衛権の発動条件の充足へと自動的に連結せしめる法的装置の設定を意味するといってよいであろう。ここに「集団的」自衛権と「個別的」自衛権の一体化現象があるのである。——日本が「非核三原則」を厳密に実行する政策を採用するかぎり，そして米国がそれを順守するかぎり，(旧)ソ連の在日米軍への武力攻撃の口実と機会は減少したであろう。

---

(29)　田畑茂二郎『国際法Ⅰ』(法律学全集55) 1984年，359〜364頁。高野雄一『国際法概論㊤』1985年，197頁。

第2節　自衛隊と国際協力そして集団的自衛権

これは米国との連帯関係を前提とした実質的な日本の「集団的」自衛権の行使の可能性を縮減させ，自衛隊の機能を厳格な日本の「個別的」自衛権の範囲に維持しうる結果をもたらすことに資したであろう。——

　ところで以上は冷戦時代における日米安保条約（とくに6条）の機能について検討したものであるが，冷戦後の今日では，北東アジアの軍事状況は基本的に変化している。条約（日米同盟）の対象とする敵対国（仮装敵国）とあえて措定せざるをえない国は北朝鮮と中国（台湾との軍事紛争を仮定して）しかない。従って上述の「（旧）ソ連」は北朝鮮と中国に置き換えて読むことが必要である。

　(3)　さて，日米安保条約6条が定める「極東」の平和と安全の維持を目的とした米軍の日本駐留は，かつては米国の対ソ世界戦略（アラビア海からインド洋を含む太平洋全域にわたる対ソ包囲網）の一環に組み込まれていた。しかし冷戦後の今日では，東（南）アジアから中東，北アフリカに及ぶ「不安定の弧」と呼ばれる地域で頻発するテロやゲリラ戦を特徴とした武力紛争への対処のための米国の軍事的世界戦略の一環としての手段に変貌をとげた（但し台湾海峡の緊張への対処力としては，対中国用として別の機能がある）。

　ところで1960年の日米安保条約の改訂時には，日本の安全保障と極東の安全保障のリンケージが意図されていた。実際にも沖縄にある米軍基地はベトナム戦争での米軍の補給基地ないし作戦の中継基地として使用されたことは周知の事実である[30]。更に今日では，シーレーン防衛という新たな日米間の軍事協力体制の成立によって，極東以外の地域における米国軍隊に対するテロを含む各種の武力攻撃に対しても，日本は実質的意味での「集団的」自衛権を行使して（形式的には，たとえば，9・11（2001年）事件（同時多発テロ事件）後のアフガニスタン戦争で，インド洋に派遣された海上自衛隊の洋上補給活動に対して，旧タリバン政権がゲリラ攻撃を加えた場合，日本艦船への被害という事実上不可避な物理的損害の発生を前提とした「個別的」自衛権の発動として説明されるであろうが），米国への軍事的協力を事実上義務づけられているといってよいであろう。

　ところで日米共同で行うシーレーン（海上交通）防衛の性格は，そうした日本領域以外の地域で且つまた日米安保条約上の「極東」の地理的範囲をしばしば超えた地域における日本または米国の軍事力或いはそれに援護された海上輸送手段

---

(30)　日米安保条約第6条の実施に関する付属交換公文では，日本が攻撃対象とされていない場合における「日本国から行なわれる戦闘作戦行動」については，日米間の事前協議を必要とするという規定をおいているが，米国のベトナム作戦上の後方基地としての沖縄の使用は，直接の戦闘作戦行動の性格をもたないと日本政府は説明していた。

173

第3章　九条と集団的自衛権

に対する他国からの武力攻撃への対応を前提とした行動である。従ってこれは日米安保条約の適用対象外の問題として本来理解されなければならないはずのものである。かつて1985年2月8日の参院予算委員会で，社会党の岡田春夫氏は，「シーレーン防衛は日米安保条約6条上の「極東」の範囲外に及ぶもので，安保条約を逸脱している」と主張した。しかし日米安保条約からの逸脱だから許されないとみるのであれば不正確であろう。なぜなら日米安保条約は右の日本の行動を条約の適用範囲にもともとおいていないからである（条約の問題でなく憲法上の問題）。即ち日本自衛隊の日本防衛上の行動範囲（日本の「個別的」自衛権の行使できる地理的範囲）は，日本国憲法上では，日米安保条約上の相互援助義務の（地理的）範囲内にとどまることを要求されているわけではないからである。それが許されないとすれば，そうした行動が日本の「集団的」自衛権の行使としての性格をもっているかどうかの観点からのそれである[31]。むしろこの場合には米軍事力に対する外国の武力攻撃は，前述した日本領土に駐留する米軍に対する攻撃と異なって，日本領域（上の人命，財産）の組織的破壊は当然には伴わず従って日本の領土保全または政治的独立への直接の攻撃を意図しないことが客観的にも明瞭であるから，——かりに日本自衛隊への武力攻撃の可能性があっても，それは単なる付随的(インシデンタル)な性格のもので，日本の「政治的独立」の棄損を意図した目的（object)的な性格と態様をもたない。予想される自衛隊の被害は偶発的危険のそれにすぎないのである。——「個別的」自衛権の発動条件は原理的には成立しないのである[32]。逆に日本自衛隊による積極的な米軍への支援行動があれば，それ自体が

---

[31]　この岡田春夫氏の質問に対する安倍外相（当時）の答弁（昭60・2・21，参院予算委）では，1,000カイリシーレーン防衛と日米安保条約上の「極東」の範囲との関係を次のように説明している。①条約上の範囲は，大体においてフィリピン以北並びに日本とその周辺地域で，韓国，台湾を含む。②この地域への武力攻撃などに対処して米国が行動できる範囲はこの地域に限定されず，日米共同シーレーン防衛を行う場合でも同様。③日本もシーレーン防衛のため自衛権の行使ができる地理的範囲は，日本の領土，領海，領空に限られるものではない，と（朝日新聞1985・2・22）。しかしこの説明でも問題点の解明は必ずしも十分ではない。つまり条約上の「極東」の範囲とシーレーン防衛上の日米共同対処行動範囲は別次元であるとの趣旨は了解できるが，シーレーン防衛上の日米共同行動が日米安保条約上の体制的枠組の中でのものとする立場を前提としているようにみられることは疑問である。なぜなら日米安保条約の適用基盤は，本来"防衛目的"と"作戦根拠地"のいずれについても日本という「領域的」限定性を置いて，日本の主権的意思による条約義務としての米国への軍事的協力を厳格に制限しているからである（日米安保条約5，6条）。従って日本の安全保障と極東の平和という概念とは地域的にもまた価値的にも一応性質上区別される米国自体の安全や極東以外のグローバルな利益（西欧民主主義の価値とか資本主義体制上の利益というような）は，日米安保条約の適用範囲からは除外されていることである。もしそうした利益を日本もわかち合うべき共通の利益とみなし，それを擁護するために日本の軍事力の行使を是認するとするならば，それは日米安保条約上の義務としてのそれではないし，まさに日本国憲法の禁止しているとされる日本の「集団的」自衛権の行使に他ならなくなるといえよう。

174

「集団的」自衛権の発動とみなさざるをえないであろう(33)。

たしかに自衛隊は日本の防衛のために「日本」領域外の地域で且つ「極東」の範域外の地域でも行動はできる。米国もその世界戦略の一環として太平洋のいかなる地域でも（ペルシャ湾からインド洋地域においても）行動する権利がある。いわゆるシーレーン防衛はその目的の1つが日本への補給路の確保にあるとしても——もっとも注(33)でみたように日本海上自衛隊の直接の防衛対象は米艦隊わけても空母であって日本商船団ではないが。——そうしたシーレーン上の米艦船への外国の武力攻撃が，日本領土や条約上の「極東」地域への攻撃とは無関係な武力紛争の一環として行われた場合——たとえば中東での地域紛争の際ペルシャ湾やインド洋で，或いは東南アジアでの地域紛争や中・台間の武力紛争の際のマラッカ海峡や西部太平洋で，そこに在る米軍艦船への武力攻撃は容易に想定されうる図式である。——これは日米安保条約のカバーするいわゆる日米が共同で対処義務を負う武力攻撃とはいい難い。ここに日米安保条約とは別次元の日本の「個別的」自衛権の行使（日本領域外にあり米艦隊と行動を共にする日本自衛隊の付随的被害を理由として，それを日本の「個別的」自衛権発動の条件充足とみる立場を前提とした場合）による実質的な米軍への軍事協力の状況が発生することが予想されるのである。しかしこうした日本の軍事力行使は実質的には集団的自衛権の機能をもつし，私見では単なる自衛隊艦船の付随的被害だけでは日本の「個別的」自衛権の行使の条件が具備されたとはいい難く，むしろこうした状況下では，日本が自衛隊の軍事力の行使を厳格に個別的自衛権の限界内にとどめたいとするのであるかぎり，自衛隊艦船の米軍隊列からの離脱を一時的にせよ命令すべきであろう。また攻撃国も事前にそれを

---

(32) L. Oppenheim － H. Lauterpacht, International Law, Vol. Ⅱ, 7ed., 1952, p. 155.
(33) 日本の海上自衛隊の日本周辺1,000カイリシーレーン防衛の直接の目的は，日本商船団の護衛ではなく，太平洋上の米艦隊わけても米空母の護衛にあることが明らかにされている。たとえば米軍と共同で毎年行われている環太平洋合同演習（リムパック）での護衛訓練の目的は，敵潜水艦，航空機の攻撃から米艦隊わけてもハイ・バリュー・ユニットとしての空母を守ることにあるとされている。海上自衛隊は日本船団の直接護衛には消極的で，日本が必要とする物資輸送の大船団を船団護衛方式で守るには，艦艇がいくらあっても足りないとされ，1,000カイリシーレーン防衛の主力はP3Cなど対潜部隊になるという見方が一般的である（朝日新聞1985・3・30）。中曽根首相（当時）はこうした海上自衛隊の行動を「日本を守るために行動する米艦艇を護衛することは，集団的自衛権の行使には当たらない」と国会で説明している。しかし太平洋上の米艦隊の「主要な」（第1次的な）任務は日本の防衛ではなく米国の防衛のそれである。当時の中曽根首相の「個別的」自衛権の観念には，日本独自の主権的利益の認識よりも日米の運命共同体的価値観への深い傾斜があったといってよいであろう。防衛庁は1985年，「59中業」防衛力整備計画の中で，硫黄島にオーバー・ザ・ホライズン（OPH）レーダーの設置を決定した。これはオホーツク海からシベリア内部，北部太平洋一帯の警戒措置で，その特性上日本本土防空にはほとんど役立たず，米空母群の防衛や米国の戦略防衛の一環としての性格が強いといわれていた（朝日新聞1985・5・3）。

第3章　九条と集団的自衛権

日本政府に対して要求するであろう。

　さて，2005年の在日米軍再編協議をめぐって，米国のグリーン国家安全保障会議（NSC）上級アジア部長は，日米安保条約6条の「極東条項」の制約から日本は脱却すべきだと述べた（朝日新聞，2005・12・25）。日本政府の中にも，日米安保条約6条でいう「極東」（The Far East）とは「米軍の駐留目的を定めたもので，米軍の行動までは制限していない」という議論がある。しかしながら，6条の立法趣旨は，「日本の安全に寄与する」ことが主要目的であり，且つそれは「日本の領域に対する武力攻撃」（5条）が前提とされていることを忘れてはならない。6条の「極東の平和と安全への寄与」の文言は，前段の「日本の安全への寄与」と"and"で結ばれ別個の目的を示す"or"ではないのである。従って日本基地から行われる米軍の戦闘作戦行動がかりに「極東」の平和と安全を維持する目的をもつものだと米軍が説明しても（対中国の台湾海峡紛争の例が考えられる），日本独自の安全と直結する（日本領域への武力攻撃と同一視できる目的と態様をもつことが必要）ものと考えられない限り，日本政府はこれに同意してはならない憲法上の義務があると言わねばならない。従ってこれは日米安保条約6条附属交換公文の「事前協議」上から言えば，日本の拒否権行使を必要とするケースであることを意味する。即ち日米安保条約は米軍の「行動」の制限のみならず「目的」の制限をも厳格に課していることに注意しなければならないのである。そうでなければ，日米同盟が限りなく「軍事」同盟化し，米軍の「行動」は地域の如何を問わずすべて「日本の安全」と直結し，日本の「集団的自衛権」の行使をなしくずしに実現して，憲法（前文，九条）の死文化状況を招来することにならざるをえないからである。

　(4)　ところで米国本土への直接の武力攻撃に対しては，日本は日米安保条約上の援助義務はない。しかしこの場合日本は何らの軍事的協力をも米国に対して安保条約上で行うことがないといえるであろうか。そうではあるまい。在日米軍基地は常時，北東アジア地域の情報収集基地或いはいわゆる極東及び太平洋の米軍の移動と補給上の前線または中継の基地としての機能を果している。ここでもまた「集団的」自衛権の問題が登場する。これに関連し過去の歴史的経験を検証しこれと対比してみることが必要であろう。第2次大戦初期（ドイツ軍による西欧諸国席巻時）における米国の対英軍事協力（艦艇の貸与と基地の提供等の行為）が，いわゆる"非交戦"（non-belligerency）の法理を定着させたことは周知の事実である。jus in belloにおける伝統的な"中立"義務（または"避止"義務）からの離脱現象である。なるほど第2次大戦における連合国の軍事行動の性格を単なる

第 2 節　自衛隊と国際協力そして集団的自衛権

個別連合国の自衛権上の行為としてではなく，ファシズム国家に対する国際連盟の機構的集団安全保障の理念を背景とした国際制裁行動のそれとして把握するかぎり，"戦時中立"の法理は適用しえないという議論が成立しうる余地は十分にある[34]。しかしそうした国際機構のとる平和維持（集団安全保障）への協力義務（国連憲章 2 条 5 項も参照）としての"非交戦"的行動——"侵略"者に対する中立は原理的にありえない。——ではなく，集団的自衛行動の一環としてとられる主権国家独自の判断に基づく"非交戦"法理上の軍事的協力（基地の提供等による中立義務の否定[35]）が，米軍の日本領域における駐留状況を前提とした日米安保条約上の体制的義務として成立しているとみられることが看過しえない問題なのである。こうした状況をも日米の運命共同体論で割り切って是認すべきかどうか，「集団的」自衛権論の再論議が要請されているといってよいであろう。——1982 年のフォークランド紛争にさいし，米国は同島奪回作戦に従事した英艦隊に兵站補給上の協力を行った。その根拠をヘイグ国務長官は，アルゼンチンによる紛争の平和的解決義務という国際的ルール・オブ・ロー原則の違反に対しての「制裁」だとした。しかしア軍のフォークランド侵攻が米国の安全を侵害したとみなされた場合の「集団的」自衛権の援用ならば肯定できるが，平和破壊行為への可罰的性格の個別国家の行動は国連安保理の許可のないかぎり違法とみる見方が強い[36]ことを忘れてはならない。——

　(5)　さて日本は 9・11 事件後，急遽「テロ対策特別措置法」を作定し（2001・11），自衛艦を南西インド洋（アラビア海）に派遣して米国の軍事行動の「後方支援」を行った。しかし「後方支援」であっても，米国の個別的自衛権行動とは一体化しているか，少なくとも連帯性はもつから，日本と同様に独，仏，伊等の NATO 諸国の「後方支援」活動（但し日本と異なり，地上部隊を派遣）が，NATO 条約上の集団的自衛権の行使とみなされていることからみて，米国の（個別的）自衛権行使に対する支援形態がどのようなものであれ（英国だけは直接の武力行使をした），日本の支援行動についても，その corpus（態様）と animus（目的意

---

[34]　広瀬善男「『平和に対する罪』と国際法」明学・法学研究 30 号，1984 年，7～8 頁。M. Lachs, The Development and General Trends of International Law in Our Time, Recueil des Cours., Tom. 169, 1980-Ⅳ, pp. 158～159, p. 322, n. 585.; I. Brownlie, International Law and the Use of Force by States, 1963, p. 109.; A. Verdross, Völkerrecht, 1964, S. 342.; H. Wehberg, L'interdiction du Recours à la Force : Le Principe et les Problèmes qui se posent, Rucueil des Cours., Tom. 78, 1951-I, p. 46.; H. Kelsen, Zeitschrift für Öffentliches Recht und Völkerrecht, Bd. 17, N. 4, 1937, S. 591.; Leo Gross, Essays on International Law and Organization, Vol. 1, 1984, p. 343.

[35]　L. Oppenheim － H. Lauterpacht, op. cit., p. 651.

[36]　D. E. Acevedo, The U. S. Measures against Argentina resulting from the Malvinas Conflict, A. J. I. L., Vol. 78, No. 2, 1984, pp. 340～343.

思)の点で，日本自身の集団的自衛権の行使とみなされ（集団的自衛権概念について別に，広瀬善男『日本の安全保障と新世界秩序』1997年，信山社，203～222頁，参照)，したがって現行解釈での憲法九条違反を構成するとみざるをえないであろう。こうしてみると，米国の軍事行動への自衛隊の協力がどうしても政策的に必要と考えるのであれば，上記の「テロ対策特措法」には自衛隊の出動条件として国連（安保理もしくは総会）の決議を前置することを明記すべきであった。それによりテロ抑圧という「人類的公共利益」の確保のための自衛隊の活動を中心とする日本の貢献が憲法上も可能となったと思われる（憲法九条解釈を含めて，広瀬善男『21世紀日本の安全保障』2000年，明石書店，5～16, 33～36頁，参照)。——もっとも，上述の米及びNATO諸国によるタリバン・アフガン政権に対する武力制裁を国連安保理による許容行動とみるならば，日本の「テロ特措法」上の行動は，集団的自衛権の行使ではなく，国際公共行動とみる法的余地はある。——

　21世紀の日本の安全保障は，上記「特措法」などによる日本の「集団的」自衛権の「行使」を可能とすることによって得られるものではなく，「人間」中心の平和と安全の新たな時代状況を勘案しつつ，国連による平和と安全の維持活動への積極的参加（在来型PKOへの参加のみならず，使命遂行上の武力行使をも視野に入れた活動への参加）によって担保されるべきなのである。それによって憲法前文が示す「国際社会において名誉ある地位を占める」ことも可能となるであろう。——9・11後の米国の対アフガン軍事行動を，自衛権（集団的自衛権を含む）観念の拡大やnecessity論の導入によって適法化しwar against terrorismを肯定する立場は，結局，「国際法の退化と集団安全保障システムの不活化」を招き，hegemonの出現に都合のよい議論を提供するだけだろうと言う議論として，Noëlle Quénviet, The World after September 11: Has It Really Changed? E. J. I. L., Vol. 16, No. 3, 2005, pp. 576～577.；広瀬善男「地域機構の人道的介入と国連の統制—コソボの教訓—，はじめに」大内和臣，西海真樹・編『国連の紛争予防・解決機能』2002年，所収。——

　(6)　21世紀に入り，わが国の政界を中心に集団的自衛権の容認論が高まっている。即ち憲法改正論議を通じて日本の保守政党（政権党）が野党との政治的妥協として伝統的に維持してきた自衛権の許容範囲としての「個別的」自衛権への自衛権行使の限定を憲法的要請とする政策が変更される可能性が高まっていることである。

　在日米軍は単に日米安保条約上の「日本防衛」の目的だけで駐留しているのではなく，米国の世界戦略の一環としての行動機能という目的をもっていることをこの際，事実として認めておかなければならない。日米安保条約上の「極東」の

平和と安全の維持への寄与という駐留目的も，過去の朝鮮戦争やベトナム戦争或いは台湾をめぐる軍事紛争における米軍の直接，間接の軍事介入に例をみるまでもなく，日本の安全への直接的危険（日本の個別的自衛権の発動条件を満たすほどの客観的軍事侵攻の危険）への対処行動のそれではなく，米国並びに自由世界の利益，更に最近に於ては（9・11事件後の今日では）テロ対策という人類的利益の保障をも目的とした広義の防衛目的を前提とした広範囲の脅威に対するものへと変りつつある。しかしそれへの日本の軍事的寄与（基地貸与であれ，自衛隊の直接の軍事力の行使であれ）は，人類的利益を保護法益とする場合を除き，基本的には「集団的」自衛権の法理を観念上の根拠とする以外にはないであろう。テロ対策という基本的人権の保障のための（軍事的）措置は，別述したように（たとえば，広瀬善男「地域機構の人道的介入と国連の統制」，前掲論文），国連機構の枠組（安保理等の決議を前提とした）の中での参加，寄与であるべきで，「人間の安全保障」の問題として，それこそが日本国憲法（前文，九条）体制の中で，ぎりぎり容認されうる自衛隊の行動であり，自衛隊による日本の「国際協力」と言えるであろう。

第3節　集団的自衛権成立の沿革と性格

1　集団的自衛権と集団的防衛（援助）権

　現在，わが国は安全保障の問題で集団的自衛権の「行使」を，わが国憲法体制の中で合憲化（憲法の改正措置を含めて）すべきかどうか国論が分れていると言ってよい。そこで次に集団的自衛権が国際法の規範としてどのようにとり入れられたか，その沿革と法理的意義を検討し吟味しておく必要があると思われる（詳細は，広瀬善男『力の行使と国際法』1989年，信山社，第2，3章を参照のこと）。

　(1)　戦間期の1928年に国際連盟の下で，当時の大多数の国（当事国数60）によって「不戦条約」が採択されたが，米，英，仏等によって重要な「留保」がなされた。これがその後，第2次大戦を経て国際連合が設立されたとき，憲章の51条に「集団的自衛権」の観念が新たに提起され導入されたことと無縁とは言えないことに注意しなければならない。即ちたとえばイギリスは，不戦条約の例外として次の留保を行ったのである。「世界の或る地域は，その繁栄と保全が，われわれの平和と安全に特別且つ死活的利害関係をもつ（a special and vital interest for our peace and safety）……これらの地域を攻撃に対して守ることは，英帝国にとって1つの自衛手段（a measure of self-defence）である。英政府はこの点に関しての行動の自由を害されないという明確な了解（the distinct understanding）の下で新条約（注・不戦条約）を受諾することを理解してもらわなければならない」という特別利害関係地域に関する留保を述べたのは，連盟時代における「戦争自由」思想の退潮と，それに伴う19世紀的自衛権観念の大幅な制限という新たな時代状況の登場があったためである。右のイギリスの留保はそうした沿革から理解さるべきものである。つまり伝統的な（個別的）自衛権概念が今や修正をうけ，自国の政治的独立と直接の関係のない国（地域）や，海外植民地等における権益が侵された場合には，必ずしも自衛権発動の条件を満たすものではないという当時の法意識を考慮して，とくにそれを除外しようという意図のもとになされたものとみるべきであろう。従ってこのイギリスの「留保」（これをイギリスだけの政策的主張と理解される単なる「解釈宣言」としてではなく，他の加盟国に対抗力のある条約制度上の「留保」の表明とみる見方が一般であった）は，不戦条約第1条で禁ずる国家政策の手段としての戦争を，イギリスだけについて認めさせようとするものという理由で，多くの国から不戦条約の精神に矛盾するとして拒否された（たとえば，アフガニスタン，エジプト，ペルシャ，ソ連，トルコ等。フランス議院での不戦条約の報告者 A. Labrousse によれば，イギリスのこの留保は，一定地域に向けられた攻撃のあった場合に，「干渉」の権利を留保したものであると述べている(37)）。当時の学者の意見でもそうした理由からこの留保に批判的であったものが少なくない(38)。わけても条約起草者のケロッグは1928年11月11日の演説の中で次のように述べて，右のイギリス（及び他にフランスとチェコ）の留保の効力を否定したのである。「不戦条約は，1国が開戦を正当化する留保や条件によって阻害されることはない。……本条約に関する2，3の特定国の声明は条約の一部を構成しないし留保としても考慮されない。この特定国の解釈は条約の条文として寄託されることはない(39)」と。手続的にみても，このイギリスの留保は原署名国のすべてによって同意されていない。従って"留保"としての国際法上の効力をもつに至ったかどうかにも疑問があった（この種の留保の有効性を担保する条件として既存の法慣行を成文化した1969年の条約法条約20条2項を参照のこと(40)）。こうして

---

(37) A. N. Mandelstam, L'Interprétation du Pacte Briand － Kellog par les Gouvernements et les Parlements des Etats Signataires, Revue Générale de Droit International Public, 1933, p. 33.

(38) Hunter Miller, The Peace Pact of Paris, 1928, p. 40.

(39) G. H. Hackworth, Digest of International Law, Vol. 5, 1943, p. 145.; Hunter Miller, op. cit., p. 118.

(40) しかし本文でみた不戦条約に関する英，仏等の留保の効力については学者の見解は必ずしも一致

第3節　集団的自衛権成立の沿革と性格

イギリスの留保は各国によってかなり消極的に理解されたのであるが，このことは日本が満州事変にさいしてイギリスと同様の立場から，満州領域における特別利害関係を主張して自衛権の発動を適法化しようと試みたとき，イギリスを含む連盟総会によって拒否されたことによって決定的となったといえる(41)。——なおイーグルトンは，国家が essential なものと考える財産権の防衛をも自衛権概念は含むと主張した（C. Eagleton, The Attempt to Define Aggression, International Conciliation, No. 264, 1933, p. 612）が，ブラウンリーは1929〜45年の時代を通じて，若干の例外を除き，国家領域に対する武力攻撃またはその脅威以外に自衛権の発動対象となった practice はないと述べている（I. Brownlie, The Use of Force in Self-Defence, B. Y. I. L., Vol. 37, 1961, p. 211）のも，自衛権概念の制限的傾向を示しているといえよう。——

ところでイギリスの留保を国連憲章51条上の"集団的自衛権"の先駆けとして理解する説がある（田岡良一『国際法上の自衛権』昭和39年，175頁）。たしかに既存の植民地地域の防衛を自国（植民地国家自体）の防衛と同視するという保護法益の一体化現象を，イギリスの留保にみようとする限り，そうといえよう。しかし両大戦間の集団安全保障の体制は，連盟の制裁方式を別とすれば，1925年のロカルノ条約（ラインラント協定）に典型的にみられるように，すべて主権国家間の相互保障援助条約を軸としていたものであり，それは概念的には「集団防衛」（collective defence）であっても，「集団"自"衛」（collective "self"-defence）ではなかった。たとえばラインラント協定では，「国境の突破や交戦の開始のような，被害国の徴発によらざる侵略行為によって（攻撃や侵入或いは戦争への付託の禁止という）本協定2条の重大な違反が発生した場合は，他の締約国は即時に被害国を"援助"することを約す（undertakes immediately to come to the "help" of the party ……．クォーテーション・マーク・広瀬）と規定しているのである。ここでは

していない。たとえばライト（Q. Wright）は「こうした留保は"留保"としては有効ではない」と述べながらも同時に，条約適用上の"例外"（exception）ないし"修正"（modification）としてでなく，むしろ"条文の意味を確定する証拠として"（as evidence of the sense of the text）受諾されうるものであろうと述べている（Q. Wright, The Interpretation of Multilateral Treaties, A. J. I. L., Vol. 23, No. 1, 1929, pp. 104〜105）。更にボーチャード（E. Borchard）は一歩進めて「イギリス及びフランスのこうした宣言が"interpretations"と呼ばれようが"reservations"ないし"qualifications"と呼ばれようが，要するにこうした宣言を付した国は，その宣言で述べられた目的や意図及び了解の下でのみこの条約に調印したのであって，従って条約上の義務はそのような公式に通告された条件に基づいて解釈され理解されるべきものである。その意味でこうした宣言は不戦条約の第1条に明記されたと同様の効力をもつ条約義務の本質部分として理解されなければならない」と述べているのである（E. Borchard, The Multilateral Treaty for Renunciation of War, A. J. I. L., Vol. 23, No. 1, 1929, pp. 116〜117.; 同旨，P. M. Brown, The Interpretation of the General Pact for the Renunciation of War, A. J. I. L., ibid., pp. 375〜377）。

(41)　Q. Wright, The Meaning of the Pact of Paris, A. J. I. L., Vol. 27, No. 1, 1933, pp. 48〜49.

第3章　九条と集団的自衛権

協定の目指す法目的は締約国同志の相互援助（の義務）であり，保護法益は直接攻撃をうけた被害国の重大国益ではあっても，援助国の自衛上の国益ではない。援助国はそれによって間接的な（協定上の）秩序利益を得るにすぎない。この点が国連憲章51条上の集団的自衛権の保護法益が，たとえば全米相互援助条約（1947年）で規定するように，「締約国は，米州の1国に対するいかなる国の武力攻撃も，米州の一切の国に対する攻撃とみなされる」（3条）というように，1国への攻撃を他の締約国への攻撃と同視し一体化している点で，観念の基本的な相違があることに注意しなければならない。従ってそこには当事国間の事前のagreement（条約，協定形式）が必要とされる法的状況があったことも見落としてはならない。事前の協定のない場合に武力行使が許される事態は結局，現今の言葉でいえば"個別的"自衛権以外になかったといえる(42)。デルブリュック（J. Delbrück）も，第2次大戦前の国際法では（とくに第1次大戦までは明白に）collective "self"-defence の権利についての認識はなく，むしろ攻守同盟上の jus ad bellum が一般的に承認されていたと述べているのである(43)。もとより1923年の相互援助条約（案）にしてもラインラント協定（1925年）にしても，それらが連盟規約体制の枠内で機能することを意図している以上，そこでの援助権の行使は連盟理事会の統制権内にあり，従って暫定的な保全，補完の措置に限られる性格をもっていた（いるべきであった）であろう。しかし連盟は発足後間もなく理事会機能の不活化が現実化し，右の相互援助協定は，第1次大戦前の攻守同盟的機能（事前の協定締結によるバランス・オブ・パワー機能）への復帰の傾向を色濃く持つに至ったのである（森肇志「集団的自衛権の誕生—秩序と無秩序の間に—」国際法外交雑誌102巻1号，2003年，96頁）。——その意味で第2次大戦後，国連憲章で認められた集団的自衛権の概念はそれが協定の存在を必ずしも前提としないと解される以上，新しい拡張概念だといわなければならない。ただそうした概念の導入の背景が，安保理事会の統制から集団防衛に関する（既存）の地域協定上の武力行使を除外しようとする趣旨にでたものであることが明らかである以上，その点では機能的にみれば戦前の相互援助条約の肯定と同じである。ところで R. Ago は，ILC の国家責任条約案（Eigth Report on State Responsibility, UN Doc. A/CN. 4/318/Add. 7, 17. 6. 1980, pp. 13〜14, Para. 37）で，集団的自衛権の性格につき次のように述べた。①集団的自衛権とは「個別的」

---

(42)　A. Verdross, Friedens Warte, 30, 1930, S. 66.; Le Gall, Le Pact de Paris, 1930, pp. 105〜106.; H. Wehberg, L'Interdiction du Recours à la Force, Recueil des Cours., Tom. 78, 1951-I, p. 47.; D. W. Bowett, Self-Defence in International Law, 1958, pp. 212〜215.

(43)　J. Delbrück, Collective Security, in "Encyclopedia of Public International Law", No. 3, 1982, pp. 115〜116.

自衛権が複数国家によって集団的に行使されるにすぎないという見解は正しくない。②集団的自衛権は相互援助のための地域協定の枠の中でのみ適用しうるという見方は妥当でない。したがって事前の条約がなくても集団的自衛権は行使できる。しかし被害国の要請か同意が必要である（後者の「被害国の要請」が集団的自衛権を行使する場合の必要条件だとする見方は、ニカラグア事件に関するICJ判決で裏づけられた。ICJ Reports, Military and Paramilitary Activities., 1986, Para. 199.）。──

　(2)　但しここで見落とすことのできない解釈が不戦条約に関して存在することである。すなわち不戦条約は前文で「今後戦争ニ訴ヘテ国家ノ利益ヲ増進セントスル署名国ハ，本条約ノ供与スル利益ヲ拒否セラルベキモノナルコト」と規定していることを根拠に，武力不行使規範の違反国に対しては他のすべての国に「戦争の自由」を許容したとみる見方があったことである。たとえばウォルドックがそうである (C. H. M. Waldock, The Regulation of the Use of Force by Indivisual States in International Law, Recueil des Cours., Tom. 81, 1952-II, p. 474)。すなわち不戦条約はその条約体制の中に紛争の平和的解決のための特別の機関も，また条約違反国に対する制裁の措置やそのための決定と執行の機関も設けなかった以上，締約国に対して個別的にか集団的にかは問わず，武力行使の自由を制裁として肯定したとみてよいというのである。しかしこの見方は，不戦条約が連盟体制から切り離された独自の国際的合意だとみることを意味する。たしかに不戦条約の締結国は連盟国に限られていなかったし，したがってニュールンベルグ国際軍事裁判所の判決でもそれを1つの理由に連盟の崩壊は当然に不戦条約の無効化を意味しないとも述べている（しかし正確には不戦条約の基本趣旨は連盟規約で宣言した「戦争違法化」規範の慣習法化の効果である）。更にまたレオ・グロス (Leo Gross) のように，「不戦条約」の締結の趣旨を既に不全に陥っている国際連盟の機構的統制機能を見限り，機構的制裁システムをその時点から消滅させ，新たに不戦条約の違反国に対して加盟国の武力行使の一般的是認をもたらすことにあった（換言すれば不戦条約は戦争の違法化は確認したが，機構的制裁を前提としてはじめて成立する戦争の犯罪化は予定していないということになる）と主張する議論もあるのである。しかし当時の規範意識としてはこうした見方は一般的ではなく，不戦条約を連盟規約の補完としてのみ理解し，決して相互に矛盾の関係を認めあったり或いは全く無関係の法制度として把えてはいなかったのである。

　(3)　さて，右のイギリスの不戦条約に対する留保と同様に，米国も1929年に次の留保を行った。「米国はモンロー主義を自国の安全保障及び防衛の一部とみなす。不戦条約によって許されている自衛権の中に，わが国の国防体制の一部をな

すモンロー主義を維持する権利は当然含まれねばならない」と（A Report of the US Senate Committee on Foreign Relations, 14 January 1929, Congressional Records, Vol. 17, No. 29, 15 January 1929, pp. 1783～1784.）。ところでこの留保の趣旨は「ヨーロッパ諸国が米大陸において新たに領土を獲得することと米州諸国の政治組織に介入することに対し米国は無関心ではありえず，こういう企てを阻止することをもって米国の国是とするというものであった。換言すればこの留保がめざすモンロー主義の実行としてなされる武力行使は米国の領土が攻撃または侵入をうけた場合に限らないということである。ラテン・アメリカ諸国に対する米国の介入（干渉）権を留保したといってもよいのである。これが若干のラテン・アメリカ諸国に対して不戦条約への参加を拒否させ，逆に彼らによって1933年にヴェノスアイレスでの，侵略戦争を非難し武力による領土変更の不承認を誓約するサーベドラ・ラマス条約（the Saavedra Lamas Treaty）の締結へと導いたのである」（M. Lachs, The Development and General Trends of International Law in Our Time, Recueil des Cours., Tom. 169, 1980-IV, p. 157）。

　ここでの法的問題は，こうした米国や前述のイギリスの留保のコロラリーとしての武力行使或いはまたレオ・グロスのいうような不戦条約が是認したといわれる侵略国に対する加盟国による武力行使の自由という観念が，「個別的」自衛権の範囲を超え，国内法でいうところの「他人のための正当防衛（la légitime défense d'autrui）」という意味での「集団防衛（légitime défese collective）」の機能をもったのではないかとの議論である。そしてそうした観念が国連憲章第51条の集団的自衛権の先がけとなっているのではないかという議論である[44]。これについてデリバニ（J. Delivanis）の意見を紹介しながら少しく考えてみよう。

　デリバニは，モンロー主義に基づく米国の不戦条約の留保は，留保当時の意識としては米国自身の防衛にその法益がおかれていた（留保のステートメントは次のように述べている。"under the right of self-defence allowed by the Treaty...."）とみる。しかし1930年代後半以後は米州という「地域」防衛に重点がおかれ，いわゆる他人のための防衛という観念を作り出す導因となった。またイギリスの留保の意義についていえば，英帝国（the British Empire）というイランやアフガニスタンやエジプトなどの広範な点在地域に関する正当防衛は，英帝国の通商関係の維持に目的がおかれ，そこでは「地域的一体性」や「地理的近接性」という米州防衛のような「地域主義（regionalism）」の要素をもともと欠いていた。そこに「他人の

---

[44] Leo Gross, Essays on International Law and Organization, Vol. I , 1984, p. 316.

ための防衛」という観念をいっそううきぼりにする要素があったといえる。第2次大戦の勃発後，ドイツの危険にさらされたギリシア，ノルウェー，アイスランド等に英，米が武力介入を試みたのは，そうした他人のための正当防衛観の発展を示すとみてよいだろう。こうデリバニはいうのである(45)。

2　集団的自衛権の法理的性格

(1)　こうしてこの"他人のための正当防衛"という集団防衛観は，たしかに1つは米，英が行ったモンロー主義や英帝国の範囲に関する留保が果した政治機能に端的に示されたように，関係国の事前の合意のない状況の下でなお米，英自身が自国のナショナルインタレスト（武力攻撃をうけた場合の自衛上の利益というのではなく，一般的な政治的利益）を保護するための手段として援用した法理であり，且つ実際にもそうした機能を営んだことは疑いがない(46)。従って多くの学者が批判するように（田岡良一『国際法上の自衛権』前掲書，178頁），他国への干渉権の肯定を意味する側面があったことは否定できないであろう。――国連憲章下でも，このモンロー主義的武力行使が米国政府によって正当化される事件が発生している。たとえば1983年の米軍のグレナダ侵攻がそうである。しかし国際連盟時代のモンロー主義的介入権の思想が，外からの侵略に対する地域防衛に目的をおいたのに対し，国連憲章下では少なくとも名目上は，地域住民の人権の保障や住民の民主的自決プロセスの確保をめざす地域的平和維持機能に重点をおいている。したがってそうした目的をもつ武力行使が「人道的干渉」と呼ばれたとしても，それは関係地域住民のポピュラー・サポートを得た行動であって決して強圧的武力行動ではない（国連憲章2条4項に反しない）という論理として現われているのである（J. N. Moore, Grenada and the International

---

(45)　J. Delivanis, La Légitime Défense en Droit International Public Moderne（Le Droit International face à ses Limites), 1971, p. 149.
(46)　デリバニは，こうした「集団的自衛権」概念に宿る固有の拡大適用の危険を除去するためには，憲章51条にこの概念を導入する契機を提供した「地域主義」の要素をとり入れた「事前の条約」の存在を発動の条件として設定すべきであろうと述べる（J. Delivanis, op. cit., p. 156)。しかし同時にデリバニは，こうした条件設定は本来自然権であるべき「他人のための正当防衛」の観念を"制度化"するものであって，自然権としての自衛権の性質や範囲を越えるという非難のあること（たとえば H. Saba, Les Accords Régionaux dans la Charte de l'O. N. U., Recueil des cours., Tom. 78, 1952-I, p. 695) を認めている。ジェニングス（R. Y. Jennings) も集団自衛は代理防衛ではなく，あくまで「自己」防衛の権利であることを根拠に，その権利行使に契約的取決めの必要はないとしている（ニカラグア判決での反対意見，17頁)。ところで私見では，"事前の"相互防衛条約体制が果すバランス・オブ・パワー的敵対関係の増幅形成機能の方が，国連本来の集団安全保障体制を崩壊に導くものとして問題であると考える。しかしニカラグア事件判決で示したように，武力攻撃発生後の被害国の同意を第三国の集団的自衛権の行使前提とすることは，乱用防止のために必要であろう。

Double Standard, A. J. I. L., Vol. 78, No. 1, 1984, pp. 145～168)。しかしニカラグア事件に関するICJの判決は，集団的「自衛」権とは要件の異なる集団的「干渉」権の存在を認めず，エルサルバドルに対するニカラグアの干渉（エルサルバドルの反政府組織へのニカラグアの武器等の供与）への対抗干渉として正当化しようとした米国の行動（ニカラグアの反政府団体へ米国の軍事援助）を違法な集団的干渉権の主張として否定した（ICJ Reports, 1986, Para. 249.）。右の米国と同様の論理が保護法益こそ異なれ，すなわちソシアリズム・インタナショナルの利益の優先的確保のための集団的武力介入権の肯定という，かつて，冷戦時代にチェコ事件やハンガリー事件で実行された東欧圏での制限主権論（ブレジネフ・ドクトリン）の主張にもみられたことを記憶しておくべきであろう。──

　しかしながら同時に，右にみた不戦条約上の米，英の留保がもたらした武力行使の性格的意義は別にある。つまり連盟体制下の「集団安全保障」という機構的制裁機能が不活化の中で，ともかくなお侵略者に対する隣人の防衛責任を果たすための手段として"他人のための正当防衛"論が登場し，その政治的具体化として米，英の一定利害関係地域に対する武力干渉権が構想されたことである。この意味で，第2次大戦勃発直後の1940年に未だドイツとの戦争状態に入っていない米国がイギリスと軍艦の貸与協定を結んで軍事支援をし，伝統的"戦時中立"の制度をふみ越えていわゆる"非交戦"（制限的中立）の法理を導入した経緯は"他人のための正当防衛"論の発展形態として無視しえない歴史的事実といえるかも知れない。即ち右の米・英の軍艦貸与協定の中でその法理的根拠として「不戦条約」前文（「今後戦争に訴えて国家の利益を増進せんとする署名国は，本条約の供与する利益を拒否せらるべきものなること」）が援用されていることに注意しておくべきだろう。ここには第2次大戦後の国連憲章51条上の「集団的自衛権」概念（機構的制裁の機能する前の段階での侵略者に対する共同・集団防衛の観念）の先駆けがあるといってあながち不当ではないだろう。

　(2)　国連憲章51条の立法過程で，ダンバートン・オークス草案Ⅵ章C節1項に対するフランス修正案は，「安保理事会の決議ができないときは，国連加盟国は自己が必要と判断する限り，平和と法と正義の利益のために（dans l'intéret de la paix, du droit et de la justice）行動する権利を留保する（se reservent le droit d'agir）」との規定の挿入を提起したことがある。この主張は，戦間期に於ての集団防衛（相互援助）条約が内在させた「他人のための正当防衛」観から一歩進んで，国際の平和や国際社会の秩序という普遍的利益の保障に軸足を移したものといえよう。従ってこの考え方は，個人的安全保障上の「自衛権」観念よりも「集団的安

「全保障」の観念の枠組の中に（安保理機能が不全の場合の対処方法としても）踏み込んでいると言えよう。しかし米国は，戦間期と第2次大戦中に機能した米州利益の保全のための相互援助協定であったチャプルテペック協定の国連体制内での存続を強く希望し，「武力攻撃」の存在を条件として新たに前置させ，また安保理への報告義務を受け入れて憲章51条との整合性を保った上で，協定内の米州諸国の1つに対する攻撃を即，加盟国すべてに対する攻撃とみなして，それぞれが自衛権を行使するという憲章51条の独自の理解を示したのである（1945年5月12日提案）。ここには個別的自衛権の集団的行使を「集団的自衛権」とみなす考え方があったように思われる。そしてこの立場を盛り込んだ全米相互援助条約が1947年に締結されたのである。同条約3条2項は「直接の攻撃を受けた1又は2以上の国の要請があったときに，全米機構の決定のあるまでは，各締約国は，前号の義務の履行として，且つ大陸連帯性の原則に従い，自国が個別的にとることのできる即時の措置を決定することができる」（傍点・広瀬）と規定していることは，これを意味するといえよう。

　こうしてみると理論的には，"他人のための正当防衛"という国内法上の観念と戦間期及び第2次大戦時にみられた国際法上の"集団防衛"の観念とは同一の概念的基礎をもつといえるが，しかしその時代的機能は別の問題であったのである。即ち国際法上の"集団防衛"は連盟時代のように武力行使禁止の原則にいくつもの抜け穴（連盟規約15条6，7項や，"use of force short of war" 観念の横行）が用意され，且つ理事会機能の不全による分権的安全保障制度を事実上容認していた時代状況の下では，右の"集団防衛"観は侵略行為の危険に直面している他国の防衛という共同社会の責任観の履行（国内法制度としての「他人のための正当防衛」観に端的に示されている）としてよりは，軍事同盟条約の締結の自由と自国の国益増進のための武力干渉の正当化という19世紀的国際法の復活へ奉仕した側面が強く存在したこと——たしかに19世紀とは異なり，ラインラント協定にもみられるように，集団防衛（相互援助）権の発動条件として「国境の突破や交戦状態の発生」という制約条件を明示してはいたけれども——を見落とすことはできないのである（J. Delivanis, La Légitime Défense., op. cit., pp. 149～151）。

　但し私見では，第2次大戦におけるファシズムに対する連合国の交戦の性格に関する限り，国際連盟の機構的崩壊の状況にも拘らず，collective legitimization の法理を通じて，規範思想上は連盟体制の延長上での「制裁」として理解する。従って自衛権上の proportionality という制約を超えて日本等敗戦国の国内民主化措置をも戦争終結協定（たとえばポツダム宣言，対日降伏文書）の中で明示しえた

187

第3章　九条と集団的自衛権

と考えている（広瀬善男「『平和に対する罪』と国際法」明学・法学研究30号，1984年，4～5頁[47]）。

(47) 侵略国に対してはその侵略政策を根源的に除去するための手段として，侵略国政府が降伏するまでどこまでも自衛権の行使が可能であるという見方は今日でもある。イラン・イラク戦争でのイランの主張がそうであった。同旨論文として，J. L. Kunz, Individual and Collective Self-Defence in Art. 51 of The Charter of The U. N., A. J. I. L., Vol. 41, 1947, p. 876.; J. Zourek, La Notion de Légitime Défense en Droit International, Annuaire de l'Institut de Droit International, Tom. 56, No. 1, 1975, pp. 49～50.; S. H. Amin, The Iran-Iraq Conflict : Legal Implications, I. C. L. Q., Vol. 31, 1982, p. 186.; Y. Dinstein, War, Aggression and Self-Defence, 1988, p. 219.; しかし反対説として，武力攻撃を撃退した段階で自衛権行使は停止すべきだとする説として，M. N. Singh, The Right of Self-Defence in Relation to The Nuclear Weapons, Indian Year Book of International Affairs, 1956, pp. 32～34.
　ところで第2次大戦後における「連合国」（The United Nations）による旧枢軸国の軍事占領と民主的政体への強制的変革の措置は，「国連」（The United Nations）の拠って立つ人権と民主的政治制度の確立（反ファシズム）の観念を法的基礎とするものであって，19世紀的 necessity の法理（自国の国家的利益増進のための相手国の領土占領や政府転覆）とは思想的には異質である。むしろ国際連盟のめざした集団的制裁の一環とみるべきであろう（この点で広瀬善男「『平和に対する罪』と国際法」前掲論文，7～8頁，参照）。第2次大戦後，ニュールンベルグ及び極東の両国際軍事裁判所の判決で明らかにされた「平和に対する罪」の成立が戦間期におけるものであるとの主張はこれと繋がる。スタラース（V. Starace）は侵略戦争が「犯罪」であり侵略国が「結果責任」を課され，具体的には戦争遂行の最高責任者が「国家機関として」（en leur qualité d'organes d'Etat）処罰されることを規定した第1次大戦後のヴェルサイユ平和条約227条を規範成立史上で重視するのである（V. Starace, La Responsabilité Résultant de la Violation des Obligations à L'Égard de la Communauté Internationale, Recueil des Cours., Tom. 153, 1976-V, pp. 284～285.）。なお第2次大戦の性格を "collective defense and sanction" と把える見方として，I. Brownlie, International Law and the Use of Force by States, 1963, p. 109.; M. Lachs, The Development and General Trends of International Law in Our Time, Recueil des Cours., Tom. 169, 1980-IV, pp. 158～159. また「不戦条約」に力点をおき，この条約は連合国による枢軸国の侵略に対する「正当戦争」を禁じていないことを主張する意見として，M. Lachs, op. cit., p. 158, n. 585（p. 322）および A. Verdross, Völkerrecht, 5 Aufl., 1964, S. 342. なおまた，侵略国に対する科罰的な戦争はナショナル・インタレストの防衛というよりも，権利侵害国に対する国際共同体による（par la Communauté internationale contre le violateur du droit）インタナショナル・インタレストの防衛としての意義をもつという見解として，H. Wehberg, L'Interdiction du Recours à la Force : Le Principe et les Problémes qui se posent, Recueil des Cours., Tom. 78, 1951-I, p. 46.

第4章

東 京 裁 判

第1節　東京裁判の意義
　　1　東京裁判は「勝者の裁きか，人類の裁き」か
　　　　——「平和に対する罪」の成立——
　　2　「平和に対する罪」と個人責任の法理
　　3　戦争犯罪における国家責任と個人責任
第2節　「人道に対する罪」は戦間期に成立していたか
　　1　内政不干渉原則の普遍人権観に対する優越
　　2　「人道に対する罪」と「ジェノサイド条約」の成立沿革の相違
　　3　戦争犯罪における「抗拒」の評価

広瀬善男　国際法選集Ⅱ

第1節　東京裁判の意義

1　東京裁判は「勝者の裁きか，人類の裁き」か
　　──「平和に対する罪」の成立──

　(1)　まず1946年の極東国際軍事裁判（東京裁判）の合法性（国際法適合性）問題から入ろう。これは当然に，1945年のニュールンベルク国際軍事裁判の法的評価とも関連する。この問題を考えるには，いわゆる「平和に対する罪」（個人の刑事責任を帰結）が第 2 次大戦前（戦間期）と第 2 次大戦中を通じて，国際法上で未確立であったか否かが検討されなければならない。
　ジャーナリスティックな表現で言えば，東京裁判は『勝者の裁き』かということである。戦後半世紀以上も過ぎた今日，日本の論壇はそうした見方にかなり肯定的のように思われる。もっとも日本の「戦後民主主義」を支えた思想の 1 つとしての「東京裁判史観」（極東国際軍事裁判史観）を墨守する立場の知識人もなお少なくないから，「評価はいまだ定まらず」というのが正解かもしれない。
　また『西欧（キリスト教）文明の裁き』という見方もあるが，歴史的な強者（先進植民国家）の論理という観点からみる限り『勝者の裁き』と同様の意味しかないだろう。問題はそうした結論の単純化──スローガン的用語はしばしばそうした効果をもつが──ではなく，かりに『勝者の裁き』であるとしても，どういう意味でそうなのか，逆にまた，どういう意味ではそうではないかという広い角度からの公平で客観的な考察が必要なのである。
　私は「対日（サンフランシスコ）平和条約」──その第11条で極東国際軍事裁判所やその他の連合国戦争犯罪法廷の裁判と判決の効力を承認していることに注意。もっとも11条でいう「裁判（judgments）を受諾し，」の意味を「判決」の受諾と訳し，犯罪者個人の処刑だけの受忍を義務づけられただけで，裁判プロセスを承認したのではない，との異論もある。最近では森本敏「日本の歴史認識とアジア外交戦略」外交フォーラム212号，2006年 3 月号，63～64頁。しかし「判決」は断罪に至る証拠に裏づけられた論旨を前提として導かれるもので，そうした過程全体の「裁判」を否認した上での罪（判決）だけの承認はありえないのである。──自体が，次の点でみる限り勝者が敗者に押しつけた──形式的には条件があったが実質的には無条件降伏に相違なく，従って敗戦国に対する同意の強制があった──伝統的講和条約の一種であることの典型

第4章　東京裁判

から脱していないと思う。その意味では右平和条約そのものが『勝者の裁き』であったといえよう。

　その1つは対日平和条約19条の（日本の対連合国）戦争請求権の放棄条項であり，これにより日本（国および国民）は連合国の交戦法規（占領法規を含め）違反に対する損害賠償請求権等をすべて放棄させられた。したがって原爆投下が国際法違反であるとしても，その請求権（国家および国民の請求権の双方）を米国に対して行使することはできない（核兵器使用の国際法適合性問題について，広瀬善男「核兵器使用の違法性に関する考察——国際慣習法の立場から——」明学・法学研究60号，1996年，1～38頁，参照）。しかし連合国（民）の対日戦争請求権については，たしかにこれも原則的には放棄し（14条(b)），相互放棄の原則は貫ぬかれたが，例外があった。即ち連合国国内にある日本国民の私有財産を清算処分する権利を連合国に認めた（14条(a) 2 (1)）反面，日本国内にある連合国（民）の財産の旧所有者への返還はこれを義務づけられたのである（15条）[1]。また連合国捕虜への賠償基金として非連合国にある日本国と日本国民の資産の清算と同基金への充当を定める（16条）一方，日本人捕虜に対する同様措置は考慮されていない。こうした点はたしかに勝者の利益を公平と正義に優先させた不平等性をもつとみてもよいだろう。但し違法な侵略戦争に関する責任の解除方法としては，この程度の差別は当然でむしろ寛大すぎるぐらいだという意見があることにも注意しておこう（交戦法規違反の原爆投下や東京大空襲の連合国責任の免除は，天皇の戦争責任免除との相殺とも解せられよう。）。

　しかし後にもみるように，わが国の賠償責任は（連合国および中立国又は旧枢軸国内にある日本財産の清算処分定めた16条を除けば）日本軍隊が占領して損害を与えた連合国に対してのみ課されたにすぎず，それも原則的には履行の比較的容易な役務を中心としたもので金銭賠償を要求されたわけではなかったのである。のみならず次のように，戦敗国国民である日本人の戦後の経済生活への配慮を行い，伝統的な報復的集団責任追及の思想（第1次大戦後のヴェルサイユ条約にもみられた）からは脱却していることを忘れてはならないのである。すなわち「存立可能な経済を維持すべきものとすれば，日本国の資源は日本国がすべての前記の損害及び苦痛に対して完全な賠償を行い且つ同時に他の債務を履行するためには現在十分でないことが承認される」（14条(a)）と。ここには伝統的な『勝者の裁き』に対して，一定の抑制が国際社会の規範意識の中に生まれ，国際組織（共同体）

（1）　これらの問題の国際法上の分析として，広瀬善男「連合国に対する賠償に充当された日本人の在外資産と国の補償責任」ジュリスト325号，1965・7・1，126～128頁，参照。

の利益を維持するための「法の支配」（Rule of Law）による制裁という性格を色濃くもっていることを看取できるのである。国家間の個別的な憎悪と復讐による血の制裁ではないのである。20世紀的な戦争責任の性格を表わすものとしてこの点を見落としてはならない。

こうした思想的背景は次の点でも現われている。自衛権は第1次大戦後, 19世紀的な無差別戦争観からの脱却に伴い, 極めて限定的な武力行使としてのみ許容されることになった。戦争の違法化に伴う違法性阻却事由としての行動のそれに厳に限られることとなったのである。そうした第2次大戦前に確立した制限的自衛権の観念を前提にして理解するかぎり, 日本（そしてドイツ, イタリア）の侵略行為に対する連合国の武力反撃も, 態様としては右の自衛権の範囲内にとどまるべきであったであろう。プロポーショナリティの条件の適用がそれである(2)。しかし連合国は日本および枢軸国に対して無条件降伏（全土の軍事占領を伴う）と更に政体の強制変更をも実施した(3)。——ドイツについてはデベラチオであったが, 日本についてはカイロ, ポツダム宣言等による領土不拡大や平和国民としての再生保障等の条件はあった。——これは自衛権の法的枠組（jus post bellum としての自衛権行使の枠組）の中では説明し難い行動である。それならばこれもまた『勝者の裁き』,『戦勝国の不法な押しつけ』であるのか, つまり19世紀的な無差別戦争の

（2） 戦間期における自衛権の法的意味について, 広瀬善男『力の行使と国際法』前掲書, 第2章（51～110頁）, 参照。国連憲章下においては, 自衛権の制限性はいっそう強化されている。たとえば「ニカラグアに対する軍事, 準軍事活動」事件に関する国際司法裁判所（ICJ）の1984年及び86年の判決はこれを明示している。米国のJ. N. Moore は, この判決を批判して, ニカラグアによる対エルサルバドル等隣国反政府組織への武器送り込み等の方法による介入を「武力攻撃」とみなし, それに対するあらゆる対抗措置を米国は集団的自衛権を根拠にしてとることができると主張した。そして究極的には違法行為国（ニカラグア）政府の転覆という強制措置すら自衛権を根拠に法的に可能とされるとの立場を明らかにした。これに対して, J. P. Rowles は, こうした見方は, 自衛権の合法条件としてのプロポーショナリティ原則からの明白な逸脱であり, 自衛権を根拠として無制限な武力行使を容認する結果になるとして, 右のICJ判決を援用して厳しく批判した（J. P. Rowles, "Secret Wars", Self-Defence and the Charter － A Reply to Prof. Moore, AJIL, Vol. 80, No. 3, 1986, p. 580）。同旨, P. Malanczuk, Countermeasures and Self-Defense as Circumstances Precluding Wrongfulness in the I. L. C.'s Draft Articles on State Responsibility, Z. a. ö. R. V., Bd. 43, 1983, SS. 768～769.; I. Brownlie, International Law and the Use of Force by States, 1963, pp. 261～264, 372～373, 433～436.; 広瀬善男『力の行使と国際法』前掲書, 228～229, 250～253頁。

（3） N. Ando, Surrender, Occupation, And Private Property in International Law; An Evaluation of US Practice in Japan, 1991. は, 連合国軍による日本占領中に, 日本の国家体制の強制変更まで行ったことを, 1907年のハーグ陸戦法規からの逸脱で, 本来「暫定」統治の性格しかもたない戦後占領では, 敗戦国が「無条件降伏」を行ったとしても, 政策的に限界があるべきだという立場をとる。ただそうした社会変革が日本国民の意思によって支持される場合にのみ, 人民自決原則から正当化されるという。しかしここには, 第2次大戦が民主主義（自由主義）対ファシズムの戦争で, その沿革上の措置として戦後秩序があることへの考察が乏しい。

第4章　東京裁判

結末と同じであるのか，国際法上でそうみなければならないものなのか[4]，こうした問題があるのである。この点についての議論はジャーナリズムにもない。

　しかし私はこう考える。連合国の右の枢軸国に対する戦後措置は，自衛権の行動とは次元と態様を異にする別の国際社会の組織行動であると思う。すなわち第2次大戦中の連合国の戦争目的は「軍国主義の追放」と「民主主義体制の確立」をめざし，それが「平和」の条件であることを明確に示していた（1941年の「大西洋憲章」とこれを確認した42年の「連合国共同宣言」，更に45年の「ポツダム宣言」をみよ）。これはそのまま戦後の国際平和維持機構である国連（United Nations の用語は戦時中の「連合国」と同じ）の基礎的政治体制として，国際組織の枠組とされたのである。つまりこの意味は，1つは連合国が日本（およびドイツ，イタリア）を征服して独立国の立場を消滅させるものではなく（大西洋憲章における領土不拡大原則の宣明はその表れ），平和的な民主主義「国家」として再生させることにあった。そして2つには，第2次大戦後における連合国の敗戦国日本（ドイツ，イタリア）に対する措置の法的政治的基礎には，民主主義を擁護するための「集団」安全保障観——これはすでに組織論としては国際連盟にみられる——があり，従ってファシズムの再来を含めて平和に対する侵害行為（将来におけるそのおそれを含む）に対しては，それが国際社会全体に対する犯罪とみなされ，組織的に対応する責務が各国に課される（国連憲章53条後段，107条はその1つの表れ）と共に，侵略戦争の実行者に対しては組織規範上の制裁を課すべき条件が，当然内在されていたとみなければならないのである。

　要するに連合国の戦後処理（日本についてはポツダム宣言の受諾から対日平和条約の締結の全過程）を連合国（＝国連）という国際組織の平和回復と再建のための法的機能としてとらえるかぎり，「平和に対する罪」の観念は戦間期と第2次大

---

[4]　マラワー（S. S. Malawer）は次のように述べる。第2次大戦前までは，条約の有効性は軍事力による威嚇や行使によって影響を受けないとされた（締結のため派遣された代表個人に対する不法な脅迫の場合は別）。たしかに戦間期においては，武力の aggressive use は一般的に違法とされてはいた。しかし侵略国が押しつけた平和条約といえどもその効力を否定できなかった。そこに the law of war と the law of treaties のパラドクスがあった。この問題は第2次大戦後，1969年のウィーン条約法条約で明文的に解決された。すなわち条約法条約は，国連憲章2条4項と51条に規定される the law of war に対して complementary になったのである。換言すれば侵略国が，敗戦国となった被侵略国に impose した平和条約は無効である（条約法条約52条）が，逆の場合，つまり侵略国に課した被侵略国の強制力による平和取決めは有効である。但しプロポーショナリティなど力の行使を抑制する原則（国連憲章上の規定にも内在）に違反しないことが条件である。また安保理事会の権限の範囲内でとられる措置，更には第2次大戦時の敵国に対する措置についても有効とみなされる（国連憲章53条後段，107条）。
S. S. Malawer, Imposed Treaties and International Law, 1977, pp. 154〜162.; Essays on International Law, 1986, pp. 4〜6）。

第 1 節　東京裁判の意義

戦の戦争期間中を通じて明確に確立していたとみるほかないであろう。つまり「平和に対する罪」は，ニュールンベルク国際軍事裁判所や極東国際軍事裁判所の設置によって始めて創設された観念であり，したがって遡及性をもたせないかぎり処罰権を行使しえない犯罪類型だとは決していえないのである。

(2)　こうした連合国による戦後処理を大方において国際法上で承認する限り，「平和に対する罪」の適法性（連盟規約に始まり戦間期から戦後処理終了までを通じての一連の法的文脈の中での確立）を否定することは，公平で客観的な認識ではないであろう。後述するように，極東国際軍事裁判所の設置の段階での「平和に対する罪」の国際法上での確立を，たとえば国内法上の罪刑法定主義要件の機械的援用や裁判官の構成に公平性や普遍性がない等，若干の技術的理由で疑うのであれば，国連憲章下，今日でもそうした法状況は未成立といわなければならないであろう。私はそのようには考えない。

極東国際軍事裁判所における訴追，裁判の担当者はたしかに交戦国の中の勝利国の所属者であり，形式的な公平性を期待できる中立国や戦後独立した国の者ではない（但しインドとフィリピンは参加）。まして国家の代表であり個人ではない。しかし日本が侵略し占領し損害を与えた極東の多くの戦後の独立国もその後，対日平和条約に参加し或いは２国間平和条約を締結して，極東国際軍事裁判所や日本国内或いは国外での連合国戦争犯罪法廷の裁判と判決を承認しているのである（対日平和条約11条）。むしろ客観的に考察すれば，極東国際軍事裁判所の設置当時からこれらの国の国民が訴追と裁判の過程に参加していたとしても，別の結論が生まれえたとすることは大筋において無理であろう。たしかに犯罪行為の具体的認定や個々の量刑に問題はあったが，しかし裁判全体として客観的にみるかぎり，勝者が敗者をいじめしぼりとる不公正な政治裁判とはいえなかったと思われる。そこには20世紀の客観的な歴史の枠組（第１次大戦後の国際連盟の設立を端緒とする平和維持に関する新しいレジーム）があるのである。その枠組の中で生れた裁判準則が適用されたとみるのが正確な理解であろう。即ち『勝者の裁き』ではなく「歴史の審判」であり「人類の裁き」であったといってよいだろう。かりに裁判の担い手が勝者であっても，裁判の実際は勝者の偏向的断罪であったとはいえないのである[5]。

---

(5)　ド・リュピ（I. D. De Lupis）は，戦争犯罪に対する訴及が "Vae victis" principle（「征服された者は不幸なり」の原則）という勝者の裁判の様相をもつことを認めながら（たとえば第２次大戦でも連合国軍人の戦犯訴追はなく，戦争犯罪法廷も手続的不十分性があることを認める），しかし勝者による制裁も初期形態としては，戦犯が将来の訴追から常に免除されうると考えられる状態があるよりはまし

195

第4章　東京裁判

　そうした「歴史の審判」ないし「人類の裁き」を極東国際軍事裁判所（或いはニュールンベルク国際軍事裁判所）に要求した国際法的枠組が、戦後秩序のあらゆる分野に各種の条件として提示されたといえるのである。たとえば前述した軍国主義の追放と民主主義体制の確立（ファシズムに対する断罪）という国連の基本政治原理上の枠組（これによりフランコ・スペインは長い間国連への加入を拒否された）や、平和条約締結にさいしての指針とされた過酷な賠償金要求の放棄と、領土不拡大原則の適用（ソ連によるフィンランド東部地域やバルト海沿岸区の部分併合と、千島占有に問題を残したが）はこれであり、——もし、東京裁判＝「勝者の裁き」＝論者が、こうした寛大な対日戦後処理の平和的、民主主義的特性には目をつぶり、「平和に対する罪」の成立のみを事後立法（罪刑法定主義違反）と主張するのであれば、自己矛盾としか言いようがない。——より重大な法原則としては「民族自決」のそれがあるのである。植民地主義の完全な清算は、戦後秩序の特色の最大なものであろう。これは戦勝国をすら拘束する第2次大戦後の歴史の条件であり人類の良心の要求であったといってよいだろう。

　ところで、極東国際軍事裁判では連合国自身をも公平に適用対象とした刑罰法規の普遍的適用がなかったとして、それを「平和に対する罪」が未確立であった理由とする議論もある。しかし「平和に対する罪」や「人道に対する罪」とは、軍国主義やファシズムに対する民主主義国（国連）の体制的断罪の性格を基本的に帯びている刑罰類型である。そこに Jus ad bellum 上の侵略の違法性（この違法の意味は単に国家間の不法行為（デリクト）ではなく国際社会全体への犯罪（クライム））に対する科罰という国際法上の意味があることを忘れてはならない。その点では日本国内外の各地における Jus in bello 上の交戦法規違反を追及し審判した BC 級戦犯法廷のそれと性格的に異なる要素があるのである。原爆投下は交戦法規の違反であっても（広瀬善男「核兵器使用の違法性に関する考察」明学・法学研究60号、1996、27〜30頁）、それを理由にそれとは次元の異なる Jus ad bellum 上の「平和に対する罪」を肯定した極東国際軍事裁判所の判決の不当性（不公平性）をあげつらう理由にはならない（昭和天皇の戦争責任の免責との引き換えともいえよう）。

　日ソ中立条約のソ連による破棄と対日参戦も、形式的な意味での条約の違反は

だと述べる（I. D. De Lupis, The Law of War, 1987, pp. 352〜353）。同旨、K. Zemanek, Das Kriegs-und Humanitärrecht, im "Handbuch des Völkerrechts 1983", S. 394, n. 2129.; レーリンク（B. V. A. Röling）とカッセーゼ（A. Cassese）も、東京裁判が連合国側の戦争犯罪が裁かれず、また事後立法的性格をもったことを批判するが、しかしこの裁判によって戦後の平和的な国際環境づくりの道が開かれたことを評価する（B. V. A. Röling and Antonio Cassese, The Tokyo Trial and Beyond, 1993.; 紹介、曽我英雄、国際法外交雑誌95巻2号、1996年、102〜105頁。同、筒井清忠、朝日新聞1996・10・20）。

第1節　東京裁判の意義

たしかに否定できない。——もっとも日ソ中立条約は中立条約であっても不可侵条約ではなく両者を混同してはならないとの議論もある。坂田二郎，ペンは剣よりも，1983年。しかしこの議論は不正確。なぜなら同条約1条に領土保全と不可侵の規定があるからである。——のみならず，スターリン体制下のソ連の対日参戦が，日露戦争によって失った領土の回復要求を越えて，戦後の米国との対決を予想した極東戦略の一環として試みられた形跡が強いのである。たとえば北海道北東地域の占領を企図し，米国の反対でそれが挫折した後，代償として（もっともソ連は第2次大戦（独ソ戦争）中の早くからドイツ兵捕虜をシベリアに移送し労働使役を行い，ドイツ降伏後もドイツ兵捕虜の長期抑留を続け強制労働に従事させた実績がある。日本兵捕虜の戦後抑留の方針も早くから決められ，1945年2月の英米ソのヤルタ会議でも，ソ連の対日参戦の約束と共に，それは了解されていたと言われる）。在満州（現中国東北部）の旧日本軍捕虜の長期に亘るシベリア抑留を行ったこと等，その戦後行動には，連合国がめざした戦争目標と戦後秩序すなわち軍国主義の追放と民主的秩序の確立，具体的には領土不拡大原則（大西洋憲章，カイロ宣言）と捕虜の人道的取扱い（ポツダム宣言9項）等国際法上の義務に対する違反が少なくない。

しかしそれにも拘わらず，満州侵略を契機として日本が冒した国際連盟の平和体制の侵犯と，ドイツのポーランド侵攻を端緒とした欧州全域への軍事侵略に示されるナチ軍国主義の世界制覇の動きをみるとき，そうしたファシズム体制と戦う連合国の共同軍事行動の一環としてソ連の対日参戦を客観的に評価し考察しなければならない一面があるのである。——ソ連は1945年のヤルタ協定で，連合国の一員として，対日戦争に参加することを約し，間もなく「軍国主義の世界からの駆逐」を戦争目標に掲げたポツダム宣言にも参加した。これはかつて国際連盟規約16条で具体化した集団安全保障義務の履行ともみられる。——単に日ソ間に存在した1つの条約（日ソ中立条約）違反をとりあげて，日本の侵略戦争に対するソ連の告発と断罪の行動を不当だと否定的に評価する理由にはできないであろう。次元の違う問題であって相殺はできないのである。

　第2次大戦が連合国による武力行使の集団的正当化（collective legitimization）の法理が作用する戦争であったとする学説は既に定着している。たとえばラックス（M. Lachs）は，第2次大戦中の英国に対する米国の武器貸与協定（The Lend-Lease Agreement）の締結とその履行は，1928年の不戦条約を法的根拠とし，「侵略」に対抗する国際社会の正当手段とされ，従って「第2次大戦は'collective defense and sanction'の行動であった」と述べているのである[6]。ケルゼン（H. Kelsen）やフェアドロス（A. Verdross）も，1928年の不戦条約はこうした場合の

第4章　東京裁判

加盟国による 'just war'（正当戦争）を禁止していないし，ウェアバーグ（H. Wehberg）も，侵略国に対する科罰的戦争はナショナル・インタレストの防衛ではなくインタナショナル・インタレストの防衛の意味をもつと述べている[7]。東京裁判にかかわった米国のジャックソン（R. H. Jackson）は，第2次大戦前における日中戦争で，米国が中華民国政府に武器供与を行なったことや，対独参戦前において英国に軍艦や基地を貸与したことを，「侵略が不法とされている以上，中立の立場を害することなく，被侵略国を援助する権利を否定されない」と説明しているのである[8]。くり返し言うが，侵略者を裁く法廷は国際共同体の平和という利益を確保するためのもので，1国の利益の実現ではないのである。

　(3)　さて戦間期には民族自決原則は必ずしも確立していなかったことは確かである。連盟規約22条（1項）に規定された「植民地住民の福祉と発達に関する宗主国の神聖な使命」も決して植民地住民に独立を許与することを意味したわけではなく，植民地体制の維持という基本枠組をくずさない範囲での宗主国の恩恵的施策のそれにとどまったのである。その意味では戦間期においてはなお植民地体制は容認されていたといってもよいだろう。しかし問題は国際連盟発足後の新しい国際秩序では，何よりも既存国家（領土と主権）に対する武力侵略を禁止するという侵略戦争の違法化が確立していたことである。この規範により19世紀以前と同様な既存国家領域（或いは従属地域）に対する武力による新たな植民地的状況の設定や経営は，明白に禁止され違法化されたとみる以外にないのである（植民地内部での自発的な武力反乱と独立政府の樹立運動は別）。

　その点では後発植民国家の日本が，先進植民国家の英，仏等と同様に，必要ならば武力を用いてでも植民地経営の路線を歩もうとする道（帝国主義戦争）は，国際連盟時代に，すでに国際法上で閉ざされていたといわなければならない。——1931年1月の米国による満州国不承認宣言（スチムソン・ドクトリン）は，1932年3月の国際連盟総会決議で，連盟規約および不戦条約に違反する結果の「不承認」という，より一般的な形で示された（Royal Institute of International Affairs,

---

(6) M. Lachs, The Development and General Trends of International Law in Our Time, Recueil des Cours., Tom. 169, 1980-Ⅳ, pp. 158~159., 322, n. 585.; 同旨，I. Brownlie, International Law and the Use of Force by States, 1963, p. 109.

(7) H. Kelsen, Zur Rechtstechnischen Revision des Völkerbundstatuts, Zeitschrift für Öffentliches Recht., Bd. XVII, N. 4, 1937, S. 591.; A. Verdross, Völkerrecht, 5 Aufl., 1964, S. 342.; H. Wehberg, L'Interdiction du Recours à la Force : Le Principe et Les Problèmes qui se Posent, Recueil des Cours., Tom. 140, 1951-Ⅰ, p. 46.

(8) Report of R. H. Jackson, U. S. Representative to the International Conference on Military Trials, 1945, p. 299.

International Sanctions, 1938, pp. 21～22.)。その後、不承認主義は1933年の「国家の権利義務条約」（モンテヴィデオ条約）11条にも採択されたが、イタリアのエチオピア侵略と併合に際しては、右主義の連盟総会による明示的適用が見送られた。——

　こうしてみると、先発の植民国家である欧米諸国が日本のアジアでの植民地経営を断罪する資格はないという論理は、極東国際軍事裁判の不法性を論ずる理由にはならないのである。断罪されるのは戦間期における日本の植民地形成の企図や実行ではなく（それが中心ではなく）、「侵略」という既存国家（領土と主権）に対する違法な武力行使のそれなのである。つまり侵略禁止規範の違反（日本の武力による満州独立に関する国際連盟の非難をみよ）に対する科罰なのである。その意味では極東軍事裁判は資本主義的西欧文明（植民地経営を肯定）の裁きではなく、20世紀の新しい国際組織的秩序による審判（人類の裁き）なのである。

2　「平和に対する罪」と個人責任の法理

　(1)　さて国際連盟時代の戦間期および第2次大戦を経て極東国際軍事裁判所の設立された時点までには、戦争の違法化（「侵略禁止」規範）は確立していたが、侵略戦争の指導者に対する刑事責任は国際法上確立していなかったという議論がある。換言すれば「平和に対する罪」は国際法上未成立であったということである[9]。しかし侵略戦争が違法化されたことを肯定しながら、それを「犯罪」

---

(9)　こうした意見として、東京裁判でのインドのパル（R. B. Pal）判事の立場がそうであったが、日本でも少なくない。たとえば佐藤和男「戦争の合法性と『東京裁判』の違法性——国際法上の「侵略」概念に関する考察を中心にして——」青学法論集25巻1号、1983年、1～30頁。同『世界がさばく東京裁判』ジュピター出版、1996年。大沼保昭『『文明の裁き』『勝者の裁き』を超えて』中央公論1983年8月号、173～174頁。安藤仁介、朝日新聞2006・7・12。なおこうした見解は比較的、（西）ドイツの学者にもみられる。Encyclopedia of Public International Law, Publibed under the Auspices of the Max Planck Institute for Comparative Public Law and the International Law under the Direction of Rudolf Bernhardt, 1982, No. 4, p. 52.; 但し、ドイツの現在の国際法学説で、ニュールンベルク裁判の批判者は極めて少数だという（B. E. Simma, The Impact of Nuremberg and Tokyo : First Attempts of a Comparison, International Symposium In Commemoration of the Japanese Association of International Law, 1997, pp. 81～82）

　団体責任の見地からレオ・グロス（Leo Gross）は次のように述べる。戦間期の条約（案）や国際連盟総会決議などを基礎にして考察する限り、かりに条約上あるいは国際慣習法上で侵略戦争の違法性が認められ、従って侵略国の「国家としての collective responsibility」の成立は認められるとしても、「個人の individual criminality」の成立までは認められない。たとえば1924年のジュネーヴ議定書の前文や10条でいう「侵略戦争の開始の罪（guilty）」とは「国家」を名宛人としたものであり、「国家だけが侵略犯罪を行いうる」ものであって、右議定書11条の制裁も、「侵略国」の犯罪に対して向けられた collective measures として論理的に把えるべきである。たしかにニュールンベルク条例は、政府間行為の実際のルールとして、国際法の理解を確立するための新たな開拓として位置づけられるだろう。しかしこのプリンシプルが諸国家によって一般的に受諾されるまで、国家の違法行為に対する collective

(個人への刑事責任を帰結) とみることができないというのは認識として妥当であろうか。ここには「違法」の意味の分析の不徹底さと「個人」責任を国家機関としての『個人』とはみず，純粋に自然人としてしか取り扱わないいわゆる国家責任原理（わけても主権国家の組織体行動としての戦争責任原理）を見落とした誤りがあるように思われる。——戦争犯罪としての国際不法行為上の個人の刑事責任が「国家責任」としてのものであることについては，今日では「旧ユーゴ国際刑事裁判所」のTadić事件に関する判決（1995）やILCの「国際不法行為に対する国家責任条約（案）」（2001）でも明示されている。——

　右の点をもう少し詳しくみてみよう。たしかに戦間期の国際連盟体制下では，植民地撤廃や人種差別禁止或いはジェノサイド禁止というような民族を中心とした「集団的」人権の尊重の思想は，第2次大戦後のようなユス・コーゲンスの形で成立していたとはいえない（jus cogensないしperemptory normの用語も第2次大戦後に一般化した）。しかし「奴隷など人身売買の禁止」という個人に関する人権尊重原則は，すでに文明国間の（単にICJ規程38条C項で規定する国内法の準則としての「文明国の法の一般原則」であるにとどまらず，国際法上）の公理であり強行法規としての（「犯罪」として刑事責任を帰結する）性格を既にもっていた（たとえば国際連盟規約23条(c)は，そうした人道上の不法行為の一般的監視を当事国ではなく連盟そのものに与えている）。

　わけても重要な戦間期のユス・コーゲンスは「侵略」戦争の禁止規範のそれである。この侵略禁止に関するユス・コーゲンスは，単に侵略戦争を違法（international delict）化しただけではなく，まさに国際犯罪（international crime）化したものとみるべきである。海賊に対して各主権国家がもつ処罰権限のような私人を客体とする「国際法上の犯罪」とは異なり，国家に対し国際組織（国際連盟）による集団的，機構的な制裁が課されうる体制が成立していたのである。連盟規約16条が，「一国に対する戦争（侵略）は，他のすべての連盟国に対してなされたものとみなす」と規定したのは，まさに戦争の違法性を「犯罪」として捉えたものといってよいだろう。したがってこの見方はそのコロラリーとして国家機関としての個人つまり侵略戦争の計画，実行者に対して刑罰を科すことを許容する法的レジームを，当時既に完成していたとみるのが正確な論理的結論であろう。

---

responsibilityの伝統的概念からindividual responsibility for crimes against international lawの新しい観念への移行過程がしばらく続く時期があろう。いいかえれば「個人」を国際法上で有責たらしめるには，より広範囲で恒久的な基礎の上に個人の国際法主体性を確立する必要があるのであると（Leo Gross, The Criminality of Aggressive War, in "Essays on International Law and Organization", Vol. 1, 1984, pp. 318～319, 324～325）。

第1節　東京裁判の意義

　たとえばスタラース（V. Starace）は，ヴェルサイユ条約227条を引用しながら，侵略戦争が国際社会に対する重大な違法行為であり，「犯罪」として理解されたが故に，そうした行為を計画，実行した責任者であるドイツ皇帝が「国家機関」としての（en leur qualité d'organes d'Etat）最高指導者の地位のために，処罰の対象となったのである，と述べている(10)。――因みにヴェルサイユ条約227条が果した戦争指導者の侵略戦争に関する刑事（犯罪）責任追及上の意義を規範成立史上で重視するスタラースの見解は無視できない。――

　いいかえれば侵略戦争の計画，実行者に対しては，国家機関として通常有する外国国内裁判所における刑事手続からの免除（インミユニテイ）を奪う（但し現職である場合を除く）だけでなく，国際共同体（国際連盟）に代って（のために）一定の国際機関（国際裁判所）が刑罰権を行使しうる「普遍的」管轄権（ユニバーサル・ジュリスティクション）を付与するに至っていた（国際裁判所では，インミュニティの主張は当然のことながらできない。ローマ国際刑事裁判所条約27条）といってよいのである。たとえば，ニュールンベルク国際軍事裁判所の判決は次のように言っている。「国際法に対する犯罪は，人によって行われるものであって抽象的実体（abstruct entities）によってではない。従ってそうした犯罪を犯す個人を処罰することによってのみ国際法規範が執行されうるのである。……個人は所属国家によって課された服従という国家的義務を超える国際的義務を負っている。戦争法を侵犯する者は，通常，国家権能の遂行にさいして認められるインミュニティを保証されない(11)」と。これは国際社会が認めた

---

(10) V. Starace, La Responsabilité Résultant de la Violation des Obligations a l'Égard de la Communauté Internationale, Recueil des Cours., Tom. 153, 1976 − V, pp. 284〜285.; 個人（兵員）の刑事責任に関するこの見方は，第2次大戦後の今日でも同様である。F. J. Hampson, Belligerent Reprisals and the 1977 Protocols to the Geneva Convention of 1949, Int'l and Comp. L. Q., Vol. 37, Pt. 4, 1988, p. 823 は，次のように述べる。"Under war crimes law, the individual soldier is also answerable for his action but that is in addition to the responsibility of the State"; また Nguyen Quoc Dinh/P. Dailler/A. Pellet, Droit International Public, 1987, p. 581 も戦争犯罪を犯した軍隊の構成員が国際的に処罰されたとしても，それは個人としてではなく，あくまで国家の機関として扱われているからである，と述べている。

(11) Trial of the Major War Criminals Before the International Military Tribunal, Published at Nuremberg, Vol. 1, 1947, p. 223.; なお「平和に対する罪」に関してではないが，第2次大戦中，ドイツのユダヤ人迫害行為で被害をうけた米国人が，1992年，ドイツ政府に損害賠償を請求して米国のコロンビア地区巡回裁判所に提訴した事件がある。地区裁判所は「人道に対する罪」はドイツの主権免除主張を認めない理由をもつとしたが，控訴裁判所は，ユス・コーゲンス違反の事実も米国主権免除法による裁判管轄権の免除を拒否できないと，逆の判決を下した（藤田久一『戦争犯罪とは何か』1995年，岩波新書，222〜225頁）。拙論では，戦間期においては，人種差別やジェノサイドなどの「集団的人権」上の犯罪を国際法上のユス・コーゲンス違反の犯罪としてとらえる見方は成立していなかったと考えている（内政不干渉原則の作用が影響）。しかし個人に対する「迫害」の違法性は「文明国の（国内法上の）法の一般原則」としては成立していたことは疑いない。しかしユス・コーゲンス的国際犯罪とはいえなかったから，米国内裁判所の管轄権からの免除は可能としなければならないだろう。

201

「法の一般原則」，ないし侵略の防止とそれへの制裁を定めた国際平和維持機構（国際連盟）の実践の中で形成された「制度慣習法規[12]」であるといってよいだろう。――第二次大戦後の国際人権自由権規約15条は，遡及処罰（事後立法）禁止，罪刑法定主義を明示しているが，条約による明文的規定がなくても「国際社会によって認められた法の一般原則」によって，「国際（法上の）犯罪」を構成するとされる限り，訴追と処罰は可能である（2項）としている（但し訴追と処罰の義務付けまではしていない）。――もしこうした見方を否定し，「侵略」戦争に関する戦間期の規範意識を単純な違法化にとどまるものと理解するならば，侵略戦争禁止の国家的義務をvis-à-vis another state のそれとして理解するにとどまり，機構的制裁に服するobligation erga omnes として把えていないことになろう。これは国際連盟体制下の規範意識の不当な過小評価といわなければならない[13]。また指導者の責任が国家機関としての戦争首謀者の（個人）責任である点を考慮するならば，侵略戦争の開始に個人的に反対であったとか，天皇制下の閣僚の輔弼責任体制のあいまいさなどを理由に，「共同謀議」は存在しないという議論は成立しえないのである。戦争は「国家意思」の決定によって行われる最大の国家的対外行為であるから，「共同謀議」とは国家の権力構造体制の中で，政治，行政のシステムの上で成立するものであって指導者の個人的意思の如何は直接の関係をもたないのである（すなわち過失責任ではなく絶対責任のそれ。個人の意思が問題とされることがあっても，情状酌量の範囲にとどまるにすぎない）。

　(2)　侵略戦争の犯罪化従って指導者の刑事責任の追及問責を適法とみる見方は，更に次の根拠にもよる。1つは国際連盟の機構的原理に基づく「制度」ないし「機構」慣習法の形成過程の中で侵略戦争の国際犯罪化を十分肯定しうるからである。たとえば1923年の相互援助条約（案）は「侵略戦争は国際犯罪である」（1条）ことを明言していたし，1924年のジュネーブ議定書や25年及び27年の侵

---

[12]　「制度」慣習法の観念につき，広瀬善男「国際慣習法に関する新たな視座――自生・国益慣習法と制度・人道慣習法」明学・法学研究61号，1996年，参照。

[13]　第2次大戦後，英国は当初，ナチスに対する戦争犯罪者としての科罰を"political disposition"として理解しようとする動きをみせた。これに対し米国は「国際法の犯罪的侵犯」「全連合国に共通」のthe most fundamental principles of justice の侵犯」として捉え，科罰の形態を"judicial trial"の方式で処理すべきだと主張し，サンフランシスコでの4カ国外相会議でこの米国見解が最終的に採択された。なお1945年2月のヤルタ会談で，米国がルーズヴェルト大統領のために準備したメモランダムは次のような文言を連ねている。"International law must develop to meet the needs of times just as the common law has grown, not by enunciating new principles but by adapting old omen". (Memorandum of Jan. 22, 1945, prepared for president Roosevelt for his guidance at the Yalta Conference, in "Report of R. H. Jackson, U. S. Representative to the International Conference on Military Trials, 1945, p. 37.; Leo Gross, op. cit., pp. 334～335).

第 1 節　東京裁判の意義

略戦争に関する連盟総会宣言或いは1928年の汎米会議決議等に示された国際的法確信もこれを実証しているからである。連盟総会の宣言が法的拘束力をもたないことや条約案はあくまでも案であって成立した条約ではないなどの理由は，「制度，機構」慣習上の規範意識の成立を拒む理由にはならない(14)。──因みに，通常の戦争犯罪すなわち1907年のハーグ陸戦規則などの戦争の法規慣例の違反についても，ニュールンベルク国際軍事裁判所は，こうした条約がかかる違反行為を「犯罪とは述べておらず，いかなる文も規定されず，犯罪者を裁判し処罰する裁判所についても言及していない。しかしながら，過去多年にわたり，多くの裁判所（広瀬注・戦争当事国の国内裁判所）は，この条約の定めた陸戦規則に違反した罪ある個人を裁判し且つ処罰してきた」と述べている(15)。──

　右の各種の国際機関での国際的な意思表明において，「自衛」戦争上の合法性を主張する立場はあっても「侵略」の禁止原則に異議は全くなかったのである。「侵略を国際犯罪」と明示した1923年条約が成立しなかったのは，侵略が国際犯罪ではないという理由からではなく，「侵略」の細部に亘る定義づけができなかったからで，──その後，1933年に「侵略の定義に関する条約」が成立したが，当事国は 7 ケ国にとどまった。また第 2 次大戦後の1974年に国連総会で「侵略の定義に関する決議」が採択されたが，事情は同じで，「侵略」の細部に亘る定義についての合意は困難で，安保理事会の決議や ICJ 判決などのアド・ホックに示される見解等を根拠にした慣習法的成立に委ねられている。──その後生じたナチス・ドイツや日本の軍事行動を明白な侵略，したがって国際犯罪とみなす立場を否定する趣旨は全くなかったといえるのである。もしそうした戦間期の国際社会の確信をも侵略禁止＝国際犯罪化の意思形成の現象とみないのであれば，国連体制下の今日でも「侵略」の違法化は単なる国家間不法行為化にとどまり，犯罪としては成立していないと理解せざるをえなくなろう。

　こうしてみると，たしかに国連は1968年に「戦争犯罪及び人道に反する罪に対する時効不適用に関する条約」を採択し，また平和と人道に対する罪及び戦争犯罪を犯した者に対して庇護を付与してはならないという規定を含んだ「戦争犯罪

---

(14)　M. Akehurst, Custom as a Source of International Law, B. Y. I. L., Vol. 47, 1974-75, pp. 5～6.
　　なお国際慣習法の成立条件としての opinio juris と practice の 2 要素のうち，前者を重視する傾向が国際司法裁判所のニカラグア事件判決（1986）や核兵器の国際法適合性に関する勧告的意見（1996）にも明瞭に現れている（M. D. Öberg, The Legal Effects of Resolutions of the UN Security Council and General Assemlly in the jurisprudence of the ICJ, E. J. I. L., Vol. 16, No. 5, pp. 879～906.）これは武力不行使原則（侵略禁止規範）や人道原則の展開に関する「制度，機構，人道」慣習法規範の成立プロセスについての重要な認識を示すものである。
(15)　藤田久一『戦争犯罪とは何か』前掲書，97～98頁。

第4章　東京裁判

者等の捜査，逮捕，引渡し及び処罰に関する国際協力」宣言を採択（1973年）してもいる。しかし前者の加入国の数はきわめて少なく，後者は法的拘束力のない総会決議である。「侵略の定義」に関する総会宣言は1974年に採択されたが，「人類の平和と安全に対する罪の法典草案」は正式の審議事案として国連国際法委員会に提起されながらその後中断され，ニュールンベルク諸原則の定式化の作業が近い将来に結実することは必ずしも予想しえない状態にある。また1998年，国連総会は，「ローマ国際刑事裁判所条約」を採択し，その管轄権内に入る「犯罪」として，ジェノサイド，人道犯罪，通常の戦争犯罪の他に「侵略の罪」（The crime of aggression）（5条1項(d)）を掲げたが，しかし裁判所が実際に「侵略の罪」について管轄権を行使するための前堤として「侵略の罪」の定義と管轄権を行使するための条件が明確に設定されることを要求しているのである（同条2項）。ここでも「人道犯罪」とは異なり，侵略の罪（平和に対する罪）の可罰実効性（とくに「侵略」行為の責任を根拠とする国家指導者の訴追と処罰）の困難さが存在するといえよう。のみならず国内刑事法の犯罪類型に「平和」と「人道」に対する罪を導入した国は東欧諸国やドイツを除けばほとんどないのが実情である（ローマ条約は国内法システムの「補完」を前提にしていることに注意。日本は同条約に未署名，米国はブッシュ政権が既存の署名を撤回）。

　もとより1951年の難民条約で国が負う不送還義務の対象から「平和に対する罪」「人道に対する罪」を除外している（1条F(a)）のは，私見では侵略の犯罪性，したがって右の犯罪者の処罰権能の存在を前提にした規定だと理解する。こうしてみると，「平和に対する罪」の観念は，この問題を盛り込んだ法典条約上の一種の停止条件（「平和の定義」の確定と共に発効）によって，条約規定上の作動はしばらくお預けとはなるが，しかし一定範囲の「侵略の罪」についての可罰性は既に「法の一般原則」規範として，国際社会に成立しているとみるべきが妥当であろう。なるほど，1982年のフォークランド戦争でのアルゼンチンのフォークランド島への軍事侵攻や1990年のイラクのクウェート侵攻について，国連の憲章第7章に基づく「平和の破壊」の認定（憲章39条の「侵略」の用語は用いなかったが）決議が存在するにもかかわらず，その政治責任者に対する国際社会の訴追と科罰は行われなかった。こうした事実は，「平和に対する罪」の成立を規範的に認識することを困難にするという主張に口実を与えるかもしれない。しかしながらそこには国際法規範の性質と意義に関する極端な国内法形式（罪刑法定主義）へのアナロジーがあるように思われる。

　のみならず1990年代のユーゴスラビアの分裂に伴って生じた国内武力紛争で

(これは原則的に「内戦」であったから,侵略即ち「平和に対する罪」は成立し難い),国連安保理が,「大規模且つ組織的な集団虐殺,拷問,婦女暴行及び追放のくり返し」を国連憲章第7章の「平和の脅威」と認定し,責任者の訴追と処罰のための国際法廷(旧ユーゴ国際刑事裁判所)の設置を決議(安保理決議827,1993年)して,既にタジッチ事案(Tadić case)などについて有罪の判決が出されている。また旧ユーゴ武力紛争で最高戦争指導者であったミロシェビッチ大統領も,紛争終結後の新しいセルビア・モンテネグロ共和国政権によって逮捕され,右の国際刑事裁判所に引渡された(拘禁中の2006年に死亡)。問題は右の戦争犯罪の科罰が国連憲章第7章の「平和の脅威」を直接の法的根拠としながらも,刑事責任の法的根拠は戦争犯罪を含む「人道に対する罪」に求めていることである。ここには「人道に対する罪」と「平和の脅威」の概念的一体化(の必要)があることに注意する必要があろう。なお同種の国際戦争犯罪法廷は1994年のルワンダ内戦における大量虐殺事件に関しても設置された(その他に国内法廷としてカンボジア法廷と2003年のイラク戦争後のフセイン元大統領らの断罪を求める法廷が機能している)。こうした国際犯罪法廷が十分機能することが,将来の同種犯罪の予防にもつながり,「平和・人道」犯罪の法観念の定着に貢献しよう。しかし右の事例は対象が国内武力紛争(内戦)に限られていたため,「侵略の罪」の構成要件を原則として満たしていなかった。したがってその点では「平和に対する罪」(侵略の罪)の断罪先例とは言えないだろう。また旧ユーゴ紛争の場合のNATO軍による1999年のユーゴ空爆が,安保理の決議のない攻撃であったこと,同様に2003年のイラク戦争が米英軍の(安保理決議を経ないでの)攻撃で開始されたことに対して,何らの問責もされなかった(旧ユーゴ法廷でもそれは捜査対象にもならなかった)ことは,公平性の点で問題を残したといえるであろう。ここでも「侵略」の罪(平和に対する罪)の概念形成が,ニュールンベルク裁判と東京裁判以後,途断えているための慣習法形成上での若干の問題があるのである。

　ところで,政治指導者に対して戦争犯罪や人道犯罪に関する訴追と処罰を実行することは,下級兵士との比較で(一般兵員は常に「交戦法規」(jus in bello)の違反に対して,国内,国際の法廷で処罰の対象となる)公平性を保ちうることにはなるだろう。しかしこうした場合,(訴追をうけた)指導者は戦争の終結を躊躇する結果にもなりかねない。この解決法としてダマト(A. D'Amato)は,国連が戦争犯罪法廷を設置しても,戦争当事者(国)どうしが法廷の解消ないし機能停止を合意したならば,国際社会もそれを尊重するということにすれば,国際法廷設置の行為が逆に平和交渉促進の bargaining chip になるだろう,但しそうした合意

第4章　東京裁判

がない限り，訴追と科罰はやめるべきではない，と述べる[16]。

　なお戦争指導者が「平和の破壊」や「侵略」という「平和に対する罪」によって訴追される場合，戦争犯罪法廷は国連憲章第7章上の安保理決議に拘束されるかどうかの問題がある。安保理事会による「平和の破壊」「侵略」等の事実認定（憲章39条）は，一般的に他の（国連）機関と同様，戦争犯罪法廷をも拘束するだろう。アド・ホックな戦争犯罪法廷の設置（法的権限）自体が当該安保理事会決定に依拠しているからである。ローマ条約のような常設的な国際刑事裁判所でも，事案の付託が安保理事会またはその委任をうけた国際検察官（prosecutor）によって，安保理事会がその権限に基づいてとった（第7章上の）措置に関連して行なわれる以上（ローマ条約16条，参照），同様に考えなければならない。しかし（侵略）戦争指導者「個人」の責任帰属要件としての「計画」（共同謀議）「準備」「実行」等への関与の事実認定と刑の決定については，相手国の対応行動（たとえば挑発や過剰防衛行動の存在如何）の評価を含めて，法廷の独自の判断が可能であるし，また必要でもある。更に訴追についても，訴追権をもつ安保理事会（或いはその委任をうけた国際検察官）が，別の政治的配慮（たとえば訴追から生ずる停戦後の当該国の行政運営の困難さなど）から，訴追免除（恩赦）を行いうることもあろう（但しこの場合は，不公正性を残し将来の戦争犯罪の再発への抑止力効果を減退せしめよう。その点でたとえばバシウニ（M. Ch. Bassiouni）は，政治指導者に対しては「平和に対する罪」の場合は別として，少なくとも，ジェノサイド，人道犯罪及び戦争犯罪という3つの中核的なユス・コーゲンス犯罪については取引的見地からのインミュニティは与えてはならない。「正義（justice）なき平和（peace）はない」からである，と述べている。(Remarks by M. Ch. Bassiouni, in "Effectuating International Criminal Law through International and Domestic Fora : Realites, Needs and Prospects", ASIL Proc., 91st Ann. Mtg, 1997, pp. 259〜262)）。

　こうしてみると戦間期において，既に「平和に対する罪」の観念が定立され（たしかに「侵略」の細部についての定義，概念は未確定の部分はあったが，基本的な観念はニュールンベルクと東京の2つの国際裁判所の判決でも明示されていた），それに基づく侵略戦争責任者の処罰を「法（国際法）の一般原則」の中で許容しうる条件を具備していたことは疑いない。しかしながらもし今日と連盟規約下のユス・コーゲンスの（取扱い上の）相違があるとすれば，それは1つは，戦間期においては，「（侵略）戦争の違法性」はエス・コーゲンスとして確立していたが，

---

[16]　A. D'Amato, Peace vs. Accountability in Bosnia, A. J. I. L., Vol. 83, No. 3, 1994, pp. 500〜506.

それに伴う戦争指導者の刑事責任と問責及び処罰に関してはエス・コーゲンスとしての"義務"性をもつ規範としての完成はみていなかったことである。換言すれば，国際社会による刑事科罰は単に"許容（ないし権能）"規範としてのみ成立していたということである。その点で国連体制下の今日，ローマ国際刑事裁判所条約にみられるように，「侵略の罪」上の戦争責任者の処罰が国際社会の「義務」規範として成立している（同条約5条2項及び25条は裁判所の管轄権の行使を"shall" exercise jurisdiction ないし "shall" have jurisdiction と規定している）ことに注意する必要があろう。そして2つには，人権規範のそれ，すなわち「人道に対する罪」が連盟の時代には確立していなかった（確立する社会基盤が未成熟であった）点にあろう。ジェノサイドを始め，「人道に対する罪」のような「集団的人権」に対する罪の観念は第2次大戦後に急速に発達し完成した観念であると言えるからである。――但し，jus in bello における「交戦法規」上の人道擁護規定は，別次元のものとして20世紀始めにすでに成立していた（1907年のハーグ陸戦条約，法規慣例規則，参照）。――

(3) さて侵略戦争指導者の刑事責任追及の法的根拠として，2つめにあげられる理由は何かというと，それはヴェルサイユ講和条約227条がドイツ皇帝ウィルヘルム2世の戦争責任に関する訴追と国際裁判への付託を既に規定していたことである。同皇帝の亡命先のオランダが身柄の引渡しを拒否したため裁判は行なわれなかったが，――第1次大戦時においては「平和に対する罪」はたしかに未成立であったから同皇帝に関する普遍的刑事管轄権は成立しておらず，オランダが不引渡＝庇護＝の立場をとったことは別段不当ではない。むしろ同皇帝の国際裁判が現実に行なわれた場合には，それはまさに「勝者の裁き」であったと思われる。――しかし右のヴェルサイユ講和条約上の規定がもつ戦争指導者の刑事責任追及上の規範的意義は，その後の連盟規約の侵略戦争の犯罪化（平和に対する罪）という法的信念の確立に大きな寄与をしたといってよいだろう[17]。

3つめは，国際法上の罪刑法定主義は国内法原則としてのそれと異なり，成文法主義や刑の法定等の厳格な条件を要求しているわけではないことである。たと

---

(17) Loe Gross, op. cit., p. 332.; レーリンク（B. V. A. Röling）は，次のようにいう。「第1次世界大戦の刑事責任に関しては，J. B. Scott と米国務長官の Lansing がそれに言及して以来，米国と国際世論はドイツ皇帝の侵略戦争に関する刑事責任追及の方向に大きく動いた。しかしヴェルサイユ条約の227条は，ドイツ皇帝の有責を認めながら，それを "a grave violation of international *morality* and the sanctity of treaties" の故にとしている」「こうして侵略戦争の犯罪性を確認するには，なお他のステップが必要であった。『平和に対する罪』はヴェルサイユ条約の締結時にはいわば "in statu nascendi"（発生期）にあったのだ」と（B. V. A. Röling, Crimes Against Peace, in "A. Cassese（ed.）, The Curent Legal Regulation of the Use of Force, 1986", pp. 386, 388）。

えば今日の国際人権自由権規約15条2項（遡及処罰の禁止条項）でも、「国際社会によって認められた法の一般原則に従って実行時に犯罪とされていた」場合には処罰できると規定し、決して侵略戦争の犯罪たるべきことを明示し且つ首謀者が刑罰に処せられるべきことを規定した条約の成立を条件としてはいないのである。しかも1974年に国連総会が採択した「侵略の定義」決議では、「侵略戦争は国際の平和に対する罪である。侵略は国際責任を生じさせる」（5条）とまで書いているのである。

　「罪刑法定主義」の国内法的条件を必要としないことは次の点からもいえよう。「侵略の定義」決議採択の過程でもわかるように、「侵略」概念は、一般的、抽象的には理解しえても、従って一定限度で指針的意味での定義化は可能であるが、「侵略」行為の存在決定のさいに武力不行使原則と共に合わせ考慮さるべき国際法の他の原則、たとえば「プロポーショナリティ」原則とか、国際社会における「力」の観念の変動との関係（経済力の行使による干渉問題など）、更には保護さるべき基本「国益」の内容等、具体的ケースについて個々的に決定してゆく以外に侵略の正確な認定は困難だということである。右「定義」決議の前文でも「侵略行為が行なわれたか否かの問題は、個々の事件ごとのあらゆる状況に照らして考慮されなければならない」と述べているほどである。「侵略の定義」決議が国連総会で採択されている今日でも、責任帰属の問題を含めて「侵略」の存在の具体的決定は安保理事会の政治判断に委ねられ、右の「定義」決議は参考基準程度にとどまらざるをえない事情が、この問題には本質的にあるのである。

　こうしてみると、「侵略禁止」規範に底礎する「平和に対する罪」や犯罪人の処罰に関する罪刑法定主義の観念も、明文の規定によって制限的な形で設定されるよりも、——国内法規範では、権力機関から個人の人権を保護する必要性が大きいため、「罪刑法定主義」は科罰に対して常に制限的抑制的に機能することが、もともと要求されているが、——国際社会では、犯罪者処罰に関する「罪刑法定主義」という刑事法上の法原則の適用が必要であるとしても、「法の一般原則」という包括的概念の中で、ゆとりをもって理解される方が「侵略禁止」規定という国家関係での平和維持価値（個人の人権とは別次元の国際社会の価値）の有効性を担保するにはむしろ有効な手段となりうるのである。侵略を計画し実行する政治責任者に対する「抑止力」（応報刑概念）としての効果もまた大きいのである。

　また「国際社会によって認められた法の一般原則」（国際人権自由権規約15条2項、傍点・広瀬）とは、武力不行使原則を前提とした「平和に対する罪」の概念に関する限り、性質的にユス・コーゲンスとみるべきで、その点で一般慣習法を

超えた法的成立過程上での加重性があり，「国際社会全体（the international community of States as a whole）によって受諾され且つ承認された規範」（条約法条約53条）性が必要であって，その点でも国際法的意味での「罪刑法定主義」の自己制約性は確保できるし，詳細な条文化によらなくても濫用は防止されよう。またユス・コーゲンスである限り，戦争犯罪人の訴追と処罰（個人責任の追及）は規範的には「義務的」でなければならない。

右のようにみてくると，「平和に対する罪」の確立と極東国際軍事裁判の合法性を疑うことは，戦間期国際法の客観的な認識とは到底いえないと思われる（但し後述するように「人道に対する罪」は別）。

3　戦争犯罪における国家責任と個人責任

(1)　かつて中世から近世にかけての時代に，私人が外国人によって害を加えられ，その外国人の君主が何らの救済も行わなかった場合に，その損害を回復するために自己の国王から私掠免状（lettre de marque）を与えられ，私的復仇（la représaille privée）が許される慣行があった。こうした場合の復仇で実力取得の対象となる財産は必ずしも加害者の所有物に限られず，相手国国民の財産ならばどれでもよいとされたのである。これは外国人に対する違法な侵害行為があった場合，加害者の所属する国家の構成員すべてが集団責任を負うことを意味するものであったのである(18)。

ケルゼン（H. Kelsen）は，原始社会の法では集団責任（collective responsibility）が原則で，構成員の意思如何に拘わらず絶対責任（absolute responsibility）が賦課された。「復仇」と「戦争」という特殊な制裁手段によって担保される一般国際法上の「国家責任」は，かりに社会構成員個人に具体的負担が帰属する場合でも，それは集団責任に他ならなかった，と述べている(19)。

しかし近代国家の成立と共に，右の古典的，原始的な私的復仇と集団責任の観念は次第に背後に押しやられ或いはすたれた。そして新たに国家の組織体（権限）責任とそれとは概念的に区別される個人責任という二元観念に分化し，とって代られることになったのである。わけても19世紀以後のレッセ・フェールの経

---

(18)　A Nussbaum, A Concise History of the Law of Nations, 1947, p. 34.; 田畑茂二郎「外交的保護の機能変化㈠」法学論叢53巻1・2号，1947年，17〜19頁。木村実「『裁判拒否』概念の継承と機能転換——私的復仇から外交保護へ」法律時報55巻8号，1983年，99〜100頁。

(19)　H. Kelsen, Principles of International Law, 1966, pp. 9〜10, 196, 201, 213.

済思想と夜警国家観の下ではそうであった。しかし19世紀を通じ更に20世紀に入り第1次大戦に至るまでの期間，無差別戦争（戦争の自由）観が支配していた時代では，戦争の後始末をつける戦争責任の理論は，前時代からの報復的ないし征服的性格をぬけきれず，敗戦国に対する巨額な賠償金の賦課と，領土的征服や割譲の要求で表現される国民全体の集団責任的性格を強くもつ組織体責任観を背景としていたことは疑いようがない。

(2)　しかし無差別戦争の禁止すなわち侵略戦争の違法化と，戦争行為に対する国際社会の組織的対応制度の確立という国際社会の構造的変化を背景に，第1次大戦後の戦間期および第2次大戦中とその後の戦争責任の観念は，次の2つの点で大きな変革をうけたといえる。

1つは，侵略戦争開始に関する国家の組織体としての責任原理が，勝者による敗戦国民全体に対するアンブロックとしての報復的集団責任追及の形態ではなく，——もっともヴェルサイユ講和条約でのドイツに対する過酷な賠償金賦課にみられるように，第1次大戦の戦争責任追及の形態はなお19世紀的色彩を残していたが，しかし戦間期のドイツの抵抗を通じて連合国側も，報復的科罰の無意味さを悟ることになった。——敗戦国民の政治的統一と平穏な日常生活の保障を認める人権的配慮を前提にすることを要求されるようになったのである。従って戦争責任の解除の方式も政治体制や国家の組織・機構の強制変更に限られることになったのである。戦勝国の実際の損害に限定した賠償の支払い要求や，軍国主義政治体制の除去というような限定的な制裁内容にそれが現れているといえよう。——戦争責任追及の方式として，敗戦国の国内政治体制の強制改革を求めたことは，連合国の「自衛権」の範囲を越え，国連（＝連合国）の集団的平和形成機能とみるべきだろう。——

2つめは，侵略戦争の違法性がユス・コーゲンス違反の性格を帯び，侵略行為を犯罪視する観念が次第に定着してゆく国際社会状況[20]を背景にして，組織体責任の原理が国家機関としての戦争従事者に対して，刑事責任を追及する慣行にまで高められたことである。個人責任の刑事化の現象がこうして生じたといえよう[21]。ラウターパクト（H. Lauterpacht）は，非人格的で形而上的存在としての「国家」に責任を課し，国家機関としての個人は具体的科罰を避けられるというシステムでは，国際法の尊重に期待がもてないとして，個人に対する処罰を肯定

---

(20)　M. Akehurst, Custom as a Source of International Law, B. Y. I. L., Vol. 47. 1974-75, pp. 5～6.; ニュールンベルク国際軍事裁判所判決録 Cmd. 6964（1946), pp. 40～41.; 極東国際軍事裁判所判決録としてInternational Law Reports, 15（1948), pp. 356, 362～363.

(21)　G. Berlia, De la Responsabilité Internationale de l'État, dans "Études en l'Hommeur de G. Scelle, La Technique et les Principes du Droit Public, Tom. Ⅱ, 1950", p. 886.

する⁽²²⁾。

　こうした国家と個人（国家機関としての）の責任関係をより深く分析すればこうなろう。「国際社会全体（international community as a whole）によって犯罪（crime）とみなされるような国際社会の基本的義務を侵犯する国家の違法行為は、国際犯罪（international crime）を構成する」（国連国際法委員会の「国家責任条約案」19条2項）が、国家が「刑事責任」（criminal responsibility）を負うことは考えられないから⁽²³⁾、刑事責任の帰属（liability）は国家機関としての個人にならざるをえないということである。「人類の平和と安全に対する罪の法典案（国際法委員会の1996年読会）」が2条1項で、'A crime against the peace and security of mankind entails indivisual responsibility'. と規定し、更に3条で、'An individual who is responsible for a crime against the peace and security of mankind shall be liable to punishment.' と規定したのも、この趣旨である（ほぼ同旨、ローマ条約25条）。しかし同時に、国家自体の責任（responsibility of States）が、右の国家機関たる個人の刑事科罰によって、解除されるわけではないから、金銭賠償等の責任は別に負わなければならないのである（もっともこの金銭賠償を民事上の観念でなく、刑事上の「罰金」と解する余地はあるが）。右の「人類の平和と安全に対する罪の法典案」4条も、それを規定しているのである⁽²⁴⁾。

　しかし注意しておかなければならないことは、右にみた個人の刑事責任は、あくまでも国家機関としての個人の責任であって、性質上、組織体（国家）責任の一環を形成するものであるといわなければならない点である⁽²⁵⁾。ケルゼンも第1次大戦後のヴェルサイユ条約227条に規定された前ドイツ皇帝ウィルヘルム2世の国際法違反行為に関する刑事責任は、「個人責任」ではなく国家機関としての「国家の（集団）責任」のそれであると述べている⁽²⁶⁾。従って、この組織体権限上の個人責任原理に基づく違法な戦争行為を、計画し実行した戦争指導者個人に対する告発と断罪は、過去の侵略的政治体制に対する制裁と、将来における侵略の再発防止を目的とした国家全体としての国際責任に関するものである。

　その意味では、国民的責任から分離し区別することのできない性格のものといえよう。個別的な戦争指導者個人の政治思想や、戦争に関する違法性の各人の認

---

(22)　H. Lauterpacht, International Law Being the Collected Papers of H. Lauterpacht, Vol. 1, General Works, ed. by E. Lauterpacht, 1970, p. 373.
(23)　I. Brownlie, System of the Law of Nations, States Responsibility, Part 1, 1983, pp. 32〜33.
(24)　cf. A. J. I. L. Vol. 82, No. 1, 1988, The 39 Session of ILC,（Current Developments), p. 147.
(25)　A. Rosas, The Legal Status of Prisoners of War, 1976, pp. 124〜125.
(26)　H. Kelsen, Principles., op. cit., pp. 212〜213.

識内容，或いは戦争行為への具体的寄与度が訴追と断罪の中心にあったわけではない。それらは国家の戦争責任を組立て構成する場合の素材（資料）——と刑罰内容決定のさいの情状酌量の材料——にすぎなかったのである。訴追の主要目的（裁判主題）は，あくまでも国家組織としての侵略行為の計画と実行の暴露であり，その事実に対する有罪の宣告である。「共同謀議」理論はまさにそのための論証の武器であったのである。

　第2次大戦における近代化された戦争責任観が，国際法古典期における報復的，征服的集団責任論から脱却し，戦争指導者を中心とした刑事問責に限ったことは，それ自体重要な意味をもっていたといえよう。すなわちそれは侵略政策の再現防止（国連憲章107条や53条にもその趣旨の規定がある）に関し，敗戦国の国民的課題と責任を問う連合国の政策の一表現形態を意味していたからである(27)。こうした沿革的趣旨を背景にニュールンベルク軍事裁判後，今日までドイツが旧戦犯に対する執拗な戦争責任追及の態度を持ち続けた事実を見逃すわけにはいかないのである。同様に過去の侵略戦争に対する指導者責任を論じながら，日本における戦後民主主義の確立に国民的共同責任を要求した極東国際軍事裁判所判決の問題提起を過小視するわけにはいかないであろう。「戦争指導者の責任」が，国民責任の一部として等しく国家責任原理の中で位置づけられるべき理由がそこにあったからである。

　(3)　さて戦争犯罪上の個人に対する刑事責任が国家の組織体責任の一形態であって，国家や集団とは切り離された個人責任として把握することのできないことは次の点からも明らかである。ウェストレーク（J. Westlake）が夙に述べてい

---

(27)　たとえば，ニュールンベルク国際軍事裁判所において，フランスの検察代表フランソア・ド・マンソン（François de Menthon）は，裁判の精神的価値について次のように論告している。「それゆえ裁判官各位の裁きはドイツ民族並びに諸国民を啓蒙することに貢献しうるのである。各位の判決は，国際法の歴史に不滅の書として掲げられ，もって戦争手段を一掃し，永遠の形において力を諸国民の正義のためにつくすような真の国際社会の建設の資たらしめられねばならない。各位の判決こそは，諸国民が恐怖の嵐の後に求めてやまない平和秩序の大黒柱の1つとなるであろう」と（ニュールンベルク裁判判決集，第5巻，480頁）。同様にイギリス検察代表ショークロス（Sir H. Shawcross）も，ニュールンベルク裁判が「もしできうくば，国際法の支配を促しかつ確立させるように，また過般の戦争でひどく悩まされたこの世界の将来の平和と安全が保障されるような」方法で行なわるべきであると論じている（同書，第3巻，108頁）。米国のジャクソン（R. H. Jackson）も，「文明は，裁判官各位が戦争を不可能にする力を持っているとは期待していない」と，裁判というものの性格がもともと持つ平和機能の限界は指摘しながらも，「しかしもちろん文明は，各位の与えられる宣告が国際法の力を，その命令と禁止とを通じて，とくにその贖罪を通じて平和のために役立たせ，それによってすべての国々の善男善女に『何人にも臣従することなく，法の保護のもとに』生活するを得させるようになるであろうことは，期待しているのである」と述べたのである（同書，第2巻，183頁）（以上，法務大臣官房司法法制調査部，戦争犯罪裁判資料第5号「国際刑法上の国家機関の責任——ニュールンベルク裁判の一研究——」下巻，779～780頁）。

るように，国家機関たる個人の責任を国家の責任から分離しようとする試みは，国家の行為が実際にはそれを指導し実行する国家機関たる個人の行為にすぎないという平凡な事実を見落とす議論となり[28]，個人責任観を強調するあまり，逆に集団組織としての無責任を肯定してしまう危険を内蔵しているといえるのである。ラウターパクト（H. Lauterpacht）もいうように，「全体として国家は，国家が集団的に遂行した犯罪行為からそれが成功した場合に，巨大な利益を獲得できることを決して拒否しない。反対に右の行為が不成功であった場合は，集団的科罰の不公正を訴えるのが普通である。こうしてみると，今日，修正を必要としているのは，刑罰上の集団責任（collective responsibility）の原則そのものではなく，集団科罰によって生ずる主要な不利益を除去しうる方法を見出し，集団科罰の適合性をはかることである[29]」と。復讐的，征服的な集団（ムラ）責任の観念から建設的，再生的な集団（近代国家）責任観念への転換を示唆しているものと言ってよいであろう。つまり，集団科罰としての戦争に関する国家責任の形態が，民衆の生存権を奪いかねない過酷な刑罰内容たとえば武力による長期占領や，国家的統一性の破壊や国家的消滅の強制，或いは大量の報復的人民処刑や経済的疲弊の強制として現れれば，それはたしかに集団責任原則の不公正な適用を意味し，今日では国連憲章の諸原則すなわち武力による領土拡大の禁止原則，自由と基本的人権並びに民族自決権の尊重原則に違反しよう。

　こうした理解について私はかつて詳細に述べたことがある（広瀬善男『現代国家主権と国際社会の統合原理』1970年，243～245頁）。そしてメイロヴィッツ（H. Meyrowitz）も次のように述べている。すなわち，交戦者平等原則の支配する jus in bello の次元とは異なり，jus ad bellum の段階では，交戦者間に一定の差別（la discrimination）が成立しうる。しかしそれは，敗北した侵略国の領土の一部の割譲（l'amputation territoriale）ではなく，la réparation の見地からの金銭ないし物質的賠償にかぎられると[30]。国連の「侵略の定義問題に関する特別委員会」の1969年の報告の中で，ソ連は「いかなる領域取得も，侵略国の利益のためには認められない」と述べて（UN. Doc. A/AC 134/L. 12.），侵略を基準とする差別原則を領域割譲の次元にまで拡大し，自衛国側に領土拡大を肯定する見解を明らかにしたことがある。しかしこれに対して，コロンビア，サイプラス，ガーナ，イラ

---

(28) J. Westlake, The Collected Papers of John Westlake on Public International Law, ed. by L. Oppenheim, 1914, p. 411.
(29) H. Lauterpacht, International Law., Vol. 1, The General Works, ed. by E. Lauterpacht, 1970, p. 392.
(30) H. Meyrowitz, Le Principe de l'Égalité des Belligérants devant le Droit de la Guerre, 1970, pp. 299, 309.

ン，ユーゴ等の10カ国は，国家の領土の不可侵性を前提に，どのような原因をもつ国に対しても，その国の領土を占領したり奪取する行為は，これを認めることができない，と述べたのである（UN. Doc. A/AC, 134/L, 16.）。この点に注意しておく必要があろう。

なおライト（Q. Wright）も次のように述べている。自衛権を行使した国も，被った損害に対する対価としての賠償（reparation）は要求できても，侵略国の領域の取得やその他，安全と防衛のために必要と認められる程度を超えた新たな権利の請求はできない，と(31)(32)。

---

(31) Q. Wright, The Strengthening of International Law, 1959, p. 155.
(32) ius ad bellum と jus in bello とは対象とする秩序の保護法益に相違がある。前者は国際社会全体の「平和」の維持のために「侵略」に対して科する制裁と集団行動の維持を目的とする。従って侵略国に対する「差別」が成立するのである。後者は交戦者の人道上の被害を最小限にすることにある。しかしジュネーヴ人道法4条約に具体化されたように，国連憲章秩序の下では人権原理（私有財産権の尊重を含む）を基礎として，伝統的な交戦法規や中立法規が再検討される必要が生じた。

たとえば伝統的な「交戦国」の戦闘従事者だけの相互的人道保障の観念を超えて，第3国国民や国内武力紛争における市民一般の人権保護も射程内に収める必要が生じたのである。humanitarian law への human rights law の導入である。かりに具体的な法規の適用過程で，伝統的規定の mutatis mutandis の適用が考えられても，それは技術的にそうであるにとどまる。したがって思想的にみれば，19世紀の無差別戦争（戦争の自由）観を背景とした交戦者の「戦闘の（軍事的）必要性」を最大限に尊重する法的条件は既に存在しない。たとえば「陸戦ノ法規慣例ニ関スル規則」23条 g のように，「戦争ノ必要上万已ムヲ得サル場合」という規定の解釈に制限的要因を加味する必要ができたのである（ジュネーヴ人道法4条約では，いわゆる総当事者条項がはずされていることも参考にさるべきだろう）。──但し侵略国に対しては，自衛国は他にとるべき防衛手段がない国家存亡の「軍事的必要」がある場合には，核兵器の使用を許容されうる法的土壌がなお存在していることも否定し難い（広瀬善男「核兵器使用の違法性に関する考察」明学・法学研究60号，1996年，22〜23，30頁）。──しかし durant bello の段階では，原則として国連の武力強制行動についてさえ，交戦法規の平等適用が考えられなければならない。それによって国連軍の行動のゆきすぎがチェックできるし，且つまた平和破壊（侵略）国の軍事行動が，アウトロー的状態からくる一種の絶望状態，つまり無差別攻撃を行っても結局同じことだという心理状態に，追い込まれることからくる不必要な破壊行動に歯止めをかけることができるはずである。

国連憲章2条5項の国連加盟国の協力義務（侵略国への不援助義務を含む）については，durant bello の段階でも機能するから，伝統的中立法規上の第3国（中立国）の交戦者双方に対する公平取扱いの立場は放棄される。1990〜91年の湾岸戦争における対イラク国連制裁に関して行なわれた多国籍軍による公海海上の臨検措置や，92〜96年の同種の対ユーゴ海上封鎖は，最近におけるこの実践例である。しかしこれは jus in bello 上の交戦者平等原則とは異質の限定的性格のもので，たとえば「海戦の法規に関するロンドン宣言」（1909年）に規定されているような中立国（第3国）船舶に対して侵略国（と国連が認定した国）が交戦国としてもちうる一定の交戦上の権利義務をすべて否定する意味まではもっていない。

こうしてみると，jus ad bellum は武力紛争（war, armed conflict, hostilities）の全プロセス（戦後処理の段階まで）を通じて適用があるが，しかし durant bello の段階で jus in bello が独自に機能することを否定する趣旨までもっていない。両者は次元の違う法秩序だからである。

日本国憲法九条2項にいう「交戦権を有しない」の趣旨は，立法時の解釈では，第1は jus ad bellum 上の侵略戦争の否定と，第2は戦力放棄から来る伝統的交戦法規上の権利（日本が第3国の場合の中立法規の適用は受動的なものだから別）の否定の双方を意味していたであろう。しかし今日の規範意識の下では，侵略をうけた場合の「人道法」上の交戦者としての権利義務の主張と，「自衛」行動に関する

(4) しかしすでに古くヴァッテル（E. de Vattel）やホール（W. E. Hall）も述べているように，不法な攻撃や違法な戦争行為に対する責任追及の目的が刑罰的形態（punishment）をとるのは，すでに行われた不法行為上の損害に対する賠償（reparation）のそれとは異なり，同種の不法行為の将来における再発の防止と自国の安全の確保という予防的性格をもつものである[33]。そして事実，侵略戦争を犯罪とし，犯罪者に刑罰責任を科そうとする今日における戦争責任論（国民的集団責任観の中での指導者に対する科罰方式）の本旨もまさにそこにあることは，すでにみた通りである。もしそうだとすれば，これはまさに国家責任の次元のものであって，国家と区別された個人責任のそれではないのである。戦争は過去も現在も，国家が主権的活動として行うものであることを見落としてはならないであろう。

こうした趣旨を背景に考えれば，ラウターパクトもいうように，民衆の災厄を最小限にとどめながら，集団組織上の国家責任を問おうとするならば，それが刑罰的形態をとるかぎり，その具体的内容は戦争および戦闘上の不法行為を実際に遂行し，責任追及の現実に可能な国家機関たる個人に対する刑罰賦課の方法がもっとも妥当だということにならざるをえないであろう。「個人」の戦争犯罪責任原則がこうして登場し確立することになるのである。国家の集団組織責任の一形態として個人の（機関）責任原則がこれである[34]。──アロット（P. Allott）は，国家（政府）義務と国家機関たる公務員の個人義務との間に道義的断絶（moral discontinuity）を設け，個人には責任を帰属させない考え方（たとえばかつて，ILC「国家責任」条約案起草者の R. Ago は wrongdoing と liability の間に，responsibility の概念を置くことで，個人責任を不問にする考えを示した）は，伝統的な国際法と国内法の二元論（国際法の主体は国家のみ）の立場からは妥当だとしても，国家の国際法上の義務を履行するのは，結局，政府公務員であるのだから，公務員個人に責任を帰属させない考え方は法の道義的制裁力を減退させることになる。そしてまた公務員を選択するのは国民であるから，国民もまた集団責任を負うべきである，と述べる[35]。──

交戦法規上の権利並びに「自衛」行動遂行中における第３国に対する中立法規上の権限の行使は否定されることがないと思われる。但し占領軍の権限のような相手国領域における日本の交戦権の行使は，今日でも国民的規範意識の中で否定されているとみるべきであろう。なお国連軍の交戦活動ないし国連平和維持活動（PKO）に関しては，伝統的交戦法理の適用は原則的に肯定されなければならない（とくに人道法規）が，しかし別次元の理解が必要な問題もある。

[33] E. de Vattel, Le Droit des Gens. (Law of Nations), C. G. Fenwick's Trans., Book II, Ch. IV, § 52, p. 130 ; W. E. Hall, A Treaties on International Law, 8ed., 1924, p. 381.
[34] H. Lauterpacht, International Law, Vol. 1, ed. by E. Lauterpacht, 1970, pp. 392〜393.
[35] P. Allott, State Responsibility and the Unmaking of international Law, Harv. I. L. J., Vol. 29, No. 1,

(5) さて刑事上の「個人責任」の観念は，各国国内法に共通する一般原則に抵触する行為や，国際社会全体の秩序や利益に対する重大な違法行為で且つ個人の自由意思に基づく判断の機会と可能性の存在する場では，第2次大戦前においてもすでに成立していたといえよう。たとえば海賊に対する処罰の形態がその例である。しかし問題なのは，「平和に対する罪」と「人道に対する罪」のそれである。前述したように「平和に対する罪」の概念は，侵略戦争を国際社会全体に対する違法行為として理解した国際連盟規約や不戦条約をはじめとした若干の国際的合意によって，戦争自由観（無差別戦争観）を転換した第1次大戦後においてすでに明確に確立していたといえるだろう。もとより戦間期の右の国際的合意によっても，手続的な機構決定上の仕組みは必ずしも整備されてはいなかったが（たとえば連盟理事会の決定に関する解釈権が各国に分属することが是認されたのはその一例），実体的な成立を認めることは可能であろう。

しかし侵略行為を犯罪として認識する立場は，それ独自では，最高戦争指導者の個人責任原理としては，少なくとも戦間期において定着することはできなかったとみるべきであろう。19世紀以来の「戦争」概念の枠組の中で形成されてきた狭義の交戦法規（jus in bello）上の（国家機関としての）個人責任原理の定着を背景ないし基盤として理解するのでなければ，第2次大戦後における2つの国際軍事裁判所における裁判基準として，（国家機関としての）個人責任原則が採用されることは，罪刑法定主義への挑戦として受けとられざるをえなかったであろう。

すなわち，残虐兵器の使用禁止を含む害敵手段の制限規定に違反して不必要な苦痛を相手方交戦従事者に与えることの禁止，捕虜の虐待禁止，傷病者の保護或いは占領地における文民の保護の原則などに通常みられるように，交戦法規上の交戦従事者個人に対する違法行為上の責任帰属原理（管轄法廷は違反者所属国の裁判所であるが，被害国の法廷の場合もある）(36)は，交戦行為による災害を最小限にとどめようとする人道意識を背景とし，交戦態様の抑制と交戦に付随する犯罪の抑圧を効果的ならしめるための手段であったことは確かである。「集団責任」原理がややもすれば個人免責を導きがちなことを考慮し，交戦法上の人道規定の順守を強化するためであったのである。

しかしながら注意しなければならないことは，この個人責任原理が，国家機関

1988, pp. 14〜17.
(36) ド・リュピ（I. D. De Lupis）は，戦争犯罪の訴追に関し，国際法の履行のために国内機関を利用することを，G. Scelle, Traité de Droit International, 1929でいう"dédoublement fonctionnel"理論の適用であると述べている（I. D. De Lupis, The Law of War, 1987, p. 356）。

としての地位に基づく国家の組織体（権限）責任（国家責任）の一環としてのみ機能した法状況が，今日まで続いてきたことを見落としてはならないことである。国家的決定や機構体行動に対する個人の自由意思による抗拒や抵抗を，国内法秩序の中のみでなく国際的に保障する観念やシステムが存在しなかったことが基本的な理由なのである。

のみならず伝統的交戦法規の建前は，それが人道原則を掲げてはいても，交戦相手国やその交戦従事者の戦闘能力の効果的破壊という戦争遂行上の必要性を破ってまでも，人道原則の優位性を承認するほどの意味は与えられていなかったのである。──たとえば，1907年の「陸戦ノ法規慣例ニ関スル条約」の前文には，「右条規ハ，軍事上ノ必要ノ許ス限努メテ戦争ノ惨害ヲ軽減スルノ希望ヲ以テ定メラレタルモノニシテ」（傍点・筆者）との文言がある。──つまり戦闘指揮官（或いは国家生存上の重大な戦争行為，たとえば核兵器使用の是非については戦争指導者）の判断する「軍事上の必要」に人権価値が従属する可能性を少なからず内包していたのである。ここにも交戦行為の合法性判断の決定権が個人としての交戦従事者に与えられていない（「国家機関」としての行為資格が絶対の前提）法的状況があった，といわざるをえないのである。──なお「核兵器使用の国際法適合性」に関する1996年の国際司法裁判所の勧告的意見でも，「国家の存亡のかかる自衛の極度の状況がある場合について」核兵器の使用が合法か違法かの結論を留保したが，右意見の前段では，核兵器の使用は人道法上は「一般的に違法」と明示しているだけに，特別な条件のある場合に核兵器の使用が違法とはいえない例外があることを肯定したものとみるのが，合理的解釈であろう（ICJ Reports, Advisory Opinion on Legality of the Threat or Use of Nuclear Weapons, 1996, Para. 105（E）, p. 36 ; 広瀬善男「核兵器使用の違法性に関する考察」明学・法学研究60号，1996年，18～27頁，参照）。──

また戦闘行為が，部隊（集団組織）による命令と服従の秩序関係を前提として成立する以上，jus in bello の責任は個人の意思の如何を問うことなく，違法行為の総体について，指揮，服従関係からくる軽重の差はあれ，また「法の一般原則」上の情状酌量の余地はあっても（「人類の平和と安全に対する罪の法典案」15条，参照），すべての関係者に責任の帰属が肯定される根拠があったのである。ここに交戦法規違反に関する個人責任が，国家機関として国家（組織）責任の一環に位置づけられる意味があるのである。個人の故意・過失は責任帰属の条件とはなりえなかったといえよう。言い換えれば，命令→服従関係の存在は，刑の軽減の理由となりえても刑事責任が個人に帰属する障害とはならなかったし，下級者の不法行為について「それを知っていたか，或いは知るべき理由があり」，且つ

「それを制止する措置をとらなかった」という客観的に判断される事実の存在だけで，上級者は刑事責任を負うこととされたのである（「人類の平和と安全に対する罪の法典案」5，6条，参照)。その意味では，特別に条約上で規定される場合を除き，公務員の違法行為の責任帰属の決定に，故意・過失の要件は不要であると述べたスターク (J. Starke) の見解は[37]，戦争犯罪に関してはきわめて正確であるといえるだろう。――過失責任主義の適用がありうるとしても，それは現地兵員の非公務中の不法行為の場合に限られよう。――

しかしそうした原則として本来，現地機関の責任原理として成立した個人（責任）原則が，「jus ad bellum における」戦争指導者の個人責任原理に波及しうるためには，侵略を犯罪視する観念の形成と平和に対する罪の意識が醸成され定着する必要があった[38]。同時に繰り返していうが，この戦争指導者の個人責任は性格上，国家機関としての責任のそれであって，あくまでも国家の組織体責任（国家責任）の一形態にすぎないことも承知しておかなければならないのである。

---

[37] J. Starke, Imputability in International Delinquencies, B. Y. I. L., Vol. 19, 1938, pp. 114〜115.
[38] 1947年に国連総会は，いわゆるニュールンベルク国際軍事裁判所の判決とその裁判所の権限の基礎となった法的文書である The Charter of International Military Tribunal（わけてもその第6条）で承認されたプリンシプルスを法典化するよう国際法委員会 (ILC) に要請した (G. A. Res, 177 (Ⅱ), 5 U. N. GAOR Supp. (no. 12) 11, U. N. Doc. A/1316 (1950))。その結果，国際法委員会は "Draft Code of Offences Against the Peace and Security of Mankind" の作成に着手した (G. Komarow, Individual Responsibility Under International Law : The Nuremberg Principles in Domestic Legal Systemn, I. C. L. Q., Vol. 29, Pt. 1, 1980, pp. 36〜37)。
　しかし，21世紀の今日に至っても ILC の審議は終了しておらず（正確には中断)，従ってこの草案は国連総会での投票に付されていない。その理由は1つは Code の条項が "aggression" の定義によって大きく左右される内容をもっているにも拘わらず，"aggression" の定義が今なお明確化されていないからである。確かに1974年に国連総会は「侵略の定義に関する決議」を採択した。しかしその具体的内容については，判断材料上の条件が多く，右の決議も「侵略」に関する判断「指針」を提供するだけで，実際には安保理の政治的決定に委ねられる側面が大きい。のみならず，侵略行為者の刑事責任追及に関しては未だに異論が少なくないのである。2つは「人道に対する罪」の定義が不完全で，1960年代に国連総会が「アパルトヘイト政策を含むすべての人種差別形態」も右の罪に該当することをくり返し決議していることに西欧諸国が不満で，右犯罪の構成要件の政治的拡張傾向に歯止めをかけたい意向が強く働いたためである (J. Carey, UN Protection of Civil and Political Rights, 1970, pp. 61〜63)。その後，南ア問題も解決し，この事項は法典案から削除された。そして今日では「人類の平和と安全に対する罪」法典案の内容は，各国の国内裁判所の判決でも援用され国内法の解釈基準として次第に導入され具体化しつつあるという (G. Komarow, ibid., pp. 25〜26)。なお「人道に対する罪」(crimes against humanity) は1998年の「ローマ国際刑事裁判所条約」5条1項(b)で，法廷の管轄権に入る国際犯罪の1つとして規定されている。
　しかしたとえば米国ではベトナム戦争時のソンミ村虐殺事件で有名な Calley case の審理にみられるように，国内司法手続原則としての "political question doctrine" や，ベトナム戦争そのものの合法性に関する原告の訴権の欠如を理由として，十分な成果をあげているとはいえない。また旧ソ連（ロシア）や東欧諸国では，ニュールンベルク準則を国内刑法の処罰規定に導入してはいるが，selective incorporation であったり over-generalisation であったり，政治体制からくる適用上の偏りがあるといわれる (G. Komarow, ibid., pp. 26〜36)。

戦間期におけるこうした「戦闘」並びに「戦争」の行為に関して生ずる違法観念上の責任意識の形成を背景として考えれば，第2次大戦後に国際軍事裁判所に登場した「平和に対する罪」とそれに対する（国家機関としての）個人責任原則の宣明は，実定法上の根拠を戦間期においてすでにもっていたといわざるをえないであろう⁽³⁹⁾。

第2節 「人道に対する罪」は戦間期に成立していたか

1 内政不干渉原則の普遍人権観に対する優越

(1) しかし問題は，「人道に対する罪」の概念の成立についてはそう簡単にいえないことである。たしかに交戦法規，慣例上の個人責任原則の法益は「人道」のそれであった。──発生史的にみれば「交戦国」どうしの兵士と市民を防衛するための相互取引(レシプロシティ)の性格をもっていたが。──けれども戦間期における人道観念を「人権の国際的保障」という一般的次元にまで高めうる法的基盤は，第2次大戦前の国際社会の法的構造の中ではまだ十分形成されていなかったのである。

国際連盟規約に規定された（22条，23条(b)）植民地住民に対する植民国（宗主国）の人道的（文明の神聖な）使命はまさに恩恵的政策配慮の次元を出るものではなかったし，あくまでも植民帝国の枠の中での原住民の福祉と発達が目的とされたにすぎなかった⁽⁴⁰⁾。東欧諸国における少数民族保護のための条約関係にしても，戦後の国境秩序維持に実質的な目的が置かれ，もっぱら戦勝国の利益を保護するためのものであって，大国に適用のある普遍的規範ではなかった。国際労働機関（ILO）の設立と労働者の労働条件の改善をめざす国際合意（連盟規約23条

---

(39) バード（H. W. Baade）は次のように述べる。1919年のヴェルサイユ講和条約締結時においては，未だ第3国を戦争犯罪人の訴追に関係をもたせるべき対世的義務（obligation erga omnes）の観念は成立していなかった。つまり「平和に対する罪」は確立していたとはいえない。従ってオランダが亡命ドイツ皇帝を政治犯として扱い，引渡しを拒否したことは不当ではないし，米国が自国民とその財産の棄損問題以外は裁判管轄権を否定し，いわゆる普遍的管轄権の存在を否認したことは或る意味で当然であろう。しかし国際連盟規約と不戦条約が成立した戦間期とその期間を経た1945年段階には「平和に対する罪」は明白に確立していたと（H. W. Baade, Individual Responsibility, in "C. E. Black and R. A. Falk (eds.), The Future of the International Legal Order, Vol. IV, The Structure of the International Environment, 1972", pp. 300～301）。

(40) 廣瀬善男『現代国家主権と国際社会の統合原理』前掲書，202頁。J. F. Engers, From Sacred Trust to Self-Determination, in "H. Meijers and E. W. Vierdag (eds.), Essays on International Law and Relations in Honour of A. J. P. Tammes, 1977", p. 85.

(a))は，たしかに資本主義先進国での社会権的人権思想の育成にあずかって力あったが，主要な動機はロシア革命による社会主義思想が資本主義国家で蔓延することを防止することにあった(41)。──そうした趣旨からみれば，右の歴史的事実を根拠に「人道に対する罪」という人権観念が，交戦法規とは無関係に，戦間期において成立していたとみる J. M. Wagner, U. S. Prosecution of Past and Future War Criminals and Criminals Against Humanity, Virg. J. I. L., Vol. 29, No. 4, 1989, pp. 907～908. の見方は浅い。もっとも連盟規約23条(a)(c)に規定されているような特定の人権規範については，戦間期におけるこの規範をフォローする条約の採択を通じて戦間期に於て，国際慣習法化したとみるのが妥当であろう。たとえば，連盟規約23条(c)の「婦人及児童の売買の禁止」は一般的には奴隷禁止規範として，1925年の「醜業のための婦女売買禁止条約」や1926年の「奴隷禁止条約」の採択によって，慣習法上の効力をもったとみてよいだろう。また規約23条(a)の「人道的労働条件の確保」規範も，右の「奴隷禁止条約」や強制労働を禁止する ILO（国際労働機関）29号条約（1933年）の採択を通じて，少なくとも「強制労働の禁止」を慣習法上の規範として成立させることに効果があったといえよう。(42)

---

(41) war crimes とは区別される crimes against humanity の観念は，通常は，1907年のハーグ陸戦法規慣例条約前文のマルテンス条項すなわち「人道ノ法則及公共良心ノ要求ヨリ生スル国際法ノ原則」に基礎を置くとされる。しかしマルテンス条項の「人道の法則」（the laws of humanity）は，何が国際法上の刑事犯罪を構成するかを明らかにしておらず，罪刑法定主義の適用をうける問題であるだけに，特定の害敵手段の制限規則を別としてその具体的内容の凝結が必要で，それはその後の国家的実践に委ねられたとみるべきであろう。1915年5月28日の英，仏，露によるアルメニア人虐殺非難宣言はその1つであったが，この宣言は3つの観念から成り，①少数民族の保護，②この保護義務に違反して虐殺を行った者は individually criminally responsible であること，③この crimes は war crimes からは独立の観念であること，であった。しかし処罰方法が決定されなかったため実行されなかったのである。
　第1次大戦後のドイツの戦争責任を決定するための the Preliminary Peace Conference で指名された15人の委員から成る委員会は，その報告で「戦争法規・慣例並びに人道法則（the laws of humanity）に反する罪に該当するところの "all enemy persons" に対して訴追，審理するべきこと」を勧告した。しかし米国代表は唯一これに反対し（第2次大戦後のニュールンベルク裁判時の米国の政策と全く逆），"laws of humanity" の用語の使用を拒否し，「戦争はその性質上もともと inhuman で，戦争法規に合致していても inhuman な行為はいくらもあり，それは処罰の対象とはならない」と強く主張した。結局，各国に妥協が成立し，ドイツ皇帝の訴追を "crimes against humanity and civilization" に基づくということにはせず，"for a supreme offense against international morality and the sanctity of treaties" で告発することになったのである（ヴェルサイユ条約227条）。L. S. Waxler, The Interpretation of the Nuremberg Principles by the French Court of Cassation : From Touvier to Barbie and Back Again, Col. J. T. L., Vol. 32, No. 2, 1994, pp. 296～300.; M. C. Bassiouni, "Crimes Against Humanity", The need for a Specialized Convention, Col. J. T. L., Vol. 31, No. 3, 1994, p. 457.
(42) こうしてみると，いわゆる韓国人慰安婦問題についても，戦前の日本社会の朝鮮半島出身者に対する差別意識の一般的存在を考えれば，彼女らに対する内地人と異なる慰安婦募集上の「差別」と「強制性」の存在を肯定せざるをえない状況があったと思われる。したがって日本が1926年の「奴隷禁止条約」を批准していなかったことを理由に，或いはまた「婦女売買禁止条約」（1925年）などが，植民地住民には適用がない規定を設けていても，それら条約の骨子が戦間期を通じて慣習法化していたと解せられる以上，普遍的規範としての有効性（侵略の違法化と同様にユス・コーゲンス規範として

第 2 節　「人道に対する罪」は戦間期に成立していたか

　さらに重要な点は，・内・政・不・干・渉・原・則によって支えられた国家主権の壁によって，平時において個別的人権（人身の自由）を国際的に保護しようとする観念は，戦間期においてはほとんど成熟する余地がなかったことである(43)。
　こうして人権意識の醸成は，第 2 次大戦前においてはなお極めて不十分であったことが明瞭であるが（人種差別撤廃条約や国際人権規約，その他多くの人権保障関係の条約や，国連総会の決議をもつ今日の法意識と対比せよ），ナチス政権によるユダヤ人の迫害，大量虐殺事件も，国際社会が人権に関してそうした意識状況下に低迷しつづけている限り容易に発生しえたといってよいであろう。したがって戦間期に関していえば，「人道に対する罪」の意識はユス・コーゲンス的な法的規範として理解するかぎり，十分な成熟をみていなかったというべきであろう。
　なるほど集団殺害（ジェノサイド）が国内刑事法の犯罪を構成した国は第 2 次大戦前にもむろん存在する。マッキニイ（E. Mcwhinney）は，その意味で「人道に対する罪」は「文明国が認めた法の一般原則」（戦間期に存在した「常設」国際司法裁判所規程にも裁判基準として，この国内法原則を採用している）から演繹されるもので，国内法システムの中にある自然法の観念は，移行期ないし革命期の時代には積極的に活用さるべきだ，と述べる(44)。確かに集団殺害が一般的に国内法上の刑法犯罪

成立）を肯定すべきであろう。のみならずたとえば ILO 29 号条約は「戦争の場合の一般的強制労働」は除外しているが，「慰安婦」労働までを戦争や緊急事態による免除事項に含ませることはできないだろう（戦後の 1966 年の国際人権自由権規約 4 条 1 項但書も参照）。ニュールンベルク国際軍事裁判所が，平時におけるドイツ国内に居住するユダヤ人への迫害行為を，第 2 次大戦の勃発と結びつけたナチスの「戦争犯罪」の非人道行為として断罪したことも参考にすべきであろう（当時の在独ユダヤ人の大部分はドイツ国籍者であり，同様に第 2 次大戦中の朝鮮半島出身者は日本国籍保持者であった)。
　こうしてみるとたしかに米国が 1988 年に，第 2 次大戦中の在米日系人に対する当時の米政権による強制隔離の行為に対して，謝罪し補償措置をとったことは，直接には米国憲法上の人種差別禁止規範の違反に基づくものであって国際法違反を根拠としたものではないとしても（戦間期における内政不干渉原則の作用もあり），しかし日本が戦争中に行った韓国人等「従軍慰安婦」（日本国籍者）に対する法的評価も同様に理解することは妥当とは言えないだろう。そこには「従軍」という戦場における jus in bello の特殊国際法領域（ハーグ条約・マルテンス条項の作動領域）が存在し，"人道"の違反問題として処理すべきが妥当な側面があったからである。もっとも第 2 次大戦中の右の慰安婦就業契約を合法的なものとみなしても，戦後確立した「非植民地化」の国際法理の適用はあり（これにより，戦間期の若干の人権条約にある「植民地除外」条項は無効化），このプリンシプルの適用により，慰安婦に対する"補償"（違法行為を前提にした損害賠償ではないが）責任は日本にあると言わなければならないだろう。但し 1965 年の「日韓請求権協定」2 条 1 項で韓国は対日請求権をすべて放棄しているから，かりに慰安婦問題は協定対象に含まれていないというのであれば，改めて同協定 3 条での紛争の外交的処理の対象とすべきであろう。

(43) L. Henkin, The International Bill of Rights, ed. by L. Henkin, 1981, Introduction, pp. 2〜5.; T. Taylor, Remarks, Forty Years After the Nuremberg and Tokyo Tribunals, ASIL Proceedings, 80 th Ann. Mtg., 1986, p. 71.

第4章　東京裁判

である体制は，近代国家である限り共通の秩序として存在したが，一国内の政治イデオロギーや人種，宗教上の異端対策からの「迫害」によって生じた場合（第2次大戦前におけるナチス・ドイツのユダヤ人迫害法は国会の議決により合法的に成立している），そうした事態が民衆反乱を招くことはあっても，国際社会が，国際社会共通の犯罪すなわち「人道に対する罪」として，これに対する科罰の権能（普遍的管轄権）を，ましていわんや科罰の義務（obbigation erga omnes）をも担うという意識は，少なくとも第2次大戦前には成熟していなかったのである（1948年のジェノサイド条約ですら，処罰対象を人種，民族，宗教等による集団殺害に限定し一般化していない）。こうして，戦間期においては「人道に対する罪」の観念は国際社会には未確立であったと言わざるをえないのである。そうしたジェノサイド或いは集団迫害を「国内問題」の管轄内にとどめず「国際的関心事項」（a matter of international concern）とし，国際社会が（必要があれば武力の行使によっても）介入し，救済しうる権能まで認めようとする人権観念が成熟するのは，第2次大戦後，今日のことにすぎない。或いはまたそうしたジェノサイド等の重大人権侵害に対して被害者の本国が，外交保護権を行使するいわゆる vis-à-vis another State の法律関係だけではなく，他のすべての国や国際共同体の普遍的管轄権の設定（典型的には特別国際裁判所の設置による）や，それぞれの関係国の国内裁判所での訴追，科罰を国際的に義務づけ且つ負担すべき obligation erga omnes の観念が成熟するのは，国連憲章下，第2次大戦後のことである（1948年のジェノサイド条約4条・5条・6条）。国際人権自由権規約15条2項或いは欧州人権条約7条2項で規定するような刑罰不遡及原則に反しない範囲での「文明国」または「国際社会が認めた法の一般原則」としてジェノサイド罪が成立していたとみるための条件は，こうして戦間期には存在しなかったといわざるをえないだろう[(45)]。

　ジェノサイド（集団殺害罪）あるいは一般に「人道に対する罪」に関する個人責任原理が人権感覚の土壌の上に確立するのは，こうして戦後であるといわなければならない。

(2)　ニュールンベルク国際軍事裁判所条例制定時に，米，英，仏，ソ4カ国代表の間では，ドイツ国籍をもつユダヤ人に対する迫害があっても，それはドイツ国内法に基づくもので，国際法上の不干渉原則の適用により，国際的な断罪（訴

---

(44)　E. McWhinney, United Nations Law Making : Cultural and Ideological Relativism and International Law Making for an Era of Transition, 1984, p. 63.
(45)　H. W. Baade, Individual Responsibility, op. cit., pp. 307〜309.

追と処罰）は一般的には困難と思われるという見方が支配的であった。しかし米国代表は次のように主張し，それが受け入れられたのである。「ユダヤ人の強制収容所送りや追放の措置は，侵略戦争の計画の一環として行なわれたものであるから，これに対する科罰は正当である」と。英，仏代表は，ユダヤ人に対するナチスの措置とナチスの侵略計画との連関を証明することは困難であると考えていた。しかし最終的には，"crimes against humanity" の項目が米国によって主張され，条例6条cに導入されたのである。

　従って裁判所（ニュールンベルク国際軍事裁判所）は当然のことながら，「人道に対する罪」に関し制限的解釈をとった。判決はまず「戦争開始前の1939年以前のユダヤ人に対するナチスの措置は，'crimes against peace' または 'war crime' との関連が十分に証明されないから，'crimes against humanity' の存在を宣言することはできない。しかし開戦後の対ユダヤ人人権棄損行為は 'war crimes'（通常のBC級戦争犯罪）ではなく，'in excution of, or in connection with, the aggrissive war' であるから，それは 'crimes against humanity' を構成する」というものであった。——バシウニ（M. C. Bassiouni）は「平和に対する罪」をも含めて，ニュールンベルクと東京の両裁判所の判決を「遡及処罰禁止原則」の違反とみるが，わけても「人道に対する罪」の類型は，'the expost facto problem was most glaring' だと批判する。そしてこの裁判で「人道に対する罪」を「戦争の開始責任と連動」させてのみ成立し告発しうるとしたことに，その犯罪類型の実定法上の脆弱性があったとしている。ニュールンベルク裁判所で審理された19人の主要戦犯のうち「人道に対する罪」で告発され断罪された者は，極めて僅かであったことがこれを示している，と述べる（Nuremberg, Forty Years After the Nuremberg and Tokyo Tribunals, ASIL Proceedings, 80th Ann. Mtg., 1986, p. 62）。——

　バード（H. W. Baade）も次のように述べる。「人道に対する罪」は第2次大戦前においては，「交戦行為に関して」（connected with the conduct of hpstilities）生じた敵国住民への加害についてであって，管轄権も加害（違法行為）国自体が有するという限定的性格のものであった。しかしニュールンベルク方式はそれを変えた。つまり交戦相手国が裁判管轄権をもつだけでなく，第3国を含む管轄権の完全な普遍化が生じたことである。しかし後者の観念つまり管轄権の普遍化の観念は，人権の国際的保護の観念が第2次大戦の結果として成立したことを考えると逆説的だといえよう。「平和に対する罪」の観念と異なり「人道に対する罪」は，少なくとも戦間期の集団安全保障のシステムにはなじんでいなかったから，それが国際社会で対世的義務（obligation erga omnes）として成立する条件は第2

次大戦前においては存在しなかったのである。ニュールンベルク判決の中にも人権の国際的保護と個人責任との関係を明確に示す文章は存在しない。しかしジェノサイド条約ではジェノサイドが公務員のみならず"私人"によって「平時」に行われた場合まで各国に処罰義務を課した点で（4条），ニュールンベルク原則を超えた発展とみることができると述べている[46]。

2 「人道に対する罪」と「ジェノサイド条約」の成立沿革の相違

(1) こうしてみると，第2次大戦における戦争指導者の「人道に対する罪」とは，実定法上の犯罪としてみる限り，伝統的な交戦法規（jus in bello）違反の最終形態を示すもの以外にはありえなかったであろう。したがってそれはもちろん，公務員としての機関責任（国家責任）であって私人の国際法責任のそれではない。その点でジェノサイド条約（4条）の規範拘束の射程内に私人が入っているのと建前上の相違が明白にあるのである。こうしてフィンチ（G. A. Finch）はいう。「ジェノサイド条約は，いわゆるニュールンベルク原則，すなわち侵略行為と人道に対する罪によって戦争捕虜が個人として有責とされた原則を，平時にも適用しようとする試みである」と。またクンツ（J. L. Kunz）もいう。「ニュールンベルク判決は，平時に行われた集団殺害までカバーしなかった。……ニュールンベルク条例は占領地の施政に責任をもった者に対しての特別法としてのみ作成された」と[47]。

ここに第2次大戦前の段階における戦争――jus ad bellum においても jus in bello においても――にさいしての違法行為責任上の個人原理が，用語とは逆に，国家としての集団組織責任の一環として位置づけられなければならない意味があるのである。そしてこれとは異なり，1948年に国連総会でジェノサイド条約が採択された時に，次のような批判的意見があったことも，戦時における「人道に対する罪」とは逆に，ジェノサイド条約の要求する違法責任が国家権限から分離された"個人"責任のそれであることを示しているといえよう。すなわち「ジェノサイドの犯罪はそれが適切に定義されるかぎり，国家の教唆または共謀なしにはありえない。しかしそれにもかかわらず第4条に規定されるように，憲法上責任のあ

---

(46) H. W. Baade, ibid., 301〜303, 306.
(47) G. A. Finch, The Genocide Convention, A. J. I. L., Vol. 43, No. 4, 1949, p. 734.; J. L. Kunz, The United Nations Convention on Genocide, A. J. I. L., Vol. 43, No. 4, 1949, p. 742., M. D. Copithorne, The Structural Law of the International Human Welfare System, in "R. St. J. MacDonald, et al.（eds.）, The International Law and Policy of Human Welfare, 1978", p. 162.

る統治者であるか，公務員であるか，私人であるかを問わず，個人の刑事責任を明確化したことに問題がないとはえない」と[48]。

(2) ところで極東国際軍事裁判所条例は（ニュールンベルク国際軍事裁判所条例も同様），第5条で，(イ)「平和に対する罪」と(ロ)交戦法規・慣例の違反による「通例の戦争犯罪」の他に(ハ)「人道に対する罪」の類型を掲げ，「戦前又は戦時中なされた殺りく，せん滅，奴隷的虐使，追放その他の非人道行為，もしくは政治的又は人種的理由に基づく迫害行為であって犯行地の国内法違反たると否とを問わず……」右犯罪を処罰する権限をもつことを定めた。「戦前」つまり平時での右犯罪をも包括的に管轄権内に収めると共に，占領地以外の「国内」での右の人道的犯罪をも処罰の対象とした点で，第2次大戦前に確立していた交戦に関する法規上の人道犯罪（第5条(ロ)）とは異質の新たな犯罪形式を導入したといえよう。

この点では「平和に対する罪」とは違って，若干紹介した意見からも明らかなように，第2次大戦時において未確立の戦争犯罪類型による処罰を試みたという非難を後に残すことになったと思われる。もっとも右の裁判所条例に導入された「戦前」になされた「人道に対する罪」といってもその後に発生した戦争と直接的な関連をもつ犯罪であるという限定があった（たとえば，ニュールンベルク軍事法廷の管轄権の基礎となった1945年8月8日の「欧州枢軸国の主要戦争犯罪人の訴追と処罰に関するロンドン協定（London Accord）」はそうした限定をおいていた）から，その意味では戦後の1948年に成立したジェノサイド条約（「集団殺害罪の防止及び処罰に関する条約」）が平時において行なわれた集団殺害等の人道犯罪（の計画，実行，未遂行為）を管轄権内に収めているのとは異なる。

しかし第2次大戦時のナチス・ドイツのユダヤ人に対する集団的迫害は，既に戦前から行われていたこと，そしてそれが人種的，民族的且つ宗教的理由に基づく差別として行われたことが，1948年のジェノサイド条約の下地となったことは疑いえないところである。こうした沿革的趣旨を考慮して，国連総会は1946年12月，「総会は，……ジェノサイドが文明世界の非難する国際法上の犯罪であることを確認する（affirms）」（G. A. Res. 96 (1)）という決議を採択して，2つの国際軍事裁判所で初めて設定された「人道に対する罪」の成立を追認したのである。

その後，国連総会の委任を受けて審議に入った国連国際法委員会での「人類の平和と安全に対する罪の法典案」は，民族的，人種的，宗教的等の理由による迫害行為を「ジェノサイド犯罪」（Crime of Genocide）として科罰の対象とする（17

---

[48] M. D. Copithorne, op. cit., p. 162 ; 1978, p. 162.; G. A. Finch, The Genocide Convention, op. cit., pp. 732～736.; J. L. Kunz, The United Nations Convention, op. cit., p. 738.

条）と共に，それとは別に一般的に「人道に対する犯罪」(Crime against humanity) として「政府や団体による組織的または大規模な」，殺人，絶滅，拷問，その他の非人道的行為を列挙して（11項目），訴追と処罰の犯罪類型として掲げているのである（18条）。そしてこの観念は，前記の1998年「ローマ国際刑事裁判所条約」5条1項の(a)(b)および6，7条として別々に類型化され，受け継がれているのである。また右の「法典案」は更に別に「戦争犯罪」(War crimes) の項（20条）をも設け（「ローマ国際刑事裁判所条約5条1項(c)および8条で継受して導入」），武力紛争における「国際人道法」（交戦法規）違反の犯罪のうち，重大性をもつもの（「組織的または大規模な」）をも「国際刑事裁判所」の管轄権に帰属させる（国内裁判所の管轄権も並立的に設定義務あり）こととしたのである（法典案8条）。旧ユーゴ国際刑事裁判所の実践が参考にされているといえよう。

(3) 最後に，「平和に対する罪」と「人道に対する罪」に関する現今の国際的関心度について述べておこう。ローマ国際刑事裁判所条約の作成過程でも明らかになったように，「平和に対する罪」については "The crime of aggression" が明記されているにも拘わらず（5条1項d），「侵略の定義」について関係国間で細部についての合意がなされるまでは裁判所の管轄権は行使できないことになっている（5条2項）。しかし戦間期において既に成立していたように，一国軍事力による他国国境の大規模な組織的突破の「犯罪」性（侵略ないし平和破壊の罪の性格）は今日でも十分確認されている。——たとえば1950年の朝鮮戦争と1980年の湾岸戦争で，安保理は国連憲章39条の「侵略」の用語こそ使わなかったが，いずれも「平和の破壊」を認定して法的拘束力のある決議を採択し，北朝鮮とイラクに対して侵略軍隊の即時撤退を要求している。「侵略」の用語を用いなかったのは，侵略国が決議を受け容れ易いようにするためであって「侵略」の存在を否定したわけではない。——たしかに「人道に対する罪」については，国の最高指導者を含め実行者に対する国際刑事管轄権が行使され（たとえば1990年代の旧ユーゴ紛争での重大な人道侵害行為の責任を問われたミロシェビッチ元ユーゴ大統領の訴追が，安保理の設定した旧ユーゴ国際戦犯法廷によって行使された），その点で戦間期とは比較にならないほどの「人道犯罪」に対する国際社会の科罰意識の高まりがみられるといえよう。しかし「平和に対する罰」の作成については，「侵略」概念の細部のつめがないことを理由に，関係国わけても先進国に消極的傾向がみられることは否定できない。その理由として，一つは核大国間の戦争はもはや想定し難いこと，また民主主義体制の先進国間には主義上で戦争はありえないという democratic Peace の観念があることである。そして平和の破壊は主として途上国間の問題で，それも自国内の人

権侵害が原因となって生じた「地域平和の破壊」の形態をとることが一般であるとの認識が強いからといえよう。また米国などにみられる傾向であるが，安保理決議等国連の許可なしの武力攻撃を大国が行った場合の政治指導者の法的責任を「平和に対する罪」観念の下で問われることへの警戒感が，この観念の受入れを消極的にさせる原因となっていることも否定できない。──更に米国には外国での武力紛争に参加した自国兵員が犯した人権棄損行為の故に，当該外国や国際法廷での訴追や処罰の可能性への考慮から，ローマ条約への参加に消極的であることも見落とせない事実である。──

3 戦争犯罪における「抗拒」の評価

(1) さて「人道」概念上の責任帰属のメカニズムは，一般に権利主体たる個人の法益保護を中心に法律構成を行うから，加害主体の地位は主要な問題ではなく，予防と救済がどうしたら実効的たりうるかの観点が重要である。従って基本的人権違反の罪（ジェノサイド条約や人種差別撤廃条約の違反）が，加害者たる公務員と私人を同一レベルで取扱うことはむしろ当然であろう。しかし戦争犯罪（War crimes）については，人道違反の罪も，それが成立するためには前提として国家行動としての戦争への参加行為がなくてはならない。伝統的な「戦争」（「平和」）概念が，あくまで国家間レベルでの行為（国家現象）としての性格をもつことにより，個人責任が「国家責任」の枠組の中で理解されざるをえないのはそのためである（1907年「ハーグ陸戦条約」3条，参照）。伝統的な「交戦法規」違反による被害法益が「人道的」利益であるにも拘わらず加害責任の帰属主体は国家（機関）でしかありえず，したがって支配→命令→服従という国家秩序の中で，現地実行者に，その個人としての意思の如何に拘わらず絶対責任が帰属させられたのは，このゆえである。

ジェノサイド条約の構想するシステムや国際人権規約或いは国際労働機関憲章のそれのように，人権の国際的保障の手続きやメカニズムが存在する場では，国内法による支配・命令・服従という組織体秩序に対して，国家機関たる個人の人道的観念を根拠とした命令抗拒の自由意思が実効化しうる場がありうるであろう[49]。けれども第2次大戦前においては，そうした意味での個人責任原理は

---

(49) G. A. Finch, op. cit., p. 736.; H. W. Baade, op. cit., p. 327.; 藤田久一は言う。第2次大戦後の軍事裁判や国内立法では，上官命令による戦争犯罪でも処罰を免れない立場が原則であるが，命令拒否の可能性や明白な違法性の認識を免責，刑の軽減の条件としてあげる傾向があると（藤田久一『国際人道法』

第 4 章　東 京 裁 判

「戦争」行為に関しては成立しようがなかったといえる（とくに日本ではそうである）。したがってだから無罪というのではなくて，国家責任の一部として個人の機関責任が絶対的に問われた（絶対責任）ということなのである（極東国際軍事裁判所条例 6 条，ニュールンベルク・同条例 7 条）。軍事指揮官の非人道命令に対する不服従は，個人道徳と自己犠牲においてしか可能とされえなかった社会状況があったといわざるをえない。最高戦争指導者の断罪も同じ論理で理解すべきであって，組織としての国家責任とは別の次元で認識しようとする意識状況は，少なくとも第 2 次大戦前には存在しえなかったし，戦後のニュールンベルク，東京の 2 つの国際軍事裁判においても，すでに明らかにしたようにそうした立場がとられたのである。右軍事裁判所での戦争責任帰属の決定を支配した「共同謀議」の理論は，まさに集団的組織責任論の表現であったといえよう。

1980年，世界思想社，208〜209頁）。なお，喜多義人「戦争犯罪人裁判と上官命令の抗弁——東京裁判の場合——」日本法学59巻 2 号，1993年，同「戦争犯罪人裁判と上官命令の抗弁——ニュールンベルク裁判の場合——」日本法学60巻 2 号，1994年，参照。

事項索引

あ行

ILO（国際労働機関）················85, 219, 220
アイデンティティ
　················64, 67, 90, 91, 92, 94, 95, 97, 98
芦田理論················118, 131, 138
ASEAN················77, 157
アパルトヘイト················218
アフガニスタン戦争················122, 173, 178
アヘン戦争················37
UNCTAD················82
ANZUS条約················123
EEZ（排他的経済水域）················51, 60
一国二制度················76
一国平和主義······69, 70, 97, 123, 129, 131, 139
乙巳条約················35, 38, 39, 40
一般意志················v, 137
イラク戦争················3, 23, 68, 122, 130, 205
イルクーツク声明················4, 5
ウェストファリア条約················71, 165, 166
ヴェルサイユ講和条約········24, 207, 210, 219
ヴェルサイユ条約················192, 201, 211, 220
ヴェルサイユ平和条約················188
Uti possidetis················11, 29
APEC················77
エチオピア併合················16, 199
Effectiveness（実効性）················12, 13, 18
エルガ・オムネス（erga omnes）の義務
　················145, 147, 149, 202, 219, 222, 223
欧州安全保障協力機構（OSCE）
　················139, 154, 160
欧州主権国家系（European Sovereign States System）················71
欧州人権条約················86, 88, 222
沖縄返還協定················51, 56, 58

か行

外交的承認················94
外交的保護················92, 93, 222
外国人登録················94
解釈改憲················115
解釈宣言················180
カイロ宣言
　········9, 12, 20, 28, 31, 45, 46, 57, 58, 78, 193
華僑················76
核先制不使用················70, 158, 159
拡大均衡················7
確定処理条約（dispositive treaty）········17, 30
過失責任················202, 218
カロライン号事件················36
川奈合意················10
間接侵略················147
帰　化················94, 97, 111
北大西洋条約機構（NATO）
　················154, 167, 169, 177, 178
機能的統合（functionalism）················65
義兵運動················39
旧ユーゴ国際刑事裁判所········200, 205, 226
旧ユーゴ・コソボ紛争················167, 205
共同謀議················202, 206, 212, 228
極東国際軍事裁判所······21, 32, 188, 191, 195, 196, 206, 210, 225, 228
極東条項······125, 140, 141, 145, 154, 155, 156, 157, 163, 173, 174, 176
居住地主義················95
義和団事件················37
グラスノスチ················9
クラスノヤルスク合意················4, 10
クリーン・スレート（clean slate）···40, 47, 74
クリティカル・デート（critical date）

事項索引

································42, 43, 44, 46, 49, 50, 51, 56, 58
グレナダ侵攻 ·······································185
グローバリゼーション······························64
軍事上の必要·································214, 217
経済権利義務憲章····························82, 74
血統主義·····································95, 96, 97
権威主義··77
憲章義務の優先····························12, 18, 29
憲法原意
············116, 127, 129, 131, 133, 135, 136, 139
憲法変遷論 ···119, 126, 128, 130, 132, 133, 134
江華島事件······································35, 43
交渉命令··6
硬性憲法 ·······119, 124, 132, 134, 135, 136, 138
構成的条約·································11, 13, 16, 26
交戦権······································115, 214
構造的テロ··68
国際慣習法······31, 37, 127, 135, 138, 147, 199,
      202, 203, 205, 208, 220
国際関心事項·································166, 222
国際検察官···206
国際犯罪························200, 202, 203, 211
国 籍···79
国籍条項··104
国籍選択の自由······························93, 95
国籍唯一原則··97
国民国家（Nation-State）················71, 72
国連平和維持活動（PKO）·················178
個人責任
············199, 202, 209, 211, 215, 216, 219, 227
国家機関······202, 210, 211, 212, 213, 215, 216,
      217, 218, 219
国家責任······200, 209, 211, 212, 213, 215, 217,
      218, 224, 227, 228
国家法の域外適用·······················107, 109
国境線画定··10

さ行

ザール住民権··94
最恵国民待遇··89
罪刑法定主義
············195, 196, 202, 204, 20, 208, 209216, 220
冊封関係··53, 54
subsequent practice ····················20, 52, 55
残存（潜在）主権····························3, 56
CIS 国家··7, 93
シーレーン·······················153, 173, 174, 175
ジェノサイド
············200, 204, 206, 207, 221, 222, 224, 225, 227
時 効···50
時際法··44
事実上承認··3
事実の規範力（"ex factis jus oritur"）······40
事情変更原則·································29, 33
使 船···53
事前協議条項·································152, 157
実効憲法··136
実効的先占······································36, 54
実効的占有 ·······42, 43, 44, 45, 49, 50, 55, 58
実証主義······································22, 28, 136
市民権（citizenship）·············91, 97, 98, 103
下関条約（馬関条約）·······52, 55, 57, 58, 79
指紋押捺··94
社会契約···v
社会権規約·································74, 82, 88
justiciability（訴訟適格性）
············120, 122, 130, 137, 138
従軍慰安婦·································220, 221
自由権規約 ···75, 86, 87, 88, 89, 102, 103, 104,
      110, 111, 121, 202, 208, 221, 222
重国籍··90
自由裁量···101
集団責任·····················209, 210, 213, 215, 216
集団的干渉権·······································186

集団的人権 ……*79, 86, 120, 121, 200, 201, 207*
周辺事態 ……………………………*155, 163*
住　民…………………………*99, 100, 101, 102*
主権国家制度(Sovereign States System)…*64*
主権免除（State Immunity）………*201, 206*
出生地主義 ………………………………*96, 97*
ジュネーヴ議定書 ……………………*199, 202*
少数民族 ……………*75, 77, 81, 83, 219, 220*
少数民族保護条約………………………………*85*
条約解釈の原則 ……………………………*12, 14*
条約履行不能 ……………………………………*33*
職業選択の自由 …………………………*110, 111*
植民地化 …………*36, 38, 40, 41, 43, 44, 45, 46*
植民地独立付与宣言……………………………*73*
人工ナショナリズム……………………………*67*
新思考外交 ………………………………………*9*
人種差別撤廃条約……………………*88, 221, 227*
新植民地主義……………………………………*74*
真正結合（genuin link）理論
　　………………………*80, 84, 85, 87, 92*
信託統治………………………………*44, 56, 59*
辛丑条約 …………………………………………*37*
人道的干渉 ……………………………………*185*
人道に対する罪 …*196, 201, 203, 204, 207, 209*
　216, 218, 219, 220, 221, 223, 224, 225, 226
人道法条約 ………………………………*117, 214*
侵略の定義決議…………*15, 203, 204, 208, 218*
砂川事件 …………………………*118, 126, 135, 140*
政経不可分 ……………………………………*6, 7*
制限的中立 ……………………………………*150*
正当戦争 ………………………………………*188*
世界人権宣言……………………………*85, 86, 95*
絶対責任 …………………………*202, 209, 227, 228*
戦後処理不変更合意 ……………………*11, 12*
戦後補償 ………………………………………*106*
先住民 …………………………………………*76, 79*
戦争自由（無差別戦争）
　…*36, 39, 43, 57, 150, 180, 193, 210, 214, 216*

戦争犯罪……*195, 200, 201, 203, 204, 218, 221,*
　223, 225, 226, 227
戦争捕虜……………………………*24, 192, 197, 216*
相互主義 ………………………………………*108*
訴追免除 ………………………………………*206*
ソマリア内戦……………………………………*66*

た行

対抗措置（立法）………………………*108, 109, 147*
対抗力 …………………………………………*7*
大西洋憲章 ………………………*9, 30, 31, 194*
大セルビア主義…………………………………*66*
対日降伏文書 …………………*25, 35, 47, 187*
対日平和条約 …*3, 6, 7, 8, 9, 11, 12, 15, 19, 21,*
　24, 26, 27, 28, 34, 47, 48, 49, 51, 56, 57, 59,
　105, 123, 125, 169, 191, 192, 194, 195
台　湾……*vii, 52, 54, 55, 56, 57, 58, 75, 123, 145,*
　156, 157, 175, 179
台湾関係法 ……………………………*145, 156, 157*
竹島一件………………………………………*42*
脱亜入欧………………………………………*vii*
ダレス外交 ………………*27, 47, 48, 49, 123, 170*
地域安定力 …………………………………*160*
チェコ，オーストリア併合………………*16, 148*
千島樺太交換条約 ……………………………*27, 79*
チャプルテペック協定 ……………………*187*
朝鮮戦争 ……………………*vii, 159, 169, 179, 226*
地理的近接性（領域的一体性）
　………………………………*44, 45, 74, 75, 184*
定住権（denizenship）………………*102, 109*
デベラチオ ……………………………………*193*
テヘラン米国大使館人質事件 ……………*147*
democratic Peace ……………………………*226*
due process of law ……………………………*14*
テ　ロ …………………………*173, 177, 178, 179*
天然の富と資源に関する恒久主権……*74, 82*
東京裁判史観 …………………………………*191*
東京宣言 ………………………………………*4, 6*

231

事 項 索 引

道具主義（instrumentalism）..................66
当然の法理 104, 107
統治規範 124
ドラゴー・ドクトリン..........................37
奴隷禁止条約 220

な 行

内国民待遇 89
内政不干渉 82, 83, 85, 145, 156, 157, 166,
　　　184, 201, 221, 222
ナチズム 66, 221
難民条約 95, 204
NIES 77
NIEO 82
日英同盟 39
日米安保共同宣言 154
日米防衛協力指針（ガイドライン）...154, 155
日米和親条約 37
日露戦争 45
日露通交条約 27
日華平和条約 56
日韓基本条約 34, 35
日韓請求権協定 221
日韓併合条約 35
日清戦争 45
日ソ共同宣言 4, 5, 6, 9, 11, 12, 15, 25, 29
日ソ中立条約 196, 197
日中共同声明 145, 156
日中平和友好条約 156
二島先行返還論 5
入漁料 4
ニュルンベルグ国際軍事裁判所......21, 32,
　　　183, 188, 195, 196, 201, 203, 206, 210, 212,
　　　218, 220, 221, 222, 223, 225, 228
人間の安全保障 179
ネオコン（米国新保守主義）................vi, 68
necessity の法理 178, 188
ノン・ルフールマン（不送還）.........95, 204

は 行

ハーグ平和会議................................39
バートゴーデスベルク綱領 122
発見優先 36, 54
バランス・オブ・パワー（勢力均衡）
　　........144, 165, 166, 167, 168, 169, 170, 182
ハンガリー事件 148
PKO（国連平和維持活動）...121, 129, 154, 215
非核化地帯 159
非核三原則 172
非交戦 146, 150, 176, 177, 186
非植民地化........40, 41, 44, 45, 46, 57, 90, 221
閔妃殺害 38
ファシズム 194, 196, 197
不安定の弧 163, 173
フィンランド東部領域.......................7, 11
フォークランド戦争
　　......................44, 45, 50, 74, 151, 177, 204
不承認主義（スチムソン・ドクトリン）
　　.................14, 16, 21, 32, 40, 184, 198, 199
婦女売買禁止条約 220
不戦条約......115, 129, 131, 150, 179, 180, 183,
　　　188, 197, 219
不平等条約 37
普遍的管轄権 201, 219, 222
不法から権利は生ぜず（"ex injuria jus
　　non oritur"）...............................40
プロポーショナリティ（proportionality）
　　...........................24, 187, 193, 194, 208
文明ノ神聖ナ使命 40, 85, 219
米州人権条約 86, 87
米中共同声明 156
平和的生存権 119, 120, 121, 131
平和に対する罪......191, 194, 195, 196, 199,
　　　204, 205, 206, 207, 208, 209, 216, 219, 223,
　　　225, 226, 227
ベトナム戦争 ......vii, 125, 148, 152, 153, 159,

  161, 173, 179, 218
ペレステロイカ ………………………………*9*
砲艦外交 ………………………………*37, 43*
法規裁量 ………………………………*101*
法的信念（opinio juris）…*15, 34, 134, 203, 207*
法と正義 ………………………………*4, 9*
法の一般原則 ……*86, 200, 201, 202, 204, 206,*
  208, 217, 221, 222
ポーツマス条約 ………………………*8, 28, 39*
ポツダム宣言……*12, 20, 28, 35, 45, 46, 47, 56,*
  58, 78, 187, 193, 194, 197
ポリティカル・マニフェスト ………*119, 130*
香　港 ………………………*44, 45, 75, 76*

ま行

マッカーサー・ノート ………………*115, 116*
マッカーサー・ライン………………………*47*
マルテンス条項 ………………………*220, 221*
満州国………………*21, 31, 57, 181, 197, 198, 199*
民族自決…*29, 44, 45, 71, 73, 79, 80, 81, 82, 83,*
  85, 86, 90, 167, 193, 196, 198, 213
民族自決原則 ………………………………*198*
無主地先占 ………………………*36, 37, 50, 52*
命令抗拒 ………………………………*217, 227*
黙示の権限…………………………………*13*
モンロー主義 ………………………*183, 184, 185*

や行

役割分担機能（dédoublement fonctionnel）
  ………………………………………*216*
ヤルタ協定 …*19, 20, 21, 28, 29, 30, 31, 32, 33,*
  34, 45, 57, 197
友好関係宣言 ………………………………*74*
有時駐留 ………………………*159, 160, 169*
融和政策 ……………………………………*16*
ユス・コーゲンス …*12, 14, 15, 18, 21, 29, 30,*
  31, 32, 40, 44, 86, 115, 200, 206, 207, 208, 209,
  210, 220, 221
ヨーロッパ国家系………………………………*82*
抑止力 ………*125, 127, 158, 160, 163, 170, 208*
四島一括解決論 …………………………………*5*

ら行

立憲主義………………………*v, 77, 119, 124, 103*
リムパック ………………………………*175*
琉球処分…………………………………*53*
留　保 ………………………*19, 179, 180*
領域変更に伴う国籍変更 ………*79, 82, 87, 93*
良心的兵役拒否……………………………*91*
領土不拡大原則 …*9, 11, 12, 18, 20, 21, 22, 25,*
  28, 30, 31, 32, 34, 46, 47, 193, 194, 196, 213
ルソー ………………………………………*v*
ルワンダ内戦 …………………*66, 67, 205*
レフェレンダム（国民投票）……………*135*
ローマ国際刑事裁判所条約（規程）
  ………………………*201, 204, 207, 218, 226*
ロカルノ条約（ラインラント協定）…*181, 182*

わ行

ワルシャワ条約機構 ……………*148, 167, 169*
湾岸戦争 ……*121, 122, 146, 147, 204, 214, 226*

事項索引

国 際 判 例

〔常設国際司法裁判所〕
  ローチェス号事件に関する1927年の判決 …………………………………………… *13, 26*
  東部グリーンランド事件に関する1933年の判決 …………………………………… *42, 43*

〔国際司法裁判所〕
  コルフ海峡事件に関する1949年の判決 ………………………………………………… *16*
  マルキエ・エクレオ諸島事件に関する1953年の判決 ………………………… *42, 43, 50*
  ノッテボーム事件に関する1955年の判決 ……………………………… *85, 91, 92, 94, 98*
  バルセロナ・トラクション事件に関する1970年の判決 ……………………………… *15, 16*
  ブルキナファソ対マリ事件に関する1986年の判決 ……………………………………… *11*
  ニカラグアにおける軍事・準軍事活動事件に関する1986年の判決
    …………………………… *14, 16, 22, 125, 139, 141, 142, 147, 148, 183, 186, 193, 203*
  核兵器使用の国際法適合性に関する1996年の勧告的意見 ……………… *158, 214, 217*
  パレスチナ占領地の壁建設の法的効果に関する2004年の勧告的意見 ……………… *16*

〔仲裁, 特別裁判所〕
  パルマス島事件に関する1929年の常設仲裁裁判所判決 ……………………………… *43*
  南マグロ漁業紛争に関する2000年の仲裁判決 ………………………………………… *26*
  Tadić事件に関する1995年の旧ユーゴ国際刑事裁判所判決 ………………………… *200*

《著者紹介》

広 瀬 善 男（ひろせ よしお）

明治学院大学名誉教授
1927年　千葉市に生まれる。
1958年　東京大学大学院博士課程，公法コース修了。法学博士（東京大学）

主　著

『現代国家主権と国際社会の統合原理』（佑学社，1970年），『国家責任論の再構成──経済と人権と』（有信堂，1978年），『力の行使と国際法』（信山社，1989年），『捕虜の国際法上の地位』（日本評論社，1990年），『国連の平和維持活動』（信山社，1992年），『主権国家と新世界秩序』（信山社，1997年），『日本の安全保障と新世界秩序』（信山社，1997年），『21世紀日本の安全保障』（明石書店，2000年），広瀬善男・国際法選集Ⅰ『国家・政府の承認と内戦』上・下（信山社，2006）

広瀬善男・国際法選集Ⅱ
戦後日本の再構築

2006（平成18）年8月30日　第1版第1刷発行　9165-0101
PP.288：P8000E：b060

著　者　広　瀬　善　男
発行者　今　井　　貴
発行所　株式会社信山社
〒113-0033 東京都文京区本郷6-2-9-102
Tel 03-3818-1019　Fax 03-3818-0344
henshu@shinzansha.co.jp
出版契約№9165-0101　Printed in Japan

©広瀬善男 2006．印刷・製本／松澤印刷・大三製本
ISBN4-7972-9165-6 C3332　分類329.401
9165-01010-012-050-010

■注文制■

国際公法 329.300

国際法組織法 329.400

国際法その他 329.401

1441 **国際社会論 －国内類推と世界秩序構想－** 学術選書法律092
スガナミ, H. 著 臼杵英一 訳 (大東文化大学教授) 国内類推という概念をキーワードに分析/研究書
定価6,300円(本体6,000円)⑤ 46判上カ/312頁 834-01011 /4-88261-834-6 C 3332 /199412 刊/分類 01-329.200-a 001

1442 **国連の平和維持活動 －国際法と憲法の視座から－** 学術選書法律257
広瀬善男 著 (元明治学院大学教授) 一国平和主義から PKO とどうかかわるか/研究書
定価3,161円(本体3,010円)⑤ 46変上カ 188頁 375-01011 /4-88261-375-1 C 3032 /199201 刊/分類 01-329.401-a 001

1443 **主権国家と新世界秩序 －憲法と国際社会－** 学術選書法律250
広瀬善男 著 (元明治学院大学教授) 21世紀の主権国家と世界秩序を検討/研究書
定価4,410円(本体4,200円)⑤ A5並カ 300頁 5010-01011 /4-7972-5010-0 C 3032 /199703 刊/分類 08-329.401-e 002

1444 **日本の安全保障と新世界秩序 －憲法と国際社会－** 学術選書法律251
広瀬義男 著 (元明治学院大学教授) 自衛隊と21世紀の世界秩序を検討/研究書
定価4,410円(本体4,200円)⑤ A5並カ 300頁 5011-01011 /4-7972-5011-9 C 3332 /199704 刊/分類 08-329.401-e 003

1445 **力の行使と国際法** 学術選書法律004
広瀬善男 著 (元明治学院大学教授) 国際社会の紛争解決と武力行使/研究書
定価12,600円(本体12,000円)⑤ 菊変上箱 428頁 73-01011 /4-88261-073-6 C 3032 /198911 刊/分類 01-329.401-e 004

1446 **国家・政府の承認と内戦 上 －承認法の史的展開－** 国際法選集 I
広瀬善男 著 (明治学院大学名誉教授) 国家・政府承認法の総合的法理の研究/研究書
定価10,500円(本体10,000円)⑤ A5変上カ 346頁 3339-01011 /4-7972-3339-7 C 3332 /200507 刊/分類 30-329.401-e 005

1447 **現代安全保障用語事典**
佐島直子 編集代表 (専修大学経済学部助教授) Concise Encyclopedia of Security Affairs/事典
定価6,300円(本体6,000円)⑤ A5変並カ 688頁 5321-01011 /4-7972-5321-5 C 3531 /200407 刊/分類 08-329.401-e 010

国際法・入門・テキスト 329.402

1448 **ブリッジブック国際法** ブリッジブック S
植木俊哉 編 (東北大学大学院法学研究科教授) 初学者のおさえるべき点を厳選する/テキスト
定価2,100円(本体2,000円)⑤ 46変並カ 304頁 2306-01011 /4-7972-2306-5 C 3332 /200306 刊/分類 02-329.402-c 001

1449 **導入対話による国際法講義〔第2版〕** 導入対話 S
廣部和也/荒木教夫 共編 (成蹊大学教授・白鴎大学教授) つねに新しい国際法を学ぶ改訂第2版/テキスト
定価3,360円(本体3,200円)⑤ A5変並カ 408頁 9091-02011 /4-7972-9091-9 C 3332 /200403 刊/分類 18-329.402-c 050

1450 **みぢかな国際法入門** みぢかな S
松田幹夫 編 (獨協大学名誉教授) 初学者に分りやすい国際法の基礎知識/テキスト
定価2,520円(本体2,400円)⑤ A5変並カ 240頁 9077-01011 /4-7972-9077-3 C 3332 /200404 刊/分類 18-329.402-c 051

1451 **海洋国際法入門**
桑原輝路 著 (一橋大学名誉教授) 国連海洋法条約の要点を体系的に記述/入門書
定価3,150円(本体3,000円)⑤ 46変上カ 256頁 3109-01011 /4-7972-3109-2 C 3332 /200208 刊/分類 29-329.402-c 052

1452 **講義国際組織入門** 講義シリーズ
家 正治 編 (姫路獨協大学教授) 国際協力と世界平和への国際組織入門/テキスト
定価3,045円(本体2,900円)⑤ A5変並カ 372頁 9063-01021 /4-7972-9063-3 C 3332 /200505 刊/分類 18-329.402-c 055

1453 **導入対話による国際法講義** 導入対話 S
廣部和也・荒木教夫 著 (成蹊大学法学部教授・白鴎大学法学部助教授) ポイントを押えた対話で導く国際法 不磨書房/テキスト
定価3,360円(本体3,200円)⑤ A5変並カ 392頁 9216-01011 /4-7972-9216-4 C 3332 /200003 刊/分類 20-329.402-c 056

order@shinzansha.co.jp　　　　http://www.shinzansha.co.jp

■注文制■

1454 **ファンダメンタル法学講座 国際法** ファンダメンタルS
水上千之・臼杵知史・吉井 淳 編　　最新のテーマも発展的に学べる基本書　不磨書房/テキスト
定価2,940円(本体2,800円)⑤　A5変並カ/352頁 9257-01011 /4-7972-9257-1 C3332 /200204刊/分類20-329.402-c058

国際人権法学会誌 329.500

1455 **国際人権 No1（1990年報）** 学会年報01
国際人権法学会 編　　人権保障の国際化と国際基準を追求/学会誌
定価2,100円(本体2,000円)⑤ B5変並表/86頁 177-01011 /4-88261-177-5 C3332 /199011刊/分類02-329.500-e051

1456 **国際人権 No2（1991年報）** 学会年報02
国際人権法学会 編　　人権保障の国際基準の国内基準化を追求/学会誌
定価2,100円(本体2,000円)⑤ B5正並表/100頁 381-01011 /4-88261-381-6 C3332 /199111刊/分類02-329.500-e052

1457 **国際人権 No3（1992年報）** 学会年報03
国際人権法学会 編　　人権保障の国際基準の国内基準化を追求/学会誌
定価2,100円(本体2,000円)⑤ B5並表/84頁 420-01011 /4-88261-420-0 C3332 /199210刊/分類02-329.500-e053

1458 **国際人権 No3（1993年報）** 学会年報04
国際人権法学会 編　　/学会誌
定価2,100円(本体2,000円)⑤ B5正並表/98頁 438-01011 /4-88261-438-3 C3332 /199311刊/分類02-329.500-e054

1459 **国際人権 No5（1994年報）** 学会年報05
国際人権法学会 編　　人権保障の国際基準の国内基準化を追求/学会誌
定価2,100円(本体2,000円)⑤ B5並表/104頁 445-01011 /4-88261-445-6 C3332 /199411刊/分類02-329.500-e055

1460 **国際人権 No6（1995年報）** 学会年報06
国際人権法学会 編　　人権保障の国際基準の国内基準化を追求/学会誌
定価2,100円(本体2,000円)⑤ B5正並カ/90頁 446-01011 /4-88261-446-4 C3332 /199511刊/分類02-329.500-e056

1461 **国際人権 No7（1996年報）** 学会年報07
国際人権法学会 編　　人権保障の国際基準の国内基準化を追求/学会誌
定価2,100円(本体2,000円)⑤ B5正表カ/104頁 447-01011 /4-88261-447-2 C3332 /199607刊/分類02-329.500-e057

1462 **国際人権 No8（1997年報）** 学会年報08
国際人権法学会 編　　人権保障の国際基準の国内基準化を追求/学会誌
定価2,625円(本体2,500円)⑤ B5正並表/104頁 2107-01011 /4-7972-2107-0 C3332 /199607刊/分類02-329.500-e058

1463 **国際人権 No9（1998年報）** 学会年報09
国際人権法学会 編　　人権保障の国際基準の国内基準化を追求/学会誌
定価2,625円(本体2,500円)⑤ B5正並表/90頁 2131-01011 /4-7972-2131-3 C3332 /199607刊/分類02-329.500-e059

1464 **国際人権 No10（1999年報）** 学会年報10
国際人権法学会 編　　国際人権法学会創立10周年記念号/学会誌
定価2,625円(本体2,500円)⑤ B5正並表/104頁 2158-01011 /4-7972-2158-5 C3332 /199910刊/分類02-329.500-e060

1465 **国際人権 No11（2000年報）** 学会年報11
国際人権法学会 編　　特集・最高裁判所における国際人権法の最近の適用状況/学会誌
定価2,625円(本体2,500円)⑤ B5正並表/108頁 2174-01011 /4-7972-2174-7 C3332 /200107刊/分類02-329.500-e061

1466 **国際人権 No12（2001年報）** 学会年報12
国際人権法学会 編　　特集・人権と国家主権他/学会誌
定価2,625円(本体2,500円)⑤ B5正並表/112頁 2210-01011 /4-7972-2210-7 C3332 /200107刊/分類02-329.500-e062

1467 **国際人権 No13（2002年報）** 学会年報13
国際人権法学会 編　　難民問題の新たな展開などを特集/学会誌
定価2,625円(本体2,500円)⑤ B5正並表/134頁 2247-01011 /4-7972-2247-6 C3332 /200210刊/分類02-329.500-e063

1469 **国際人権 No14（2003年報）** 学会年報14
国際人権法学会 編　　緊急事態における人権保障を巻頭特集/研究書
定価4,200円(本体4,000円)⑤ B5変並表/204頁 2268-01011 /4-7972-2268-9 C3332 /200311刊/分類27-329.500-e064

1468 **国際人権 No15（2004年報）** 学会年報15
国際人権法学会 編　　/研究書
定価3,780円(本体3,600円)⑤ B5変並表/172頁 2298-01011 /4-7972-2298-0 C3332 /200411刊/分類33-329.500-e064

order@shinzansha.co.jp　　　　　　　　　　http://www.shinzansha.co.jp

国際人権 329.501

1470 日本の人権/世界の人権 2刷/国際人権入門S
横田洋三 著（中央大学教授） 国際的視点から人権をみぢかなものに/テキスト
定価1,680円（本体1,600円）⑤ 46変並カ/200頁 9299-01021 /4-7972-9299-7 C3332 /200504刊/分類 18-329.501-a 000

1471 地球社会の人権論 単
芹田健太郎 著（元神戸大学大学院国際協力研究科教授・愛知学院大学教授） 課題としての地球社会時代の人権論/テキスト
定価2,940円（本体2,800円）⑤ 46変上カ/332頁 2266-01011 /4-7972-2266-2 C3332 /200310刊/分類 02-329.501-a 001

1472 国際人権法の展開 単
初川 満 著（横浜市立大学文理学部教授） 国際人権法の機能的考察に力点をおく/
定価12,600円（本体12,000円）⑤ A5変上カ/480頁 5569-01011 /4-7972-5569-2 C3332 /200501刊/分類 01-329.501-a 002

1473 ヨーロッパ人権裁判所の判例 単
初川 満 訳著（横浜市立大学国際文化学部教授） 国際人権法判例の大もとから探る/
定価3,990円（本体3,800円）⑤ A5変並カ/488頁 3056-01011 /4-7972-3056-8 C3332 /200208刊/分類 03-329.501-a 005

1474 国際人権・刑事法概論 講義S
尾崎久仁子 著（元東北大学大学院法学研究科教授・外交官） 国際人権法、国際刑事法の入門参考書/テキスト
定価3,255円（本体3,100円）⑤ A5並カ/404頁 2269-01011 /4-7972-2269-7 C3332 /200401刊/分類 29-329.501-c 001

1475 国際人権法概論 −市民的・政治的権利の分析− 学術選書法律128
初川 満 著（横浜市立大学国際文化学部教授） 市民的・政治的権利の側面から分析/研究書
定価6,300円（本体6,000円）⑤ A5変上カ/330頁 972-01011 /4-88261-972-5 C3332 /199406刊/分類 01-329.501-c 002

1476 テキスト国際刑事人権法総論 テキストS056
五十嵐二葉 著（弁護士） 国際刑事人権法を学ぶ学生のテキスト/テキスト
定価1,575円（本体1,500円）⑤ A5変並表/144頁 5508-01011 /4-7972-5508-0 C3332 /199606刊/分類 09-329.501-c 003

1477 テキスト国際刑事人権法各論（上） テキストS057
五十嵐二葉 著（弁護士） 学生のテキスト、実務家のための入門書/テキスト
定価3,045円（本体2,900円）⑤ A5変並表/340頁 5521-01011 /4-7972-5521-8 C3332 /199711刊/分類 09-329.501-c 004

国際私法年報 329.600

1478 国際私法年報 1（1999） 学会年報01
国際私法学会 編 「法例」の制定・施行100周年・国際私法学会創立50周年/学会誌
定価3,000円（本体2,857円）⑤ 菊変並表/172頁 1871-01011 /4-7972-1871-1 C3332 /199912刊/分類 01-329.600-e 001

1479 国際私法年報 2（2000） 学会年報02
国際私法学会 編 「国際取引法」特集号。広く商法・海事国際私法にも及ぶ/学会誌
定価3,360円（本体3,200円）⑤ 菊変並表/242頁 1872-01011 /4-7972-1872-X C3332 /200102刊/分類 01-329.600-e 002

1480 国際私法年報 3（2001） 学会年報03
国際私法学会 編 特集・国際私法関連条約の新展開/学会誌
定価3,675円（本体3,500円）⑤ 菊変並表/304頁 1873-01011 /4-7972-1873-8 C3332 /200202刊/分類 01-329.600-e 003

1481 国際私法年報 4（2002） 学会年報04
国際私法学会 編 比較国際私法とハーグ条約案を扱う/研究書
定価3,780円（本体3,600円）⑤ 菊変並表/326頁 1874-01011 /4-7972-1874-8 C3332 /200308刊/分類 01-329.600-e 004

1482 国際私法年報 5（2003） 学会年報05
国際私法学会 編 各国国際私法の最新状況/研究書
定価3,780円（本体3,600円）⑤ 菊変並表/356頁 1875-01011 /4-7972-1875-4 C3332 /200402刊/分類 29-329.600-e 005

1483 国際私法年報 6（2004） 学会年報6
国際私法学会 編 特集・新しい社会・技術環境と国際私法/研究書
定価3,150円（本体3,000円）⑤ 菊変並/296頁 1876-01011 /4-7972-1876-2 C3332 /200505刊/分類 29-329.600-e 006

国際私法 329.601

■注文制■

1484　**グローバル経済と法**　学術選書法律378
　石黒一憲 著（東京大学法学部教授）　「貿易と関税」誌の論文から単行本化／一般
　定価4,830円（本体4,600円）⑤ 46変並カ／474頁 5157-01011 ／4-7972-5157-3 C 3032 ／200010 刊／分類 08-329.601-a 004

1485　**新制度大学院用 国際私法・国際金融法教材**　テキストS
　石黒一憲 著（東京大学大学院法学政治学研究科教授）　法学教育の変改期に考える国際私法／教材
　定価1,470円（本体1,400円）⑤ A4並表／102頁 5314-01011 ／4-7972-5314-2 C 3032 ／200405 刊／分類 08-329.601-c 001

1486　**国際私法の危機**　単
　石黒一憲 著（東京大学大学院法学政治学研究科教授）　国際私法は何を考えるべきか／
　定価3,360円（本体3,200円）⑤ 46判並カ／312頁 5279-01011 ／4-7972-5279-0 C 3032 ／200409 刊／分類 08-329.601-e 001

1487　**國際私法講義 完 明治廿二年四月印行**　日本立法資料全集別巻275
　シャルル・ブロシェー著 光妙寺三郎 譯　我が国初の國際私法の本格的な翻訳書／古典
　定価57,750円（本体55,000円）⑤ A5変上箱／888頁 4814-01011 ／4-7972-4814-9 C 3032 ／200307 刊／分類 07-329.601-g 275

国際家族法 329.610

国籍法 329.620

1488　**外国人の法的地位 －国際化時代と法制度のあり方－**　単
　畑野 勇（元法務省法務総合研究所教官）　国際化時代の外国人の法的地位を考える手引書／ほか著
　定価7,560円（本体7,200円）⑤ A5上カ／396頁 5090-01011 ／4-7972-5090-9 C 3032 ／200012 刊／分類 08-329.620-d 001

国際民事訴訟法 329.630

1489　**国際商事仲裁法の研究**　学術選書法律377
　高桑 昭 著（帝京大学法学部教授・元京都大学教授）　国際契約紛争で「仲裁条項」を入れる例がふえている／論文集
　定価12,600円（本体12,000円）⑤ A5変上カ／464頁 1930-01011 ／4-7972-1930-0 C 3332 ／200009 刊／分類 01-329.630-a 003

EU法 329.640

1490　**Cooperation Experiences in Europe and Asia (ed.) Hoon Jaung and Yuichi Morii**　比較地域協力研究-ヨーロッパとアジア
　張 勲・森井裕一 編（中央大学（韓国）政治学部教授・東京大学大学院総合文化研究科助教授）　欧州・アジアでの統合を考える（英文）／
　定価3,150円（本体3,000円）⑤ 菊変並表／282頁 3330-01011 ／4-7972-3330-3 C 3332 ／200406 刊／分類 30-329.641-a 001

1491　**ＥＵ法・ヨーロッパ法の諸問題 －石川明教授古稀記念論文集－**　記念論文集S
　編集代表 櫻井雅夫　気鋭の研究者17名が論文を謹呈／論文集
　定価15,750円（本体15,000円）⑤ A5変上箱／520頁 2226-01011 ／4-7972-2226-3 C 3332 ／200209 刊／分類 27-329.640-a 001

1492　**ＥＵ法の現状と発展 －ゲオルク・レス教授65歳記念論文集－**　記念論文集S
　編集代表・石川 明（朝日大学大学院教授・慶應義塾大学名誉教授）　教授の日本の知人、指導を受けた者が論文を献呈／論文集
　定価12,600円（本体12,000円）⑤ A5変上カ／434頁 2203-01011 ／4-7972-2203-4 C 3332 ／200109 刊／分類 02-329.640-a 002

1493　**国際経済法と地域協力**　記念論文集00
　編集代表 石川 明（慶應義塾大学名誉教授）　櫻井雅夫先生古稀記念論集／研究書
　定価18,900円（本体18,000円）⑤ A5変上箱／746頁 2293-01011 ／4-7972-2293-X C 3332 ／200501 刊／分類 02-329.640-a 003

経済 330.000

1494　**日本経済の歩みとかたち －成熟と変革への構図－**　単
　寺岡 寛 著（中京大学経営学部教授）　日本経済の歴史的歩みと現状のかたちを明快に描く最新の経済学入門／入門書
　定価2,310円（本体2,200円）⑤ 46変並カ／300頁 2154-01011 ／4-7972-2154-2 C 3333 ／199907 刊／分類 02-330.000-c 001

1495　**通史・日本経済学 －経済民俗学の試み－**　単
　寺岡 寛 著（中京大学経営学部教授.経済学博士・京都大学）　日本で創られた経済学のすがたを描く／テキスト
　定価3,675円（本体3,500円）⑤ A5上カ／526頁 2412-01011 ／4-7972-2412-6 C 3312 ／200412 刊／分類 02-330.001-c 002

order@shinzansha.co.jp　http://www.shinzansha.co.jp

新時代のための新しい法教育を！子供たちから法曹まで必読の書。

訳　大村浩子（翻訳家・パリ第4大学文明講座仏語中級コース修了）　　大村敦志（東京大学法学部教授）

●**社会生活とは何か**を発見する
社会教育・市民教育のための絵本

◇若草の市民たち◇

全4巻 各巻1,400円（税別）

訳　大村浩子（翻訳家・パリ第4大学文明講座仏語中級コース修了）
　　大村敦志（東京大学法学部教授）
絵　シルヴィア・バタイユ（写真家・イラストレーター）

第一巻
仲間たちとともに
文　セリーヌ・プラコニエ
（セルジー＝ポントワーズ大学講師、政治学博士）

第二巻
仕組みをつくる
文　セリーヌ・プラコニエ
（セルジー＝ポントワーズ大学講師、政治学博士）

第三巻
私たちのヨーロッパ
文　エドアール・ブラムラン
（ガリマール社）

第四巻
さまざまな家族
文　マリアンヌ・シュルツ
（法学博士）

子ども達の社会意識を育む

アデルとサイードの文通を通して、社会生活・市民生活の様々な側面を発見していく。個人の尊重・政治的諸制度・外国との関係・家族のあり方など、子供たちの社会に対する関心を育む良書。子どもたちは学校の外にある社会・市民について、どれだけ関心・知識を持っているだろうか？

日本人誰もが必見！日本型陪審制へフランスからの貴重な体験録

◇ある日、あなたが陪審員になったら－フランス重罪院の仕組み

陪審員経験者・重罪院裁判長・弁護士・検事の十八人の貴重な「生の声」！

【イラスト】C・ボヴァレ
【インタビュー】O・シロンディニ
【訳】大村浩子＝大村敦志

本書は、陪審員になったことのある「普通の」市民たちと裁判官・検察官・弁護士たちの証言を集めている。対立する主張の衡量、事実の認定と疑いの介在、確信、真実とウソ…、稀有な体験談。

法律実務家必読！

最新刊　本体：¥3,200（税別）

○ご注文は全国書店・各WEB書店、もしくは弊社まで。

「裁判員制度」施行を前に，陪審員の貴重な生まの声と体験を学ぶ

ある日，あなたが陪審員になったら…
―フランス重罪院のしくみ―

訳 大村浩子（翻訳家）＝大村敦志（東京大学教授） イラスト カティー・ボヴァレ／インタビュー オリヴィエ・シロンディニ

A 4 判変型，並製，100頁，本体 3,200 円（税別）　ISBN 4-7972-3332-X　C6337

推薦の言葉　　松尾浩也（東京大学名誉教授）

フランスの陪審裁判と日本の裁判員裁判との間には、共通する点が多い。この書物は、フランスの文化と社会を背景にしながら、陪審員、判検事、弁護士に対するインタビューと、エスプリの効いた多数のイラストを集積し、陪審裁判の生態を活き活きと描きだした好著である。フランスではベスト・セラーになったと聞く。重罪院の手続に関する豊富な注釈も加えられているので、社会人や学生の皆さんと同時に、法律実務家にも推薦したい。

重大犯罪に向き合う陪審員と法律家の心理を活き活きと再現

内容（以下、陪審手続の順序に構成）：1/手 紙　2/出頭命令　3/公 判　忌避…起訴状朗読…被告人…証人と鑑定人…裁判長…検事と弁護士…被害者…ウソ…疑い…論告求刑と最終弁論…雄弁術…確信　4/評 議　有罪か無罪か…量刑　5/評 決　6/裁判のあと

本書 31 頁より「3 公判 ―― 起訴状朗読」：

フレデリック（男性）陪審員：「われわれは、凶器所持強盗、強姦…といった罪名だけを見れば単純そうな事件に取りかかります。最初は誰もが、すぐに決まるだろう、と考えます。しかし、議論が進めば進むほど、われわれは確信をもてなくなるんです。起訴状朗読を聞いて、隣の人が私にささやきました。『片付いたな。早く終わるぞ』とね。評議が続くうちに、彼をはじめ幾人かの陪審員が、もっと時間をかけて問題を問い直し、じっくり考えようじゃないか、と他の陪審員を説得したのです。みんな、簡単には考えられなくなります。死刑か否か、人ひとりの首がかかっているのです。」

本書は、陪審員経験者に対するジャーナリストのインタビューを中心に構成されていますが、陪審の手続の進行に従って、11人の人々の経験談が配置されており、陪審員たちがどのように感じながら裁判に参加したのかが手にとるように分かります。あわせて、裁判官・検察官・弁護士などの証言によって、陪審に対する彼らの見方も示されています。さらに、スケッチや制度に関する補足説明も、大いに読者の理解を助けます。この本を読めば、制度としてではなく経験として、陪審を知ることができるはずです。私たちも、これから同様の経験をするのです。私たちは、この経験をどのように語ることになるのでしょうか。

本書は、陪審に参加した人々の心の動きをいきいきと描き出しますが、それと並んで重要なのは、陪審制度に対する彼らの見方です。「なんで俺がえらばれちまったんだ？」「裁判所へなんか行きたくなかったわ」「ヴァカンスをキャンセルしなければならなかった」「自分には時間的余裕がない」。彼らは、こうした消極的・否定的な見方も率直に語っていますが、同時に、次のような言葉も口にするのです。「市民としての義務」「社会への参加」「政治意識の問題」「共和国の一員である幸運」「人民主権のひとつの形」…（「訳者はしがき」より）

信山社　〒113-0033　東京都文京区本郷 6-2-9-102　注文は…E-mail: order@shinzansha.co.jp　FAX: 03-3818-0344

日本裁判資料全集1・2
監修 新堂幸司
実務家・研究者・法科大学院生、必備の素材！

東京予防接種禍訴訟

○時効・除斥の制度は誰のためにあるべきか
○なぜ責任は国に限定されたか、その背景とは
【全2巻】

・**東京予防接種禍訴訟 上巻**
ISBN4-7972-6011-4 C3332 Y30000E　　本体30,000円（税別）
総1028頁

・**東京予防接種禍訴訟 下巻**
ISBN4-7972-6012-2 C3332 Y28000E　　本体28,000円（税別）
総804頁

第1編　訴訟の概要・経過
■1訴訟の概要■2弁護団座談会「被害の救済を求めて」■3年譜■4主張書面等■5参考資料〔①判決評釈リスト／②3つの最高裁判決／③厚生大臣談話／④判決確定と年金調整等確認に関する資料〕

第2編　第一審　訴訟関係資料
■1原告の主張〔①訴状／②準備書面／③意見陳述〕■2被告（国）の主張〔①答弁書／②準備書面〕■3書証目録■4書証（白木論文）■5証人調書等〔①原告側証人の証言／②被告側証人の証言／③原告本人の陳述〕■■〔以下下巻〕■6第一審判決

第3編　控訴審　訴訟関係資料
■1被控訴人（原告）の主張 ①主張書面 ②意見陳述 ■2控訴人（被控国）の主張 3書証目録（控訴人）■4書証（白木意見書、ドイツ判例）■5証人調書等〔①被控訴人（原告）側証人の証言／②控訴人（国）側証人の証言／③原告本人の陳述〕■6控訴審判決

第4編　上告審　訴訟関係資料
■1上告人（原告）の弁論要旨■2 被上告人（国）の答弁書■3上告審判決■4差戻審和解調書

【編集】
河野 敬 弁護士・早稲田大学法科大学院教授
秋山幹男 弁護士・筑波大学法科大学院教授
山川洋一郎 弁護士
廣田富男 弁護士
大野正男 弁護士・元最高裁判所判事
中平健吉 弁護士

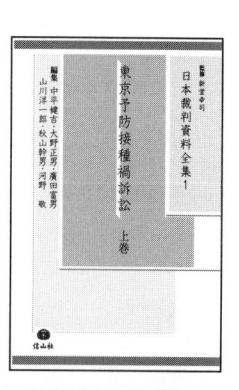

ワクチン接種禍訴訟26年間の裁判記録
和解への道のり 裁判ドキュメント

1973年に提訴された予防接種被害東京訴訟（被害者62家族）の26年間にわたる裁判記録。予防接種被害の救済を求め、被害者とその弁護士が権利の実現のためにいかに戦い、裁判所がその使命をどのように果たしたか。第1編「訴訟の概要・経過」では弁護団の座談会がリアルに物語っている。第2編以降では訴状、答弁書、準備書面等、さらに意見陳述、証言・尋問調書等、原告の「生の声」をも収録した貴重なドキュメンタリー。全2巻、総1832頁に訴訟の全てを凝縮。

法律実務・研究から語学学習までの必備書。待望の刊行成る！

ISBN4-7972-5602-8 C3587

信山社 新刊

山田信彦編著
スペイン語法律用語辞典

■西和・和西のどちらでも引ける
待望の法律専門用語辞典■

スペインの法律・法令の専門用語を中心に、可能な限りラテンアメリカ法の用例いわばスペイン語圏諸国の法律用語を最大公約数的に採録した。スペイン語の法令その他の法学文献に接する人々待望の、初のスペイン語法律用語辞典。巻末には日本語で引ける和西総索引が付いてさらに使いやすく分かりやすい。

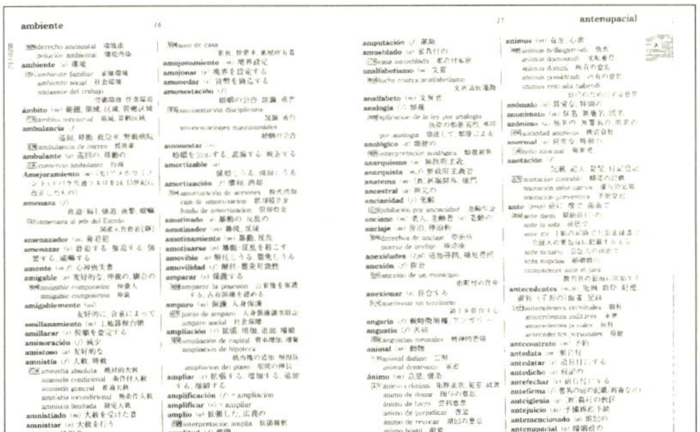

和西の部（和西総索引）

四六変形判　400頁　ビニール装　函入　　定価：本体 10,000 円

ブリッジブック民事訴訟法
井上治典編　¥2,100 刊行!!!

新感覚の入門書 ブリッジブックシリーズ

ブリッジブック先端法学入門　土田 道夫／髙橋 則夫／後藤 巻則編　¥2,100
ブリッジブック憲法　横田 耕一／高見 勝利編　¥2,000　ブリッジブック先端民法入門　山野目 章夫編　¥2,000
ブリッジブック商法　永井 和之編　¥2,100　ブリッジブック裁判法　小島 武司編　¥2,100
ブリッジブック国際法入門　植木 俊哉編　¥2,000　ブリッジブック法哲学　長谷川 晃／角田 猛之編　¥2,000
ブリッジブック日本の政策構想　寺岡 寛著　¥2,200　ブリッジブック日本の外交　井上 寿一著　¥2,000

ISBN4-7972-2320-0 C3332

山野目章夫 編
早稲田大学大学院法務研究科教授

人気書の改訂版

【執筆者】山野目章夫　角田美穂子
池田雅則　高田淳　本山敦

ブリッジブック 先端民法入門

平成16年改正に対応した最新版

基本概念の体系上の機能・役割に焦点

ブリッジブック 先端民法入門 [第2版]
山野目章夫編

平成16年改正に対応した最新刊！
芦別大学院同研付「民法」学習の一助へ導く
本書の基本概念上の機能・役割へのアクセス！

第2版

本体2,000円（税別）

各章のACCESS事例により、民法の世界への自然な誘いを図る新感覚の入門書

章末の〈Access Pocket〉でさらに学問世界を広げます。巻末には、7つのクイズ/読書案内/演習問題を掲載し、読後の学習へのリスタートも助けます。

新感覚入門書 ブリッジブックシリーズ　　2006.03新刊

ISBN4-7972-2317-0 C3332

井上治典 編

【執筆者】安西明子　井上治典　仁木恒夫　西川佳代

各章の最後に、〈参考判例〉、〈ステップアップ〉、論文につなげる工夫を施し、巻末には〈確認問題〉を掲げ、体系書へのステップアップを架橋。

ブリッジブック 民事訴訟法
井上治典編

民事訴訟法のダイナミズムを〇〇
当事者目線と実践感覚を基軸
フェアネスの感覚の修得を目指す

ブリッジブック 民事訴訟法

本格的民事訴訟法学習への道しるべ

フェアネス感覚・実践性の修得を目指す

冒頭に4つのCASEを掲げ、読み進める中で、その4つの事例に立ち返り、基本概念のイメージを実践的に説明

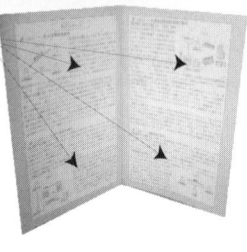

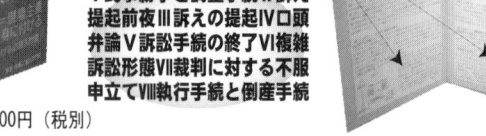

I 民事紛争と調整手続 II 訴え提起前夜 III 訴えの提起 IV 口頭弁論 V 訴訟手続の終了 VI 複雑訴訟形態 VII 裁判に対する不服申立て VIII 執行手続と倒産手続

本体2,100円（税別）

◇男女共同参画社会へのフランスの挑戦◇

なぜそこに女性がいないのか?の問いかけに答える新しい提案。

パリテの論理
―男女共同参画の技法―

糠塚康江 著
関東学院大学法学部教授
2005年11月刊行

フランスに導入され実施過程に入っている「パリテ（男女同数制）」とは何か。その背景を探り、憲法改正過程、パリテを具体化する法制度、選挙の実施状況について分析し、パリテの理論的位置づけを試みる。

本体3,200円（税別）

フランスは人権の母国として知られ、その歴史は1789年の人権宣言にさかのぼる。日本において本来的な人権思想が実定法化されたのは、1946年の現行憲法の制定を待たなければならなかった。ところが、こと女性に限って言えば、権利主体として憲法上認知され、実際に主権者として政治参画を果たしたのは、ほぼ同時期の、第二次世界大戦後のことである。両国の男女の現実の不平等は根強く社会に残存した。しかし今やフランスは、女性の政治参画を積極的に促すために、選挙制度にパリテを導入した。それにとどまらず、パリテの論理をさまざまな領域に及ぼそうとしている。

◇第一線の執筆者による最先端の憲法論◇

憲法の現在

自由人権協会 編 **本体3,200円（税別）**
2005年11月刊行

はしがき		紙谷　雅子
第1章	最近の憲法をめぐる諸問題	奥平　康弘
第2章	平等権と司法審査―性差別を中心として	君塚　正臣
第3章	今、憲法裁判所が熱い―欧流と韓流と日流と	山元　一
第4章	憲法と国際人権条約―イギリスと日本の比較	江島　晶子
第5章	憲法を改正することの意味―または、冷戦終結の意味	長谷部　恭男
第6章	現在の憲法論―9条を中心に	愛敬　浩二
第7章	国家と宗教の周辺	齊藤　小百合
第8章	憲法の想定する自己決定・自己責任の構想	中島　徹
第9章	表現の自由の公共性	毛利　透
第10章	思想良心の自由と国歌斉唱	佐々木　弘通
第11章	外国人の人権保障	近藤　敦
第12章	立憲主義の展望―リベラリズムからの愛国心	阪口　正二郎
まとめ		川岸　令和

ポケットサイズの総合スポーツ法令集

スポーツ六法

2006年度版

本体：2850円（税別）
価格もさらにお求め易くなりました。

★編集代表★
小笠原 正（東亜大学教授）
塩野　　宏（東京大学名誉教授）
松尾 浩也（東京大学名誉教授）

体育指導者
インストラクター
アスリート
弁護士・ビジネスマン
自治体関係者まで

編集委員
浦川道太郎（早稲田大学教授）
川井圭司（同志社大学助教授）
菅原哲朗（弁護士・
　　日本スポーツ法学会会長）
高橋雅夫（日本大学教授）
道垣内正人（早稲田大学教授・
　　日本スポーツ仲裁機構長）
濱野吉生（早稲田大学名誉教授）
守能信次（中京大学教授）
森　浩寿（大東文化大学助教授）
吉田勝光（愛知県教育委員会）

最新版 人気の旧版から法令等を追加・アップデート
◆あらゆるスポーツ場面に◆
スポーツ振興／スポーツ事故／
学校の安全対策／規則・ルール
◆事故防止からビジネスまで◆

法令だけではない実用性と面白さ 2006年版のここ↓に注目！
多数の法令等のほか、自治体の取組みが分かる条例も多数収録。また、各章ごとに分かり易い解説を加え、資料としてスポーツ判例解説、仲裁記録などを掲載。その他＝プロ野球協約【日米間選手契約に関する協定など大幅追加】／bjリーグ宣言【新創設のプロバスケットボールリーグ】／IOC倫理規定やオリンピック開催特別法など追加収載。

【内容目次】　1 スポーツの基本法　(1)基本法令　(2)スポーツ国際法　(3)スポーツの精神／2 スポーツの行政と政策　(1)スポーツの行政　(2)スポーツの振興と政策　(3)スポーツ情報の公開と保護／3 生涯スポーツ／4 スポーツと健康／5 スポーツと環境／6 スポーツの享受と平等　(1)子どもとスポーツ　(2)スポーツとジェンダー　(3)スポーツと障害者／7 学校スポーツ　(1)学校制度　(2)初等中等教育　(3)高等教育　(4)教育職員　(5)学習指導要領／8 スポーツとビジネス　(1)スポーツ産業関連　(2)プロスポーツの団体・選手契約／9 スポーツ事故　(1)スポーツ事故の法的責任　(2)スポーツ事故の防止と対策／10 スポーツ紛争と手続／11 スポーツの補償／12 スポーツの安全管理／13 スポーツ関係団体　(1)スポーツ団体関連法　(2)スポーツ団体　(3)公営競技／14 資料編　(1)スポーツ事故判例　(2)スポーツ仲裁判断　(3)スポーツ保険　(4)外国法令資料　(5)スポーツ関係年表

FAX注文 03-3811-3580

お名前
ご住所 〒
電話

信山社　〒113-0033
東京都文京区本郷6-2-9-102
TEL03-3818-1019　Email：order@shinzansha.co.jp